OPERAÇÃO HURRICANE

J. E. Carreira Alvim

OPERAÇÃO HURRICANE
UM JUIZ NO OLHO DO FURACÃO

GERAÇÃO EDITORIAL

OPERAÇÃO HURRICANE
Um Juiz no olho do Furacão

Copyright © 2011 by J. E. Carreira Alvim

2ª edição — Julho de 2011

Grafia atualizada segundo o Acordo Ortográfico da Língua Portuguesa de 1990, que entrou em vigor no Brasil em 2009.

Editor e Publisher
Luiz Fernando Emediato

Diretora Editorial
Fernanda Emediato

Produtora Editorial
Renata da Silva

Capa e Projeto Gráfico
Alan Maia

Diagramação
Kauan Sales

Preparação
Josias A. Andrade

Revisão
Hugo Almeida

DADOS INTERNACIONAIS DE CATALOGAÇÃO NA PUBLICAÇÃO (CIP)
(Câmara Brasileira do Livro, SP, Brasil)

Alvim, J. E. Carreira
Operação Hurricane : um juiz no olho do furacão / J. E. Carreira Alvim.
-- São Paulo : Geração Editorial, 2011.

ISBN 978-85-61501-63-1

1. Alvim, José Eduardo Carreira 2. Corrupção – Investigação 3. Corrupção judiciária - Brasil 4. Crime organizado 5. Escândalos 6. Injustiça 7. Investigação criminal 8. Juízes – Brasil 9. Máfia dos bingos 10. Memórias autobiográficas I. Título.

11-03950 CDD: 364.134

Índices para catálogo sistemático

1. Brasil : Corrupção na Justiça : Investigação : Relatos pessoais : Criminologia   364.134

GERAÇÃO EDITORIAL

Rua Gomes Freire, 225/229 – Lapa
CEP: 05075-010 – São Paulo – SP
Telefax.: (11) 3256-4444
Email: geracaoeditorial@geracaoeditorial.com.br
www.geracaoeditorial.com.br

2011
Impresso no Brasil
Printed in Brazil

DEDICATÓRIA

Aos operadores do Direito, que *passivamente* assistiram ao meu calvário, para que conheçam a verdade que está por detrás da farsa montada pelas instituições que deveriam zelar pela liberdade de consciência de um juiz brasileiro; e

Aos meus netos, que iluminaram minha vida, num momento em que mais precisei de luz, na esperança de que, quando tiverem discernimento, tomem conhecimento da trama judiciária que envolveu o seu avô, então desembargador do Tribunal Regional Federal da 2ª Região, e sintam orgulho da sua honra, dignidade e coragem, por não se ter acovardado no exercício da sua nobre missão de fazer justiça.

O AUTOR

SUMÁRIO

CAPÍTULO 1
QUEM É O DESEMBARGADOR CARREIRA ALVIM

Começo de uma jornada 27
Exercitando uma vocação 31
Começo de uma vida... 32
Pavimentando um futuro... 33
Em busca de um sonho 35
Chegada ao Tribunal Federal 36

CAPÍTULO 2
OS REAIS MOTIVOS DO FURACÃO

Nuvens negras sobre o Tribunal 41
Verdadeiros ventos do furacão 46
Encontro de Buenos Aires 51
Grampos no gabinete do desembargador 57
Suspeita de fraudes pela Polícia Federal.. 64
Importância do fato e da versão do fato 66
Decisões sobre o funcionamento de bingos no Tribunal 70
Clima de campanha para a presidência do Tribunal...................................... 77
Dia de eleição no Tribunal.. 81
Indignação de um candidato 85
Dossiê fantasma ou imaginário 87

CAPÍTULO 3
DO FURACÃO À CARCERAGEM

Chegada do furacão 95
Furacão varre a minha casa 97
Decifra-me ou te devoro 99
Furacão sacode o Instituto de Pesquisa e Estudos Jurídicos 102
Furacão chega à casa de Itaipava 105
Preso sem exibição de mandado de prisão 107
Sete pecados capitais da decisão sobre a prisão 110
Estopim do furacão: decisão em favor da Betec 116
Extensão da decisão da Betec à Abraplay e à Reel Token 126
Cronologia dos fatos corre contra o relógio 134

CAPÍTULO 4
OS MOVIMENTOS DO FURACÃO

Rumo à carceragem no Rio de Janeiro 141
Chegada à carceragem 143
Exame de corpo de delito 145
Constrangimento nada legal 147
Surpresa na carceragem 150
Necessidades fisiológicas nada privadas 151
Alta temperatura na carceragem 153
Chegada de uma guerreira 155
Desembargador vencido pelo cansaço 157

CAPÍTULO 5
OS DESLOCAMENTOS DO FURACÃO

Hora de deixar a carceragem no Rio de Janeiro 163
Revista pessoal constrangedora 165
Partida para a carceragem de Brasília 166
Chegada ao purgatório 167
Prisão nada "especial" 169
Companheirismo na cela 170
Banheiro nada privado 172
Problema de espaço na cela 175
Carcereiros 177

CAPÍTULO 6
NO OLHO DO FURACÃO

Execrável julgamento pela mídia 183
Intimações penais pela televisão 186

Banhos de sol na carceragem 187
Espiritualidade em alta 189
Solidariedade no cárcere 191
Porta-voz dos presos 194
Alarme falso na carceragem 196
Rábula da carceragem 197
Visita inesperada à nossa cela 199
Solidariedade que conforta 203
Dia de visitas 204
Arrependimento de um delegado federal 207
Terrorismo na carceragem 210
Mercadinho na carceragem 212
Depoimentos dos indiciados 213
Noite maldormida 215
Saída da carceragem 216
Lembranças do cárcere 220

CAPÍTULO 7
DE VOLTA À VIDA

Retorno ao Rio de Janeiro 225
Finalmente em casa 227
Profecia de Coimbra 228
Contas bancárias bloqueadas 231
Chuva de manás 234
Saída de casa após o furacão 235

CAPÍTULO 8
PROVAS MONTADAS PELA POLÍCIA FEDERAL

Poder para prender sem força para controlar 239
Montagem de uma farsa 241
Desmontando a trama 248
Perícia da Polícia Federal em xeque 251
Prova técnica desmente a Polícia Federal 253
Almoço que acabou indigesto 261
Igualdade na Justiça é uma miragem 265

CAPÍTULO 9
OS DESDOBRAMENTOS DO FURACÃO

Denúncia que não se sustenta 271
De contrabando à ilegalidade do jogo 289

O furacão na CPI do Grampo 296
Advogados querem Polícia Federal controlada 300
Devassa fiscal na minha vida privada 303
Sofrimento por tabela 305
Morre uma das vítimas do furacão 306
Caso Projac da Rede Globo de Televisão 309
Jornalismo ético ainda existe 313
Quem esquece o passado condena-se a repeti-lo 315
A ética para si e a ética para os outros 318
Alerta aos magistrados brasileiros 340
Profissão de fé de um juiz 342
Crença na verdadeira justiça 344
Herança para meus descendentes 347

CAPÍTULO 10
ANEXO COM IMAGENS E PEÇAS IMPORTANTES

Laudo pericial do professor doutor Ricardo Molina
sobre as gravações telefônicas feitas pela Polícia Federal 351
Decisão na íntegra sobre a Betec 366

APRESENTAÇÃO

No dia 13 de abril de 2007, às 6 horas da manhã, acordei com um telefonema de minha filha, que mal conseguia falar, e, em seguida, tocou com insistência a campainha do apartamento. Minha mulher se levantou para ver do que se tratava, voltando assustada e dizendo que a nossa casa estava tomada pela Polícia Federal.

Levantei-me surpreso, porque nunca tive nada a temer, e me deparei com a sala tomada por policiais federais armados com pesados fuzis e metralhadoras, como se eu fosse integrante de uma quadrilha dos mais perigosos traficantes dos morros do Rio de Janeiro.

Quem estava no comando da operação era um delegado da Polícia Federal de Santa Catarina, que me exibiu um mandado de busca e apreensão com a assinatura do ministro Cezar Peluso, do Supremo Tribunal Federal, autorizando-o a fazer uma varredura na minha casa, em busca, segundo suas próprias palavras, de "grandes quantias em dinheiro".

O mandado que me foi exibido por esse delegado federal nada mais era que uma cópia mal xerografada dos originais, cuja assinatura, que seria do ministro Cezar Peluso, estava inteiramente ilegível, o que me trouxe séria dúvida sobre a sua autenticidade. Por isso, tentei contato com os ministros que eu conhecia em Brasília, mas aqueles com os quais consegui falar mostraram receio de se intrometer numa investigação supervisionada por um ministro do Supremo Tribunal Federal; e a solução foi deixar que eles revistassem a minha casa, mesmo porque nada seria encontrado, como realmente não foi; e ela foi revirada pelo avesso.

Pelo número de malotes pretos que os policiais federais traziam, supus que fossem levar a minha casa inteira, mas não as pretendidas "grandes quantias em dinheiro", porque estas só existiam na sua imaginação e na de quem mandou buscá-las.

Eu tinha na minha casa apenas cinco mil reais meus e dois mil dólares da minha mulher, restantes de uma viagem internacional que fizéramos, pois iríamos à França no mês de maio, tendo ela passagem já comprada, viagem que acabou abortada pelo furacão.

Até então, eu não sabia que seria preso, sendo toda a diligência de busca e apreensão na minha casa feita sob a minha condução, tendo os policiais federais que executaram a operação revistado tudo, abrindo livro por livro da minha biblioteca, na suposição de que lá encontrariam as "grandes quantidades de dinheiro" de que andavam à cata.

Quando terminaram, os policiais federais passaram a recolher coisas sem a menor importância, como cópias de minhas decisões e acórdãos, minhas coisas pessoais, como abotoaduras, joias da minha mulher, compradas antes de casarmos, e muita quinquilharia, porque afinal não queriam sair da minha casa com os sacos vazios; mas apesar disso a grande maioria saiu realmente vazia, porque o que tinha na minha casa era algo que não se carrega em sacos, mas na alma, que é a ética, a honra e a dignidade que sempre me acompanharam e a minha família.

O delegado então me convidou a acompanhá-lo até a Superintendência da Polícia Federal, para fazer a conferência dos bens apreendidos; convite que recusei, porque eu pensava que iria para o Tribunal. Ele me disse que, se eu não fosse por bem, seria levado à força.

Pedi pelo mandado de prisão, e ele respondeu que havia um mandado, mas que ele não o tinha trazido, mas que mesmo assim eu tinha que acompanhá-lo. Chamei as pessoas que acompanhavam a diligência, como a síndica do prédio, meu motorista, a nossa empregada e a minha mulher, e lhes disse que eu estava sendo preso. Tentei fazer esse delegado entender que na minha carteira profissional de desembargador estava escrito que, se eu fosse preso, deveria ser apresentado ao presidente do Tribunal, mas ele me disse que o que estava fazendo era por determinação do ministro do Supremo Tribunal Federal e que era "operacional", pelo que nada tinha a ver com as prerrogativas da minha função, que vi nesse momento serem mandadas para o espaço.

Enquanto se desenrolavam as diligências de busca e apreensão, a Rede Globo de Televisão colocou seu jornal no ar em regime de plantão, noticiando que eu havia sido preso juntamente com outros vinte e cinco investigados numa operação realizada pela Polícia Federal e batizada de Hurricane ou Furacão, e levado para a carceragem no centro do Rio.

Nesse momento, eu estava ainda em casa, comandando a Polícia Federal na busca e apreensão, embora mais tarde, com a cópia do mandado de prisão nas mãos, que me foi mostrado já na carceragem, tomei conhecimento de que a minha prisão temporária tinha sido decretada para que eu não interferisse nessas buscas que ali seriam feitas.

Já na carceragem da Polícia Federal, encontrei-me com o meu genro e com o desembargador Ricardo Regueira, o que me deixou ainda mais surpreso, porque o desembargador já havia sido vítima de uma operação da Polícia Federal, por causa de suposições, cujo processo instaurado no Superior Tribunal de Justiça tinha sido anulado e arquivado pelo Supremo Tribunal Federal com voto condutor do mesmo ministro Cezar Peluso que mandara prendê-lo de novo como integrante, agora de uma quadrilha de bingos.

Sem saber de que era acusado, fui mantido na carceragem da Polícia Federal, sem comer e beber nada e num calor infernal, tendo sido colocado numa sala onde se encontravam todos os demais presos na operação, como que a me exibir como troféu aos donos dos bingos para desmoralizar-me perante todos.

Antes de ser levado para a carceragem em Brasília, fui despido para ser examinado numa sala onde se encontravam dois homem e uma mulher que, depois, me disseram ser uma médica, para fazer o exame de corpo de delito. Mais tarde fui posto num avião para Brasília, juntamente com todos os demais, algemado e conduzido em condições nada confortáveis, pois fui do Rio de Janeiro a Brasília com uma goteira em cima de minha cabeça.

Isso ocorreu numa sexta-feira, e já no domingo a Rede Globo de Televisão pôs no ar uma reportagem mostrando os policiais federais entrando nas casas dos donos de bingo, derrubando paredes a marretadas em busca de dinheiro escondido, com os donos de bingo, alguns dos quais bastante idosos e até um ancião, sendo levados algemados pelos federais.

Nessa reportagem, anunciava a repórter que "nunca antes no Brasil tantos poderosos caíram juntos em tão pouco tempo", enfatizando que eu era um dos presos, juntamente com o desembargador Ricardo Regueira, por estarmos, segundo ela, envolvidos com a máfia dos bingos.

Sem qualquer explicação sobre o dinheiro encontrado na casa de um bingueiro, a câmera mostrava pilhas e pilhas de cédulas artisticamente dispostas para mostrar volume, exibindo em seguimento fotos minhas e do desembargador Regueira, a sugerir que aquele dinheiro era nosso e que era propina para autorizar o funcionamento de bingo, cujas decisões nem sequer tinham sido proferidas por nós.

Nos dias seguintes, os telejornais de todo o país entraram numa histeria coletiva de exibição da matéria, falando sem cessar de esquemas de compra de sentenças que incluiriam vários desembargadores, eu inclusive, tendo a certa altura sido colocada no ar uma frase com a minha voz, dizendo "a minha parte em dinheiro, tá?", explicada como uma ligação minha para meu genro, pedindo que a minha parte na negociação fosse paga em dinheiro.

As reportagens foram tão exageradas, que um delegado da Polícia Federal, chamado Emmanuel, declarou à Rede Globo que "aquela operação era um divisor de águas" no combate ao crime organizado no Rio de Janeiro, tendo sido eu e o desembargador Ricardo Regueira alçados à condição de bandidos mais perigosos do país.

O detalhe que faltou nessas reportagens é que nada disso era verdade, mas fruto de uma armação, forjada pela Polícia Federal, sob o comando do delegado federal Ézio Vicente da Silva, numa investigação sob a tutela do então procurador-geral da República Antônio Fernando de Souza, e supervisionada pelo ministro Cezar Peluso, do Supremo Tribunal Federal, que, mais tarde, viria a relatar contra mim uma denúncia formulada pelo mesmo procurador-geral da República, convencendo o Plenário daquela augusta Corte de que havia sérios indícios de minha participação na quadrilha de bingos.

Nada havia de concreto além de maquinações, montagens de provas e suposições contra mim e o desembargador Ricardo Regueira, mas, sem um exame meticuloso, o procurador-geral da República induziu o ministro do Supremo Tribunal Federal a me supor um marginal, tendo eu sido execrado publicamente pela mídia, apesar de todo o meu passado de juiz e de professor de Direito, com uma das maiores obras já produzidas individualmente por um escritor neste país; e inclusive conhecido da maioria dos ministros do Supremo Tribunal Federal, com muitos dos quais convivi ao longo de minha carreira.

Em outros termos, fui julgado sem saber por que razão, e previamente condenado por meio da imprensa sob os auspícios do Supremo Tribunal Federal, cujo ministro teve poder para mandar me prender, mas não para fazer com que a operação que ele próprio havia supervisionado acontecesse, como ele próprio determinara, em "segredo de justiça".

Nesta oportunidade, busco demonstrar como fui alvo de um esquema dos mais perversos armados contra um ser humano pela Polícia Federal, estimulada pelo Ministério Público Federal e autorizada pelo Supremo Tribunal Federal, cujo principal objetivo era evitar que eu chegasse à presidência do Tribunal Regional Federal da 2ª Região, como seu candidato natural, pela ordem de antiguidade, e para não incomodar nessa função o Poder Público, que se considera muitas vezes acima da lei e da Constituição.

Por ter uma consciência judicante mais afinada com as necessidades do povo do que com os afagos aos poderosos, tornei-me uma pedra no sapato dos que não me queriam ver presidente do Tribunal a que pertencia, a ponto de montarem contra mim uma operação tão perversa quanto espalhafatosa, com tramas e montagens que fazem corar o mais descrente dos cidadãos na Justiça.

Dividi os assuntos em tantas partes quantas necessárias para esclarecer o que realmente aconteceu, ou seja, os fatos e a versão verdadeira desses fatos, porque aquela concebida pelas mentes que compõem a parte malsã da Polícia Federal fica por conta de quem quiser acreditar nela.

Costumo dizer que "o juiz, quando quer, quer, e, quando não quer, não quer, e ponto final", pouco importando a lei ou as provas; pelo que se, apesar de tudo, quiserem me condenar, nada poderei fazer para impedir que condenem.

Espero que o Supremo Tribunal Federal, em face de todos os esclarecimentos que faço, se debruce sobre as provas para descobrir a verdade, mandando fazer uma perícia sobre as conversas entre mim e meu genro por uma entidade neutra, que não seja o Instituto Nacional de Criminalística, que é um órgão da própria Polícia Federal e jamais vai comprometer a própria instituição; como aconteceu, aliás, no processo do meu genro, em que procurou por todas as formas obstaculizar a participação na perícia determinada pela juíza do professor e perito Ricardo Molina, para não se ver desmascarada na farsa montada contra nós.

No Capítulo 1, mostro quem é o desembargador Carreira Alvim, para que o leitor me conheça antes e depois de haver chegado ao Tribunal Regional Federal da 2ª Região, todo o caminho que percorri e as circunstâncias em que o percorri para chegar à magistratura, e como nasceu o meu senso de justiça.

No Capítulo 2, mostro os reais motivos do furacão e, sobretudo, o que aconteceu desde as nuvens que se formaram sobre o Tribunal; o encontro de Buenos Aires, que coordenei e onde estiveram os ministros Cezar Peluso e Gilson Dipp, pessoas importantíssimas na apuração dos fatos alegados contra mim; a colocação de grampos no meu gabinete; as suspeitas de fraude nas montagens da Polícia Federal; os desembargadores federais que realmente deram liminares para o funcionamento de bingos; a eleição para a presidência do Tribunal; a minha indignação pela maquinação que fez o grupo dos quinze, integrado por "colegas" meus para eleger um candidato que atropelou a antiguidade no Tribunal; e, sobretudo, o dossiê fantasma, onde existem provas cabais de comportamentos antiéticos e até criminosos e que nem a Polícia Federal, nem o Ministério Público e nem a Justiça se interessaram em apurar.

No Capítulo 3, conto a chegada do furacão à minha casa, varrendo tudo o que encontrava pela frente; o furacão em outros locais onde suspeitavam os agentes federais que pudessem estar as "grandes quantidades de dinheiro", que procuravam sem ter encontrado; a minha prisão sem a exibição de um mandado judicial; os sete pecados capitais da decisão do ministro Cezar Peluso, do Supremo Tribunal Federal que mandou me prender; a forma como fui exposto à execração pública pela mídia; e o verdadeiro estopim das minhas decisões, em que simplesmente mandei liberar máquinas de bingo, mas todos, a Polícia Federal, o Ministério Público, o Supremo Tribunal Federal e o Conselho Nacional de Justiça entenderam que eram para o funcionamento de casas de bingo no Rio de Janeiro, pondo-me como membro de uma organização criminosa existente na sua imaginação.

No Capítulo 4, relato os terríveis e angustiantes movimentos do furacão, na carceragem da Polícia Federal no Rio de Janeiro; o exame de corpo de delito pelo qual fui despido para ser exposto ao ridículo; a surpresa do encontro com o desembargador Ricardo Regueira, que foi a maior vítima dessas infâmias; como fomos tratados com "restos de *pizzas*" pelos delegados federais, passando fome e sede; as necessidades fisiológicas feitas na presença de um policial federal, sem o direito de fechar a porta da privada; e a luta da minha filha com o pai e o marido injustamente presos.

No Capítulo 5, mostro o deslocamento do furacão em direção a Brasília; as revistas constrangedoras a que os agentes federais me submeteram na Base Aérea do Galeão; a chegada à carceragem em Brasília, onde fui de novo despido e examinado, passando por novo constrangimento; a prisão comum com grades e tudo onde fomos colocados eu e o desembargador Ricardo Regueira, apesar de a Constituição nos garantir prisão especial, em sala de Estado-Maior; a colocação numa cela em que o banheiro não tinha porta e onde havia espaço para dois presos, mas fomos postos seis.

No Capítulo 6, trato dos momentos em que estive no "olho do furacão", na carceragem em Brasília; as intimações do Supremo Tribunal Federal, que em vez de serem feitas aos nossos advogados, todos de plantão naquela Corte, eram feitas pela televisão; os banhos de sol na carceragem, onde conheci os outros detidos na Operação Furacão, e onde vim a reconhecer dois homens, que vim a saber ali serem bingueiros, mas que tinham estado no almoço no restaurante Fratelli que os ministros do Supremo e os conselheiros do Conselho Nacional de Justiça concluíram ter sido um encontro para negociar minhas decisões; a visita inesperada do então presidente da Associação dos Juízes Federais, juiz Walter Nunes, que viu todo o desrespeito contra as prerrogativas dos juízes, mas não conseguiu fazer com que o ministro Cezar Peluso as corrigisse após os ofícios que fez denunciando tudo; o arrependimento de um delegado federal, preso na mesma operação; a tomada de depoimentos de desembargadores federais por um delegado federal, quando nem na área administrativa um servidor de hierarquia inferior participa do julgamento de um funcionário de hierarquia superior; a saída da carceragem e as lembranças do cárcere.

No Capítulo 7, relato a minha volta à vida; o meu retorno ao Rio de Janeiro; o bloqueio das minhas contas bancárias que me deixaram sem dinheiro para alimentar a mim e à minha família, com um neto de apenas quatro meses, filho da minha filha Luciana, desmamado de forma desumana, com a prisão do seu pai e a ida da mãe, uma advogada, para Brasília; a descoberta de que a nossa empregada, com os recursos da sua caderneta de poupança, assumia as despesas da casa, para não passarmos fome; e, sobretudo, a profecia de Coimbra, em que um vidente, quando lá estivemos, disse a mim e à minha mulher, sem saber que éramos casados, que seríamos atingidos por um furacão, e que teríamos que ter forças "para juntar os cacos".

No Capítulo 8, falo das provas montadas contra mim; relatando a Justiça dominada pela imprensa; a falta de poder e autoridade do ministro Cezar Peluso para impedir os vazamentos para a Rede Globo de notícias de uma operação que ele mesmo mandara que fosse sigilosa; a montagem de uma farsa pela Polícia Federal; a forma como foi, no processo do meu genro, desmontada pelo professor em fonética forense da Universidade de Campinas, professor Ricardo Molina, que a Polícia Federal fez o que pôde para evitar que participasse como assistente da perícia feita pela própria Polícia Federal, apesar da determinação da juíza federal, que também não teve autoridade e força para fazer com que ele participasse de forma direta e efetiva; relato a forma como a perícia feita pelo Instituto Nacional de Criminalística da Polícia Federal foi posta em xeque; a forma como a prova técnica desmente as "montagens" feitas pela Polícia Federal com o aval do Ministério Público, apesar de um ser órgão investigador e o outro, acusador; a versão que a Polícia

Federal deu para um almoço com um advogado conhecido meu, para o qual ele tinha convidado sem o meu conhecimento seus clientes donos de bingos, sete meses depois que as decisões pelas quais fui acusado já tinham sido cassadas, mas que foi interpretado pelo Ministério Público e pelo Supremo Tribunal Federal como se fosse um encontro para negociar decisões que valiam àquela altura menos do que um papel higiênico; a forma como a Justiça trata desigualmente pessoas iguais, mandando prender uns e não mandando prender outros.

No Capítulo 9, relato os desdobramentos do furacão, mostrando as inverdades que a denúncia descrevera como fatos verdadeiros sem ser; a forma como as minhas decisões, em que o motivo alegado pelo Ministério Público Federal era a existência de contrabando, acabou virando um caso de funcionamento ilegal de jogo de bingo e formação de quadrilha; o furacão na Comissão Parlamentar de Inquérito aberta pela Câmara dos Deputados para apurar os grampeamentos ilegais feitos pela Polícia Federal, que, apesar de todos os absurdos apurados, não resultou em nenhuma medida concreta para apurar as responsabilidade e punir os culpados; como os advogados pediram um controle maior da Polícia Federal, sem que a Ordem dos Advogados do Brasil tenha tomado qualquer medida nesse sentido; a devassa fiscal na minha vida, para apurar irregularidades nas minhas declarações de rendimentos, por não haver sido encontrado no meu patrimônio as "grandes quantias em dinheiro" que o Ministério Público dizia ter eu recebido, induzido pela Polícia Federal, e aceito pelo Supremo Tribunal Federal; os sofrimentos por que passaram minha mulher, minhas filhas e toda a minha família e meus verdadeiros amigos; a morte do desembargador Ricardo Regueira pelos sofrimentos que lhe foram impostos por uma suspeita sem o menor fundamento; o caso Projac da Rede Globo de Televisão, que julguei no Tribunal e que versava sobre bilhões de cruzeiros (moeda da época), num contrato que teria firmado de forma irregular com a Caixa Econômica Federal para a construção dos seus estúdios de Jacarepaguá; as decisões em favor da Infoglobo, também da Rede Globo, exatamente nas mesmas circunstâncias em que dei as decisões para as empresas de jogo, e que a Rede Globo dizia terem sido compradas; uma notícia de um jornalista ético, mostrando que a ética ainda existe no jornalismo;

lembro aos ministros do Supremo Tribunal Federal que os irmãos Naves foram absolvidos pelo Tribunal do Júri e condenados pelo Tribunal de Justiça de Minas Gerais, por um crime que não cometeram, porque a vítima que teriam assassinado apareceu viva quando um dos condenados já havia morrido assim que saiu da prisão, tudo porque não tinha cadáver e mesmo assim houve condenação, lembrando também que no meu caso nada foi encontrado nas minhas contas que fizessem supor ter havido recebimento de "grandes quantias" e nem "pequenas quantias" de dinheiro; mostro como a ética na Justiça funciona diferentemente para os ministros e para o desembargador, porque tanto o ministro Cezar Peluso, como representante do Supremo Tribunal Federal, quanto o ministro Gilson Dipp, como representante do Superior Tribunal de Justiça, compareceram por cinco dias a um encontro que coordenei em Buenos Aires cujo tema era exatamente "Os desafios da corrupção", buscando formas de combater o crime organizado; que apesar de terem estado lá, o ministro do Supremo Tribunal Federal teve participação determinante no recebimento da denúncia contra mim, e o ministro Gilson Dipp participação determinante na minha condenação pelo Conselho Nacional de Justiça; faço um alerta aos magistrados brasileiros; e uma profissão de fé feita por um juiz.

São passados mais de quatro anos, sem que o processo em que sou acusado perante o Supremo Tribunal Federal tenha dado um único passo, além do recebimento da denúncia e do julgamento de um recurso de simples esclarecimento, e nenhum dos pedidos que fiz tanto ao anterior quanto ao atual relator foi apreciado nem para conceder nem para negar, sendo um deles, inclusive, relacionado com a minha própria saúde.

Neste livro, conto a minha verdade que é a verdade dos fatos como realmente aconteceram, para que a sociedade, e especialmente os juízes, membros do Ministério Público, advogados e operadores do Direito que me conhecem façam o seu próprio julgamento, pois não quero que aconteça comigo o que aconteceu com o saudoso desembargador Ricardo Regueira, que acabou sucumbindo em decorrência do maldito furacão que se abateu sobre ele e sua família, sem que tivesse tempo para ver declarada a sua inocência.

Em muitas passagens deste livro, procuro fazer a defesa do desembargador Ricardo Regueira, e o faço em memória de quem figurou na Operação Furacão como "Pilatos no Credo", porque nada do que disseram da relação dele comigo corresponde à verdade.

No Capítulo 10, no final do livro, acrescento um "Anexo" com algumas peças importantes constantes do processo administrativo instaurado de ofício contra mim pelo Conselho Nacional de Justiça, para que possam ser analisadas pelo leitor, na formação do seu próprio juízo sobre o que na realidade aconteceu comigo.

CAPÍTULO 1

QUEM É O DESEMBARGADOR CARREIRA ALVIM

Começo de uma jornada

O desembargador, vítima de uma das mais injustificáveis tramas armadas neste país para afastar alguém da Justiça, porque decidia realmente de acordo com a consciência, sem fazer o jogo sujo do Poder, aí compreendida a Polícia Federal, e sem se curvar a escusos propósitos do Ministério Público Federal, sou eu, Carreira Alvim, e esta é a minha história, antes, durante e depois que me puseram no olho de um furacão, por razões infundadas e descabidas, que só existiram na cabeça dos que as imaginaram para barrar a minha chegada à presidência do Tribunal Regional Federal da 2ª Região.

Para isso, contaram o Ministério Público Federal e a Polícia Federal até com a ajuda da própria Justiça, por meio do Supremo Tribunal Federal, na pessoa do ministro Cezar Peluso, que, se tivesse sido mais cauteloso, inteirando-se do que havia nos documentos "forjados" contra mim, teria visto que tudo não passava de uma maquiavélica trama no jogo pelo poder.

A trajetória da minha vida não foi nada fácil, pois as tragédias sempre conviveram comigo e com a minha família também. Eu tinha apenas vinte e três anos, cursava ainda o quarto ano na Faculdade de Direito da Universidade Federal de Minas Gerais, quando perdi meu pai, um vitorioso advogado, com apenas cinquenta e sete anos de idade.

Como eu estava passando para o quarto ano na Faculdade, pensava que, assim que me formasse, iria para o interior de Minas aprender a advogar com o meu pai, que tinha um razoável escritório de advocacia, abrangendo não só a comarca onde nasci como também as adjacentes.

Confesso que tinha pena dos meus colegas que não tinham um pai advogado e que teriam que batalhar nos escritórios alheios para aprender a advogar; mal sabendo eu que o destino me reservava a mesma sina, pois, com a morte do meu pai, teria de começar sozinho, como a grande maioria começa.

A morte do meu pai foi o primeiro furacão que varreu a minha vida, pois eu era o terceiro filho de uma série de dez irmãos, e a segunda irmã, recém-formada em Letras, estava à procura de um emprego, quando tivemos de correr atrás da própria sobrevivência, comigo no comando da família, conduzindo mais sete irmãs e um irmão ainda adolescente.

Outro cataclismo me aguardava no ano de 1994, quando perdi minha mãe e uma irmã, mortas quase na porta de casa, quando voltavam de uma missa, causada por um irresponsável que fez do seu veículo a máquina do crime.

Minha mãe, professora primária no interior de Minas, não ganhava o suficiente para manter a própria subsistência, por causa dos atrasos de vencimentos que duravam meses, sem condições de nos ajudar nos estudos na Capital.

Antes da morte de meu pai, havíamos alugado um pequeno apartamento em Belo Horizonte, num edifício de baixa classe média, que foi a nossa salvação, pois serviu de abrigo para toda a família. Era um apartamento de apenas um quarto, mas tão pleno de amor e de dignidade, que nos sentíamos numa mansão.

Essa batalha não foi apenas minha, mas também das minhas irmãs, Maria Regina, Maria Helena e Maria das Graças, que foram comigo à luta, dando aulas na periferia de Belo Horizonte para ajudar no sustento da casa e dos irmãos menores.

A minha irmã caçula, Maria da Conceição, hoje uma advogada trabalhista na capital mineira, tinha, então, apenas cinco anos; e nem sequer teve a oportunidade de conhecer bem o pai.

Lembro-me de que as aperturas financeiras do meu tempo de estudante eram tão grandes, que durante certo tempo eu tinha três empregos, sendo um na Faculdade de Farmácia — onde entrei como escrevente-datilógrafo e saí como Secretário da Faculdade — trabalhando das 7 às 12 horas; dali saía correndo, sempre de ônibus, para pegar um estágio remunerado na Faculdade de Direito, das 13 às 18 horas; e, dali, correndo de novo, ia para o serviço no então Instituto Brasileiro de Reforma Agrária, onde trabalhava em cadastramento de terras, das 19 às 24 horas. Eu trabalhava, praticamente, das 7 horas à meia-noite, o que pode ser comprovado se consultados os registros das instituições onde trabalhei; e, com isso, ao deitar-me, eu nem dormia, mas simplesmente desmaiava.

Nessa época, o meu tempo fora do trabalho só era suficiente para "engolir" o almoço e o jantar, praticamente sem tempo para estudar ou frequentar regularmente as aulas da Faculdade, que eram aulas presenciais, e com os maiores expoentes das letras jurídicas brasileiras.

Nos finais de semana, minha irmã Maria Helena, hoje juíza federal em Minas, que frequentava comigo a mesma sala, cedia-me os seus apontamentos de aula e eu passava o sábado e o domingo estudando. Já era assim a minha vida, quando eu era ainda um acadêmico de Direito.

A minha distração era estudar, porque não tinha dinheiro nem para ir ao cinema, a não ser que optasse por deixar de lanchar nos finais de semana para assistir a algum filme. Lembro-me de que passava um filme em Belo Horizonte, no extinto Cine Metrópole, cujo título era *A greve do sexo*, em que, durante a exibição, a plateia quase punha o cinema abaixo de tanto rir. Passando por lá, me dava uma vontade louca de assistir a esse filme, mas, quando pensava assim, o estômago dava a sua bronca por antecipação, lembrando-me de que aquela extravagante distração me custaria o sanduíche do final de semana; e, então, eu desistia do filme em homenagem ao direito de alimentar-me, mesmo que fosse com um sanduíche.

Como o dinheiro era curto, as roupas também eram escassas, e eu só tinha uma camisa tipo esporte, que vestia aos sábados, tendo de lavá-la à noite para vesti-la de novo no domingo, até que certa vez minha irmã Maria das Graças ganhou uma camisa do namorado, e, vendo a minha situação, resolveu presentear-me com ela, fazendo fortuna no meu visual, apesar dos meus 1,82m de altura e 51quilos de peso. Nunca me senti tão bem como ao vestir aquela camisa, fruto da generosidade da minha irmã; e tanto que esse fato nunca mais saiu da minha memória.

Os livros de Direito em que eu estudava eram emprestados pela Biblioteca da Faculdade, pois não tinha condições de comprá-los nem em módicas prestações mensais.

A minha vida de estudante, que já era dura, acabou duríssima com a morte do meu pai, pois eu ganhava como auxiliar de escritório um salário abaixo do mínimo, em torno de dezessete mil cruzeiros na época, quando o salário mínimo era de vinte e um mil cruzeiros; salário este que não era suficiente para atender às poucas necessidades da casa, para ajudar no sustento da família.

Lembro-me que tínhamos um colega de faculdade, Toninho Baiano, natural de Teófilo Otoni, que fazia a festa da casa todas as tardes dos finais de semana, pois, chegando lá, mandava comprar pó de café, pão e manteiga; e só então tínhamos um lanche farto, porque durante a semana o que tínhamos era apenas o suficiente para sobreviver.

Como eu era o único homem adulto e solteiro na família, coube-me a tarefa de conduzir as minhas irmãs e um irmão ao seu destino, missão que cumpri com a maior grandeza e dignidade.

Eu me dispus a fazer o curso de Direito em virtude das injustiças que sofrera ainda criança, e o meu desejo era um dia ser um juiz e poder fazer a justiça que, desde então, trazia na minha alma.

Tive uma grande decepção na minha vida, que, bem cedo, mostrou-me que viver era bem mais difícil do que me parecia, e que eu precisava ser cauteloso na minha caminhada, ensinamento que, se tivesse aprendido, teria talvez me poupado do furacão que se abateu sobre mim.

Sendo o meu pai um político, a nossa casa era frequentada por inúmeros deles, o que me passava certa segurança, porque eu supunha que pudesse contar com a ajuda desses "amigos" em qualquer eventualidade.

Estava equivocado, pois, além de todos nos virarem as costas depois da morte do meu pai, que já não lhes rendia votos, um deles nem sequer nos recebeu na sua casa, quando eu e minha mãe o procuramos na esperança de me ajudar a conseguir um emprego.

Essa decepção me mostrou que a vida era uma batalha, e que eu só teria chance de vencer à custa do meu próprio esforço, pelo que passei a estudar com afinco, para terminar o meu curso de Direito e prestar um concurso público; e foi isso que fiz.

Exercitando uma vocação

A minha passagem pelo escritório-modelo da Faculdade de Direito marcou a minha trajetória, além de me dar a oportunidade de ampliar minha sensibilidade social, já que este escritório atendia apenas pessoas carentes, prestando-lhes a assistência judiciária gratuita.

Lembro-me de que, certa vez, atendi a uma senhora grávida de quase nove meses, que me disse das suas dificuldades em ir ao escritório, porque tinha que tomar três ônibus, e, não tendo dinheiro para tanto, andava um trecho a pé, para que o dinheiro desse para as passagens de ida e volta.

Apesar das minhas carências, arranjei para ela o dinheiro das passagens, para que não tivesse que andar carregando aquela enorme barriga; e com isso reduzi feliz a minha porção de sanduíches de final de semana.

Quando verifiquei que o meu futuro dependia exclusivamente de mim, nunca mais pedi ajuda a ninguém, e passei a prestar todos os concursos que me apareciam pela frente, mesmo que não pretendesse tomar posse; pois precisava de títulos para competir em eventuais provas de títulos nos concursos mais importantes que viesse a fazer.

O meu trabalho como estagiário e, depois, como orientador forense do escritório-modelo, permitiu-me fazer grandes amizades em todos os níveis, sendo dessa época a minha amizade com o então juiz Carlos Velloso — depois ministro do Supremo Tribunal Federal — que se dava ao trabalho de conversar comigo sobre assuntos jurídicos e sobre os concursos que eu pretendia prestar, pois ele acompanhara de perto a minha vida depois da morte do meu pai.

Fazer uma audiência com o juiz Carlos Velloso era mais do que um privilégio, era uma dádiva que eu recebia como um dos mais privilegiados advogados do foro.

O primeiro concurso que prestei em Minas foi para advogado de ofício na Justiça Militar, seguido dos concursos para a magistratura do estado de Minas Gerais, procurador da República, juiz do trabalho, e, finalmente, juiz federal.

Cedo, adquiri o hábito de estudar por prazer, e, quando havia algum concurso, lá estava eu devidamente habilitado a prestá-lo; era só me inscrever, fazer as provas e colher os resultados, sempre prazerosos.

Um dos convites que mais me honraram na juventude foi-me feito pelo professor Carlos Velloso, da Faculdade Mineira de Direito, para ser o seu assistente na cadeira de Direito Constitucional, que infelizmente não pude aceitar porque, tendo sido nomeado procurador da República, tinha recebido uma convocação do então procurador-geral da República, José Carlos Moreira Alves, para trabalhar em Brasília, chamado que, aceito, determinou a minha transferência para a capital federal.

Começo de uma vida

O início da minha trajetória como operador do Direito se deve a uma grande amiga — dentre as tantas que tive na Faculdade de Direito —, Elizabeth Diniz, ou Beth para os amigos, que, além de competente advogada, era também jogadora de vôlei nas quadras do Clube Forense de Belo Horizonte, onde exercitava o seu talento desportivo.

Mas, além das suas qualidades de operadora do Direito, Beth tinha uma qualidade que fazia dela um inigualável ser humano, que é a solidariedade e o desejo de ajudar as pessoas; e, mesmo para mim, que a conhecia, surpreendeu-me.

Eu tinha passado no concurso para procurador da República — o primeiro, até então, realizado no país —, tendo feito as provas escritas em Belo Horizonte, mas não tinha a menor condição financeira de deslocar-me para Brasília, onde seriam realizadas as provas orais; nem tinha um parente que pudesse emprestar-me dinheiro para investir na minha pretensão de me tornar um procurador da República.

Certo dia, encontrei-me com Beth, que estava acompanhada do noivo, Saint' Clair, mais tarde seu marido, tendo ela me perguntado quando seriam as provas orais do concurso de procurador da República.

Contei-lhe, nessa oportunidade, o meu drama, dizendo-lhe que provavelmente não faria essas provas, pois seriam realizadas em Brasília, e eu não tinha recursos para me manter naquela capital durante tanto tempo. Nesse momento, Beth me disse sem pestanejar: "De jeito nenhum. Você vai fazer as provas, sim, e ficará hospedado conosco; não é Saint' Clair?" O noivo nem teve tempo de raciocinar, e foi logo concordando: "Claro, você ficará hospedado conosco, com muito gosto".

Foi assim que, a convite do casal, fui para Brasília, fiz as provas orais, fui aprovado e tomei posse no cargo de procurador da República. O que o casal Saint' Clair fez por mim, poucos, naquelas circunstâncias, teriam feito, pois me hospedou na sua casa, onde ainda permaneci por algum tempo, até que me casei com Tetê, vindo a ocupar um pequeno apartamento na Asa Norte do plano piloto de Brasília.

Foi assim que me tornei procurador da República, vindo a fixar residência em Brasília. A par das grandes alegrias que a capital me proporcionou, pois lá nasceram minhas duas filhas, belas e inteligentes candanguinhas, Luciana e Bianca, essa cidade me deu também a maior tristeza de toda a minha família, pois de lá partiram os ventos que formaram o maldito furacão que me atingiria no dia 13 abril de 2007, que foram o mandado de prisão temporária e de busca e apreensão dos meus bens e o injustificado despojamento da magistratura.

Pavimentando um futuro

A minha passagem por Brasília foi muito proveitosa, pois lá tive a oportunidade de atuar no extinto Tribunal Federal de Recursos, então composto de eminentes ministros, que dignificaram a magistratura nacional, e onde tive a chance de contribuir para fazer justiça, atuando na área criminal, em processos de réus presos e em pedidos de *habeas corpus*[1] na Subprocuradoria-Geral da República

Foi em Brasília que prossegui a minha atividade de magistério iniciada em Minas, passando a lecionar, no então Centro Universitário de Brasília, Direito Processual Civil e Teoria Geral do Processo.

A minha atividade de magistério me deu grandes alegrias, pois tive a chance de lecionar para políticos no pleno exercício do mandato parlamentar, tendo também muitos dos meus alunos sido expoentes do mundo jurídico, na magistratura, no Ministério Público e na advocacia.

Permaneci na Subprocuradoria-Geral da República por três anos, quando assumi a Consultoria Jurídica da então Coordenação do Desenvolvimento de Brasília, e, mais tarde, na Secretaria de Planejamento da Presidência da República, servindo a cinco governos federais sucessivos, e onde fiquei até a minha posse como juiz federal no Rio de Janeiro, em 1987.

A minha vida em Brasília me permitiu conviver com quase todos aqueles que iniciavam as suas carreiras naquela capital, e viriam mais tarde a ser desembargadores do Tribunal de Justiça do Distrito Federal ou ministros de tribunais superiores e do Supremo Tribunal Federal.

Foi também em Brasília que construímos, eu e Tetê, minha mulher, a nossa primeira casa, que foi uma verdadeira epopeia, trabalhando muito e economizando para realizar o nosso sonho da casa própria. Ficamos exatos cinco anos comprando material de acabamento e armazenando para conseguir construir a casa que queríamos e que, com a nossa fixação no Rio de Janeiro, foi vendida para construir uma casa de campo na região serrana.

Tetê sempre gostou de receber os amigos na nossa casa, pelo que, durante o tempo em que residimos em Brasília, tivemos a chance de receber as maiores autoridades da República, e com muitas das quais mantemos até hoje uma amizade que resiste ao tempo.

Ministros de vários tribunais superiores frequentaram a minha casa, conhecendo-me por dentro, e não por meio de gravações e interceptações telefônicas, como a determinada pelo ministro Cezar Peluso do

---

[1] O *habeas-corpus* é um remédio constitucional, concedido a quem sofre ou se acha ameaçado de sofrer violência ou coação em sua liberdade de locomoção, por ilegalidade ou abuso de poder.

Supremo Tribunal Federal, fonte do maldito furacão que se abateu sobre mim e minha família no dia 13 de abril de 2007.

Apesar da minha fixação no Rio de Janeiro, nunca deixei de ter contato com a capital da República, aonde ia com frequência participar de eventos jurídicos ou dar aulas, tendo sido ouvido por muitos ministros dos tribunais localizados naquela cidade.

No dia em que o avião da Polícia Federal, que nos conduzia presos, aterrissou no aeroporto de Brasília, confesso que senti meu coração diminuir, porque o que eu jamais poderia imaginar — nem que Jesus Cristo descesse à Terra e me dissesse — é que um dia eu chegaria ali preso por determinação de um ministro do Supremo Tribunal Federal; que, aliás, nem seria o meu julgador, se o ministro Paulo Medina não tivesse sido envolvido na mesma armação.

Meio mundo me conhece em Brasília, porque lá é o paraíso dos bacharéis em Direito, e quem não me conhecia pessoalmente, me conhecia pelos meus livros, que contam mais de cinco dezenas.

Uma servidora da Polícia Federal, que me conduziu para dar um telefonema assim que chegou o meu alvará de soltura, me disse estar feliz por me conhecer pessoalmente, embora em circunstâncias pouco agradáveis, porque o filho dela, um jovem advogado, era um admirador meu.

Como procurador da República, tive a oportunidade de contribuir para reformar muita sentença penal injusta, proferida por juízes federais sem a menor sensibilidade social, verdadeiros *cérebros eletrônicos de atuação da lei*.

Em busca de um sonho

Quando resolvi prestar o concurso para juiz federal, fui desaconselhado por muitos amigos, que achavam um despropósito um procurador da República, com grandes chances de chegar a ministro do então Tribunal Federal de Recursos, pretendesse começar uma carreira de magistrado; mas, para mim, o importante era justamente isso, o "recomeçar" uma carreira, para quem sempre, como eu, tivera o desejo de fazer justiça, e não apenas contribuir para que ela fosse feita.

Mesmo como procurador da República, eu sentia os juízes tão distantes da realidade, que gritava forte na minha alma aquela vontade de ser um juiz, mais próximo daqueles que pedem justiça, com a porta do meu gabinete aberta a quem quisesse falar comigo, fosse quem fosse, na hora em que fosse, e sobre o que fosse. E consegui ser o juiz que sempre sonhei, embora isso tenha incomodado muita gente, especialmente os detentores da força e do poder, e que mais tarde viriam colocar-me no olho de um furacão.

A minha chegada ao Rio de Janeiro, como juiz da 19ª Vara Federal, foi meio tumultuada, porque tivemos que romper com todo um passado em Brasília, e não tínhamos muita intimidade com a cidade grande, tendo a minha mulher deixado para trás o cargo que lá ocupava, e as nossas filhas todos os seus amigos. Mas a minha vontade de realizar-me como juiz era mais forte do que tudo isso, e eu tinha certeza de que a mudança valeria a pena.

Naquela época, a minha relação com os meus colegas juízes no Rio de Janeiro tornou mais fácil a adaptação, pois passamos a recebê-los na nossa casa, para jantares regados a muita poesia, música e afetividade mineiras. Nos encontros que promovíamos, recebíamos não só os juízes federais, como também advogados, membros do Ministério Público e até empresários e outros profissionais, formando grupos tão agradáveis para conversar, que a saída só começava lá pela alta madrugada.

Chegada ao Tribunal Federal

Com a criação do Tribunal Regional Federal da 2ª Região, fui promovido na primeira vaga aberta por merecimento, quando então passei a ter assento na sua Segunda Turma, onde atuava o desembargador Silvério Cabral, pai daquele que, mais tarde, viria a ser o meu genro, Silvério Júnior, marido de Luciana e pai do meu neto João Silvério, o iluminado, atualmente com quatro anos.

A minha judicatura no Tribunal foi mais ou menos tranquila até a minha chegada à vice-presidência, quando as minhas decisões começaram a ser questionadas fora dos canais legais, que são os recursos, culminando com reformas *truculentas* por quem não tinha poderes para reformá-las, como o presidente da corte.

Os ventos do furacão começaram a se formar a partir da *autonomia* das minhas decisões e não, propriamente, por causa do seu *conteúdo*, tendo aquelas proferidas em favor de três empresas de jogos de bingo sido um *mero pretexto* para quem queria apear-me da judicatura, por não conseguir pelos meios normais, que são os recursos, revertê-las facilmente nos tribunais.

A partir daí, as reformas das minhas decisões começaram a ser feitas *na marra*, por um tribunal *incompetente*, como era o Tribunal a que eu pertencia, até que viessem a ser restauradas pelo Superior Tribunal de Justiça, em Brasília, que era competente para isso.

Quando a reforma das minhas decisões começou a ficar impossível pelas vias normais, resolveram os poderosos, especialmente o Ministério Público Federal e a Polícia Federal, se mancomunarem para dirigir contra mim o maldito Hurricane; embora eu não tivesse nada a ver com as razões alegadas para a sua criação.

Eu não tinha nenhum motivo para temer furacão ou cataclismo de qualquer espécie, porque tinha, como ainda tenho, a minha consciência limpa, de quem exerce o cargo com dignidade. Achava que, nada havendo contra mim, nada poderia ser "montado" para me prejudicar.

No entanto, hoje vejo que estava enganado, porque eu estava na mira de uma instituição chamada Polícia Federal, que faz o que até Deus duvida, além de um dos melhores carnavais do mundo; melhor até do que o tradicional da Avenida Marquês de Sapucaí.

A minha vida e da minha família desenvolveu-se normalmente até o dia 13 de abril; mas, mesmo antes, alguns ventos já sopravam forte e nuvens já se formavam sobre o Tribunal, sem que me tivesse dado conta do seu potencial de destruição.

CAPÍTULO 2

OS REAIS MOTIVOS DO FURACÃO

Nuvens negras sobre o Tribunal

Durante o tempo em que estive na vice-presidência do Tribunal Regional Federal da 2ª Região, o meu relacionamento com os demais membros da Corte continuou sendo como era antes: eles me tratavam gentilmente, e eu os tratava melhor, porquanto, estando próxima a eleição para a presidência da Corte, e, sendo eu o candidato natural ao cargo, em razão da antiguidade, não tinha o menor interesse em me indispor com ninguém.

Como tinha havido um precedente no Tribunal, em que o então vice-presidente desembargador Chalu Barbosa havia sido rejeitado como candidato natural ao cargo, vindo a ser eleito o desembargador Valmir Peçanha, mais novo na carreira, eu estava, como se diz lá em Minas, "com a orelha em pé". Com a candidatura do então desembargador, hoje aposentado, Castro Aguiar, à vaga que deveria ser por mim ocupada, em razão da antiguidade, foi que me dei conta de que, por ocasião da eleição de Valmir Peçanha, que passou à frente do desembargador Chalu Barbosa, a candidatura deste fora patrocinada justamente por Castro Aguiar, preparando-se para fazer o mesmo quando chegasse a sua vez de me ultrapassar na antiguidade.

Na época em que a vez seria do desembargador Chalu Barbosa, de ocupar a presidência do Tribunal, eu, como seu verdadeiro amigo, peguei o telefone e liguei para *todos* os desembargadores, perguntando-lhes se iriam respeitar a antiguidade, e se votariam nele; pois do contrário ele pediria desde já a sua aposentadoria. Creia o leitor que todos eles, absolutamente todos, me responderam que sim, porque o critério era a antiguidade e o desembargador Chalu Barbosa era o mais antigo. Em razão disso, liguei para ele e o tranquilizei, dizendo-lhe que todos os seus "colegas" me haviam dito que votariam nele para a presidência da casa. Mas, na hora da conferência dos votos, na sessão em que se deu a eleição, quem foi eleito presidente do Tribunal foi o desembargador Valmir Peçanha, mais novo do que Chalu Barbosa e candidato do então desembargador Castro Aguiar e seu grupo.

O grande mal da Justiça, nesses casos, são esses julgamentos *secretos*, em que a consciência do juiz é uma, antes de proferir o seu voto, e outra, na hora de votar efetivamente, escudado pelo sigilo e sabendo que ninguém saberá, a não ser a sua própria consciência, se ele a tiver, a forma como votou. Se a votação para a direção do Tribunal fosse efetivamente democrática e aberta, com o desembargador declarando de viva voz o seu voto, duvido que eu fosse recusado, como fui, porque eles não teriam coragem de dizer na minha presença que preferiam o Castro Aguiar. Essa coragem, infelizmente, poucos juízes têm, e eu tive muitos problemas no Tribunal pelo fato de a minha consciência não permitir iludir ninguém.

Certa vez, quando eu disputava a direção da Escola de Magistratura, um dos órgãos do Tribunal, o desembargador Sergio Feltrin me disse na presença do desembargador Ney Fonseca, num jantar na casa do advogado Sérgio Bermudes, que só votaria em mim se eu lhe prometesse manter o desembargador Clélio Erthal no cargo que este ocupava na Escola. Nessa oportunidade, eu lhe respondi que eu manteria, sim, mas pelas qualidades morais e intelectuais de Clélio Erthal, e não como *barganha* para merecer o seu voto. Lembro-me bem de que, nessa ocasião, o desembargador Ney Fonseca, que queria me ver na direção da Escola, entrou em pânico, e tentou apaziguar, dizendo ao Sergio Feltrin que eu manteria, sim, o desembargador Clélio Erthal no cargo que ocupava na Escola. E o desembargador Ney Fonseca aproveitou para me dizer: "Carreira, dessa forma você não chega a lugar nenhum; você é mineiro e tem de agir como mineiro". Mas, para mim, agir como mineiro era ser honesto e sincero de espírito. Fato é que não barganhei a minha pretensão em ser o diretor da Escola com o desembargador Sergio Feltrin, porque, afinal de contas, se ele teve a coragem de me propor o que propôs, não me faltava coragem para recusar sua proposta. Acabei eleito para diretor da Escola de Magistratura, apesar de não ter podido contar com o voto de Sergio Feltrin; pelo que se vê que, desde essa época, ele já negociava seus votos secretos em troca de alguma coisa. Depois de eleito, convidei o desembargador Clélio Erthal para continuar no cargo que ocupava na Escola, mas ele gentilmente recusou; talvez porque tivesse sabido do meu diálogo com o desembargador Sergio Feltrin na presença do desembargador Ney Fonseca; é o que suponho.

Eu tinha a consciência de que havia uma declarada dissintonia entre o meu sentimento de justiça e o de muitos dos demais desembargadores; mesmo porque os que provêm do quinto constitucional reservado ao Ministério Público nunca perderam o *ranço acusatório*, o mesmo acontecendo com os que se tornaram magistrados por concurso, mas que, antes, foram promotores de Justiça ou procuradores da República.

Como se diz lá em Minas, "cautela e caldo de galinha não fazem mal a ninguém", pelo que, sempre que me encontrava com o desembargador federal Benedito Gonçalves, atualmente ministro do Superior Tribunal de Justiça, e o desembargador André Fontes, perguntava-lhes como iam as coisas, e eles me respondiam que "estava tudo bem". Aliás, o então desembargador Benedito Gonçalves, hoje ministro, sempre que me encontrava no elevador, me cumprimentava como "Meu futuro presidente", enquanto o desembargador André Fontes era uma presença constante no meu gabinete e nas festas na minha casa. No entanto, ambos viriam a compor a chapa alternativa que chegou à presidência da Corte na tumultuada eleição, em que foram preteridos todos os candidatos naturais, que eram os mais antigos no Tribunal.

A decisão que proferi no caso conhecido como "American Virginia", concedendo uma liminar para que uma fábrica de cigarros não fosse fechada por causa de dívida com o Fisco, no que apliquei a jurisprudência dominante no Supremo Tribunal Federal — que não permitia a interdição de estabelecimento como meio coercitivo para a cobrança de tributo —, azedou as minhas relações com alguns desembargadores por um motivo que não deveria habitar a alma de um juiz, mas que infelizmente habita, que é a *vaidade humana*.

O fato de a decisão que proferi em favor da American Virginia ter sido reformada por uma das turmas do Tribunal, mas, em seguida, *restaurada* por decisão singular do Superior Tribunal de Justiça, e, mais tarde, confirmada pela sua Primeira Turma, sendo relator o ministro Teori Zavascki, aumentou ainda mais a tensão, por haver o ministro dito, com todas as letras, que o Tribunal Regional era *incompetente* para reformar as decisões do vice-presidente, que por sinal era eu.

Certo dia, o advogado Nabor Bulhões, que advoga em Brasília, passou rapidamente pelo meu gabinete para me contar que estivera no Supremo Tribunal Federal para despachar com a então presidenta do Supremo Tribunal Federal, ministra Ellen Gracie, sobre o caso American Virginia, e, quando dissera a ela que se tratava de uma decisão do desembargador Carreira Alvim, do Tribunal Regional Federal da 2ª Região, a ministra se mostrou logo interessada em despachar pessoalmente o seu requerimento. Nos tribunais, tanto nos de Justiça, nos estados; quanto nos superiores, em Brasília, é sabido que as decisões são "minutadas" por assessores especializados na matéria, e, depois, submetidas à consideração e decisão do desembargador ou ministro, que faz as correções necessárias e as assina; sendo assim que as coisas acontecem, apesar de negadas por muitos.

Naquela oportunidade, o advogado Nabor Bulhões contou-me esse fato com um largo sorriso no rosto, dizendo-me que a ministra, conhecendo-me como me conhecia, quis ela mesma examinar a sua petição; e contou-me como se fosse um prestígio para mim essa atitude da então presidenta do Supremo Tribunal Federal, no suposto de ser ela uma grande admiradora minha. Aliás, tinha realmente tudo para ser, primeiro porque sempre me dizia ser uma leitora assídua das minhas obras; e, depois, porque, quando ela foi presidenta do Tribunal Federal da 4ª Região, sediado em Porto Alegre, recebi mais de uma vez convite seu para fazer palestras para juízes, o que fiz sempre gratuitamente, muitas vezes com sacrifícios dos meus próprios interesses pessoais; e, depois das palestras, a hoje ministra sempre me levava para jantar numa das excelentes churrascarias da capital gaúcha, onde conversávamos sobre tudo e sobre todos.

Somente depois da Operação Hurricane, foi que me dei conta de que a ministra Ellen Gracie quis despachar *pessoalmente* a petição do advogado Nabor Bulhões porque, a essa altura, ela já sabia que eu estava sob a investigação judicial, além do que ela própria já tinha autorizado uma das prorrogações da escuta ambiental no meu gabinete.

As decisões que proferi nos casos Betec, Reel Token e Abraplay sobre a liberação de máquinas caça-níqueis, cujos advogados nem sei quem são, ajudaram a alimentar as nuvens negras que viriam a formar o furacão que se abateria sobre mim e minha família em 13 de abril de 2007.

Só não dei importância a isso porque tinha como ainda tenho a consciência tranquila e nunca me comportei de forma contrária à ética e à moral, e porque não acreditava que o Ministério Público Federal pudesse endossar qualquer eventual "armação" contra mim partida da Polícia Federal, e, muito menos, convencer um ministro de Tribunal Superior que eu fosse um marginal, o que eu não sou; embora tivesse constatado mais tarde que o próprio Ministério Público Federal estava metido nessa "armação".

Eu só deferi a liberação de máquinas eletrônicas em favor das empresas Betec, Reel Token e Abraplay, primeiro, porque a alegação da Polícia Federal era de que elas continham componentes contrabandeados, o que era negado pelas empresas proprietárias, o que me levou a determinar que uma máquina de cada tipo ficasse retida para perícia, e fossem devolvidas as demais; e, segundo, porque todas as empresas requerentes funcionavam regularmente *com liminares concedidas por diversos desembargadores do Tribunal Regional Federal da 2ª Região que não eu*. Como se tratava de decisões judiciais, tanto essas liminares para o funcionamento dos bingos, dadas por outros desembargadores, quanto as para a liberação das máquinas eletrônicas, deviam ser cassadas pela instância superior por meio de recursos; mas, em vez disso, acabaram destroçadas pelo furacão como se fôssemos um país sem lei.

Como "quem não deve não teme", eu nada devia e nada temia, porque jamais me envolvera com qualquer ilicitude no exercício da minha função, e concedia ou negava liminares, a respeito de que assunto fosse, sempre de acordo com o que determinava a minha consciência; e foram muito poucas as que vieram a ser reformadas em grau de recurso ou de reclamação.

Quando prestei compromisso, como juiz federal, o que prometi foi cumprir a Constituição e as leis do meu país, e não de decidir a favor do Poder Público ou do Ministério Público, ou de não vir a proferir decisões liminares contra eles; mesmo porque, apesar de antes de ser juiz ter sido procurador da República, nunca tive o ranço da parcialidade.

Eu sabia que estava sendo grampeado pela Polícia Federal, embora não soubesse que era autorizado pelo ministro Cezar Peluso, do Supremo Tribunal Federal, por causa da armação contra o ministro Paulo Medina do Superior Tribunal de Justiça na mesma trama; mas nada disso me metia medo, porquanto nada fazia que pudesse comprometer a minha jurisdição no Tribunal; e, até então, tinha a Polícia Federal como uma instituição confiável.

Verdadeiros ventos do furacão

Para quem não conhece as entranhas do Tribunal Regional Federal da 2ª Região e o perfil dos seus desembargadores e desembargadoras, pode parecer que a recusa do meu nome para presidir a Corte seja uma simples questão de falta de simpatia, mas infelizmente não é.

Os ventos do furacão partiram do próprio Tribunal, de dentro para fora, tendo o grupo que se apossou do poder, comandado pelos desembargadores Castro Aguiar e Sergio Feltrin, se encarregado de buscar o apoio do Ministério Público Federal, que não era muito simpático às minhas decisões, porque nunca me mostrei disposto a satisfazer as suas vontades, e este se encarregou de buscar o apoio da Polícia Federal, que também nunca viu com bons olhos as minhas decisões de não permitir que passassem por cima das minhas ordens, pelo que cheguei até a aplicar aos seus agentes multas entre dez e cinquenta mil reais por causa de recalcitrâncias no cumprimento do seu dever de polícia judiciária.

Por detrás de tudo isso, havia, num primeiro momento, um interesse pessoal do então desembargador Castro Aguiar, hoje aposentado, que, pela idade que ostentava, jamais chegaria à presidência do Tribunal se eu fosse o eleito, porque ele completaria setenta anos e seria jubilado antes que tivesse antiguidade para postular o cargo, e depois de mim viriam outros desembargadores mais antigos que ele.

Castro Aguiar fazia o perfil do presidente que o Poder Público, aí compreendidos o Ministério Público Federal e a Polícia Federal, desejava, tanto assim que ele ficou sabendo de tudo que estava sendo armado contra mim, para afastar-me da disputa, tendo dito à minha mulher, talvez para descarrego da sua consciência, que eu seria preso e processado, com o que passou um claro atestado do seu envolvimento com o golpe de poder, que ele não poderia ter adivinhado. Depois do acontecido, chegou ao meu conhecimento, dito por altos servidores do Tribunal, que teria havido reuniões nos gabinetes dos conspiradores, dentre os quais os desembargadores Castro Aguiar, Sergio Feltrin e André Fontes, envolvendo a questão relacionada com a minha eleição e o futuro da presidência do Tribunal.

Num segundo plano, cuidaram também os conspiradores de espalhar que eu seria um perigo para o Tribunal, porque iria mexer na sua estrutura e nos cargos de confiança, que são mantidos ortodoxamente desde a sua criação, como verdadeiros feudos, por acordo entre o candidato à presidência e o que deixava a presidência, tudo no interesse pessoal dos desembargadores e desembargadoras que patrocinam a permanência no cargo de seus apadrinhados.

Eu sempre tive um pensamento heterodoxo sobre a Administração Pública e nunca fui do entendimento de que o continuísmo seja a melhor forma de administrar qualquer coisa, pelo simples fato de temer as mudanças. Quando fui candidato à Escola da Magistratura, para a qual fui eleito, a desembargadora Maria Helena Cisne me disse que iria votar na continuação do desembargador Paulo Barata porque ele estava sendo um bom administrador, ao que disse a ela: "Mas se você conhece apenas a administração dele, como pode fazer uma avaliação em comparação com a administração de outros?". Ela concordou comigo; mas não sei se votou em mim, porque o voto é secreto.

Os que desejavam que Castro Aguiar me atropelasse fizeram terrorismo com as ideias, porque nada seria feito no Tribunal se não contasse com a vontade da maioria da Corte, mesmo porque o seu Plenário, composto de todos os desembargadores, é que é afinal o guardião dos atos da presidência, e ninguém administra nada se não contar com o seu voto.

Esse terrorismo era passado de desembargador a desembargador na calada dos gabinetes, fazendo com que cada um se posicionasse em favor dos interesses pessoais e pela candidatura extemporânea de Castro Aguiar.

Os mal intencionados, que elaboraram o regimento interno do Tribunal, que não os conspiradores de então, fizeram acrescentar lá um artigo prestigiando a antiguidade dos desembargadores na escolha dos cargos de direção, mas fizeram de caso pensado inserir um advérbio, para dar amparo a situações em que não quisessem eleger um colega, dispondo que seriam eleitos, "preferencialmente", os mais antigos; com o que deixaram aberta a senha da insurreição, quando quisessem escolher um mais novo em antiguidade.

Outra preocupação dos pregoeiros da insurreição era com as decisões que eu poderia vir a proferir na presidência do Tribunal, porque, realmente, nunca nutri simpatia pelos atos de força, embora considerados legais, por uma lei de força, em que o presidente do Tribunal pode suspender a eficácia das decisões proferidas por juízes inferiores e por desembargadores do próprio Tribunal quando sejam contrários aos interesses do Poder Público.

O receio do grupo que se apossou do poder, torpedeando as candidaturas naturais, fundadas na antiguidade, era de que eu, na presidência do Tribunal, não viesse a suspender as decisões proferidas contra o Poder Público, aí incluídos o Ministério Público e a Polícia Federal, como era costume fazerem os presidentes, por insistência dos representantes dessas instituições. Para quem não sabe, o presidente dos tribunais tem o poder de neutralizar, temporariamente, as decisões dos juízes, sendo, no fundo, a expressão de um poder ditatorial, que nasceu na ditadura, mas perdura na democracia em que vivemos; tudo porque é um privilégio reconhecido ao Poder Público.

Essa motivação ficou claríssima numa entrevista concedida por um procurador da República à jornalista Clarice Spitz, num jornal *on-line*, afirmando que o ideal seria que o grampeamento no meu gabinete fosse postergado ao máximo, e que fosse desencadeada idêntica medida contra todas as pessoas mencionadas na investigação — ou seja, contra outros desembargadores do mesmo Tribunal, que tinham filhos, genros, mulheres e outros parentes advogados —, mas, *em face da eleição no Tribunal Regional Federal, a Polícia Federal teve que agir da forma que agiu*, com prejuízo para as investigações que estavam por vir.

Para esse procurador da República a polícia agiu corretamente ao prender as pessoas com projeção maior, que no caso eram eu e Ricardo Regueira, porquanto o ministro Paulo Medina, do Superior Tribunal de Justiça, também atingido pelo mesmo furacão, não chegou a ser preso.

Mas o fato é que, depois da minha *decapitação*, que era o objetivo maior desse grupo, nada mais se fez no Tribunal, depois do maldito furacão, que, no entanto, provocou um efeito colateral perverso para a segurança dos direitos das pessoas que vivem neste país, que foi deixar todos os demais desembargadores literalmente *acuados*, com medo de dar decisões liminares contra o Poder Público.

Pude constatar até que um desembargador, cujo nome não revelo porque ele poderá morrer ao ler este livro — se é que vai ler —, tinha dado uma decisão para importação de peças de bingo, e, assim que soube da minha prisão, o que fez ao chegar ao Tribunal foi revogar a sua própria decisão, sem pedido de ninguém, com medo de ser preso também.

Esse comportamento estarreceu-me, fazendo-me lembrar da advertência feita pelo grande Rui Barbosa, quando dizia que o juiz medroso não escapa do ferrete de Pilatos: "O bom ladrão salvou-se. Mas não há salvação para o juiz covarde".

E nesse caso a covardia foi tanta, que ele acabou se aposentando prematuramente na magistratura, com medo de ser, como eu, envolvido num furacão.

Antigamente, as decisões dos juízes eram reformadas por meio de recursos para os tribunais, mas de uns tempos para cá, principalmente depois da criação do Conselho Nacional de Justiça como órgão de controle externo do Poder Judiciário, que acabou por controlá-lo, também internamente, tornou-se mais fácil anular as decisões e sentenças judiciais prendendo quem as proferiu.

Quando cheguei à vice-presidência, pedi aos meus auxiliares que fizessem um levantamento do número de liminares dadas pelo meu antecessor, desembargador Frederico Gueiros, vindo a ser informado que este tinha dado uma única decisão liminar, e, mesmo assim, em favor da União Federal.

Frederico Gueiros é um desembargador que proveio do quinto da advocacia, tendo estagiado no escritório de Pontes de Miranda, um ícone do Direito processual neste país, mas parecia ter advindo do quinto do Ministério Público, tamanha a sua vocação para se pôr ao lado do Poder Público, aí incluídos a Polícia Federal e o Ministério Público, para suspender a eficácia de decisões e sentenças proferidas contra eles. Se a decisão era favorável ao Poder Público, ele as mantinha; mas se era contra, ele as suspendia; e isso sistematicamente. Para quem não sabe, o quinto constitucional permite o ingresso nos tribunais, como desembargadores e ministros, de advogados e membros do Ministério Público. De um momento para outro, pelas mais variadas razões, eles se tornam juízes; mas dificilmente perdem o ranço das suas origens, ou até involuem do ranço advocatício para o ranço de Ministério Público.

Por ocasião da eleição para os cargos de direção do Tribunal, e para não parecer uma perseguição contra mim em particular, o Tribunal acabou rejeitando, não apenas o meu nome, mas também o do desembargador Espírito Santo, que seria o vice-presidente, e do desembargador Rogério Carvalho, que seria o corregedor.

Essa decisão me deixou perplexo, porque não poderia supor que o candidato a vice-presidente seria também rejeitado, e foi, mas ficou-me a impressão de que o próprio Espírito Santo sabia do que estava por acontecer, porque, assim que anunciado o resultado, ele pediu a palavra para cumprimentar o desembargador eleito, Fernando Marques, pela vitória, justamente o "colega" que o havia passado para trás, atitude que me deixou estarrecido, pois sempre tive para mim que aquele que não defende o seu direito não é digno dele.

Quanto ao desembargador Rogério Carvalho, eu já sabia que ele seria rejeitado, porque o seu "colega" desembargador André Fontes, um dos conspiradores, já me havia dito que ele não seria eleito porque era "muito bonzinho", e que um corregedor não pode ser bonzinho com os juízes. Eu, que não sou falso, fui ao desembargador Rogério Carvalho e lhe contei isso, dizendo-lhe que deveria fazer campanha se quisesse ser eleito; mas parece que ele não acreditou em mim, porque não fez nada, confiando na sua antiguidade, e acabou também decapitado.

Essa decisão do Tribunal, rejeitando todos os desembargadores mais antigos, acabou provocando um efeito profilático, pois levou o Conselho da Justiça Federal a decidir que, para a direção dos tribunais regionais federais, fosse observada a antiguidade, tendo o desembargador Espírito Santo se beneficiado por essa orientação, já que, apesar de ter sido recusado para vice-presidente, acabou sendo ungido para a presidência da Corte.

Mas todos os demais conspiradores pagaram um preço elevado pelo que fizeram, porque, a partir de então, não puderam fazer com outros o que fizeram comigo, fazendo valer o advérbio "preferencialmente", aposto no regimento interno do Tribunal, para escolher um mais novo na lista de antiguidade; o que, em outras palavras, fez com que o feitiço em favor de Castro Aguiar, Fernando Marques e Sergio Feltrin, acabasse virando contra os demais feiticeiros; e muitos deles não mais terão a chance de chegar à direção do Tribunal, pela antiguidade, pois, em razão da idade, serão aposentados antes.

Encontro de Buenos Aires

Apesar do seu pouco tempo de existência, o Instituto de Pesquisa e Estudos Jurídicos, conhecido pela sigla IPEJ-RJ, tinha-se notabilizado pela realização de eventos de interesse da comunidade jurídica em diversos campos do Direito.

No Rio de Janeiro, em parceria com a Escola de Magistratura Regional Federal, da qual eu era o diretor, o IPEJ-RJ realizou um seminário sobre a violência — a partir do artigo da minha autoria "Violência Frente e Verso" — que contou com a participação de expoentes do Direito

O desembargador Carreira Alvim com os ministros do Superior Tribunal de Justiça e o ministro Cezar Peluso, o segundo da esquerda para a direita, no Encontro de Buenos Aires sobre "Os desafios da corrupção". Ao centro, o homenageado Eugenio Raúl Zaffaroni, ministro da Suprema Corte Argentina

Penal, do Direito Penitenciário e dos Direitos Humanos, tanto nacionais quanto estrangeiros, seminário este que teve lugar no Centro Cultural da Justiça Federal.

O sucesso desse seminário foi tanto que, por intermédio do professor Edmundo Oliveira, da Universidade Federal do Pará e da Universidade de Orlando, nos Estados Unidos, o IPEJ recebeu um convite da Sociedade Internacional de Criminologia, órgão Consultivo da Organização das Nações Unidas (ONU), e do Conselho da Europa, com sede em Paris, para organizar o 69º Curso Internacional de Criminologia em Buenos Aires, em homenagem ao ministro da Suprema Corte Argentina, Raúl Zaffaroni, o maior ícone vivo do Direito Penal no mundo.

Apesar da nomenclatura, na verdade não era um "curso", pois foram apenas três dias de encontro, mas um "congresso jurídico"[2] reunindo as maiores autoridades no assunto que aceitaram dele participar.

Aceito o convite, foi agendada a data para a realização do Congresso, que seria de 7 a 9 de setembro de 2006, no salão de convenções do Hotel Panamericano, em Buenos Aires, tendo o IPEJ, por intermédio de um grupo de abnegados advogados, que lá compareceu, tornado realidade esse grande sonho.

Por ironia do destino, nesse encontro foram tratados justamente os temas que compuseram os ventos do Hurricane — como "Evasão de divisas e *lavagem* de dinheiro", a cargo do ministro Gilson Dipp, do Superior Tribunal de Justiça; "Internet e crimes eletrônicos", a cargo de Emílio Viano, consultor do Banco Mundial e do desembargador federal Tourinho Neto, do Tribunal Regional Federal da 1ª Região; e "Os desafios da corrupção", a cargo do ministro Eugenio Raúl Zaffaroni —, e

---

[2] Participaram dos trabalhos deste Congresso, inclusive como expositores, presidente Georges Picca, secretário-geral da Sociedade Internacional de Criminologia; Charles Sabba, coordenador do Departamento de Cooperação Internacional do Instituto de Segurança Pública da Flórida-EUA; Emílio Viano, consultor do Banco Mundial; Carlos Lélio Lauria, secretário de Justiça do Estado do Amazonas; desembargadora federal Margarida Cantarelli; a juíza Maria Teresa de Carcomo Lobo; os ministros do STJ Gilson Dipp, Peçanha Martins e Eliana Calmon; o ministro Cezar Peluso, do Supremo Tribunal Federal, o professor João Mestieri; o professor Edmundo Oliveira, das Universidades do Pará e de Orlando-Flórida; e o professor Eugenio Raúl Zaffaroni, o homenageado, dentre outros.

ninguém de bom senso iria supor que, se estivesse eu metido em corrupção com casas de jogos, me envolveria na realização de um evento para tratar justamente desse tema; precisaria ser eu um *débil mental* para fazer isso.

O tema "corrupção" é tão explosivo, que uma empresa de turismo brasileira, com escritório em Buenos Aires, e que prometera participar do evento dando apoio naquela cidade, retirou a sua palavra quando soube dos temas que seriam tratados nesse Congresso.

Por ocasião das palestras, o desembargador Tourinho Neto, do Tribunal Regional Federal da 1ª Região, afirmou que o Estado e a mídia estavam a praticar atos, a agir *como se bandidos fossem*, ou seja, para combater o bandido, agiam como bandido, sendo que o bandido podia agir assim, cometendo crimes horrendos, hediondos, mas o Estado e a mídia não podiam, porque, senão, estariam se igualando a ele, não sendo possível ao Estado se igualar ao bandido.

Essa passagem da palestra do desembargador baiano me fez lembrar o papel desempenhado pela Polícia Federal e pelo Ministério Público Federal na Operação Hurricane, com a mídia divulgando, na cara do Judiciário, uma diligência que tinha o carimbo de sigilosa.

Se para a Justiça o que aconteceu com a Operação Hurricane foi uma diligência *sigilosa*, envolvendo os próprios membros do Judiciário, como desembargador e ministro, fico pensando no que possa acontecer com qualquer cidadão comum do povo *em relação aos quais não seja sigilosa*.

Esse encontro de Buenos Aires foi o prenúncio do furacão que varreria as nossas vidas, pois foi por causa dele que dei aquele telefonema que a Polícia Federal gravou, ainda em julho de 2006, e depois fez dele uma "montagem", fazendo constar que eu dizia que queria "minha parte em dinheiro", uma das mais deslavadas *inverdades* constantes do seu relatório subscrito pelo delegado Ézio Vicente da Silva, que comandou as interceptações, como relato no capítulo próprio.

O advogado Silvério Júnior, meu genro, participou, comigo, da organização do evento de Buenos Aires, na qualidade de um dos diretores do IPEJ, o qual fora externamente entregue a uma empresa de eventos, denominada Happy Hour Viagens e Turismo, que se encarregou de administrar toda a organização, numa época difícil para a aviação comercial brasileira, em razão de ter a Varig entrado em regime de concordata, ou, na linguagem legal, recuperação judicial.

Pretendendo levar mais de cento e cinquenta pessoas a Buenos Aires, contando com o feriado de 7 de Setembro, que caía numa quinta-feira, tendo uma sexta, um sábado e um domingo pela frente, a empresa organizadora do evento, Happy Hour, fez reservas em três diferentes companhias aéreas: Varig, TAM e Gol.

Sucede que o feriado de 7 de Setembro trabalhou contra nós, pois as companhias aéreas se mostravam resistentes em reservar os assentos, porque a procura por passagens era muito grande e não havíamos conseguido, até então, o dinheiro do patrocínio, suficiente para fazer o adiantamento.

Quem se dispôs a fazer uma parceria com o IPEJ, patrocinando noventa por cento do evento, foi a Universidade Salgado de Oliveira (Universo), em troca do recebimento de todo o material que fosse produzido durante o evento, inclusive o inteiro teor das palestras proferidas; mas os desembolsos eram feitos parceladamente, não possibilitando à agência organizadora repassar às companhias aéreas o que elas exigiam como uma espécie de caução, para manter as reservas feitas.

Com a recuperação judicial da Varig, contávamos apenas com a TAM e a Gol, pois, mesmo que fosse possível, não tínhamos coragem de fazer adiantamentos à Varig, sem saber o que poderia acontecer com ela quando da partida.

Como coordenador do curso, pensei em adiá-lo e trocar a data para mais adiante, mas isso não foi possível porque os convidados estrangeiros já haviam fechado a sua agenda de conformidade com o que fora divulgado, dando como datas definitivas os dias 7 a 9 de setembro de 2006.

Foi nessa época que, aproveitando a minha ausência do Rio de Janeiro, a Polícia Federal, com a autorização do ministro Cezar Peluso, do Supremo Tribunal Federal, e a permissão do desembargador Frederico Gueiros, então presidente do Tribunal, instalou um sistema de escuta no teto do gabinete da vice-presidência, porque, havendo uma sexta-feira prensada, não teria expediente na Corte. Pelo menos foi o que me foi informado e confirmado por um qualificado servidor do Tribunal na presença do desembargador Ricardo Regueira, morto por causa do maldito furacão.

Coube a mim, na qualidade de coordenador do curso, fazer contatos com as diretorias das empresas TAM e Gol, para pedir-lhes, quase implorando, que mantivessem as reservas, porque iríamos honrar o compromisso de comprar as passagens de ida e volta, mas que o dinheiro não havia sido totalmente liberado pela maior patrocinadora, estando outros patrocínios na dependência de confirmação.

Havíamos, até então, conseguido o patrocínio de uma empresa privatizada, para pagamento de duas passagens, e procurávamos outra que pudesse ajudar no patrocínio de mais uma passagem; todas do exterior para Buenos Aires, ida e volta.

Tendo conseguido que uma empresa de seguro-saúde patrocinasse a terceira passagem, todas fizeram a mesma exigência, de não terem o seu nome divulgado como patrocinadoras do evento, porque não queriam vincular seus nomes a um evento do qual participariam juízes, desembargadores e ministros de Tribunais Superiores. Não que viajar patrocinado por empresas para participar de eventos jurídicos seja aético ou criminoso, mas fato é que as empresas temem a sua exposição à alegação de tráfico de influência.

Esse comportamento dá bem o perfil das dificuldades em se conseguir patrocínio para eventos jurídicos neste país, pois as grandes empresas que têm condições de patrocinar têm, quase sempre, uma demanda judicial na inferior ou na superior instância, e não querem se ver envolvidas na mídia marrom que se preocupa apenas com o lucro.

Tivemos alguma dificuldade em manter as reservas do evento de Buenos Aires, mas fomos atendidos pelos altos dirigentes das empresas aéreas, nenhuma delas com processo no Tribunal, que se mostraram dispostas a colaborar, para tornar possível a realização do evento.

Contando com os patrocínios já em andamento e outros prometidos, fizemos convites a professores, advogados, juízes, desembargadores e ministros que se dispusessem a participar do evento na condição de palestrantes e debatedores, ficando acertado com os patrocinadores que seriam patrocinados, além dos palestrantes, mais dez convidados brasileiros e quatro europeus, incluindo o pacote completo, ou seja, a parte aérea e parte terrestre, num total de quatorze convidados.

Grampos no gabinete do desembargador

Numa democracia, em que se acredita que os princípios constitucionais são respeitados, a última coisa que eu poderia supor é que o meu gabinete pudesse ser objeto de *escuta ambiental*, a uma, por causa da dignidade do cargo de vice-presidente, e, a outra, porque eu exercia a minha função com a maior dignidade, nada tendo feito que me comprometesse.

Aliás, eu nem sabia que essa prática de grampeamento, que pela Lei do Grampo deveria ser excepcional, tinha-se tornado uma *rotina* na vida judiciária, por determinação da própria Justiça.

Em maio de 2006, foi requerida quebra do sigilo telefônico do meu genro Silvério Júnior, numa medida cautelar penal, requerida pelo Ministério Público Federal, cujo *verdadeiro fundamento* era o fato de ser ele casado com a minha filha, pedido esse deferido pela juíza da Justiça Criminal do Rio de Janeiro, interceptações estas sucessivamente prorrogadas pela juíza, tendo a última delas mostrado a necessidade da remessa do processo ao Supremo Tribunal Federal, que é a mais alta corte de justiça do país.

Se o fato de ser sogro de um advogado fosse motivo para grampear alguém, a grande maioria dos gabinetes nos tribunais deveria ser grampeada, porque a maioria dos desembargadores deste país tem um filho, ou filha, ou genro, ou nora, ou mulher, ou companheira e até "namorada" advogando no foro; fato este que, aliás, chegou a ser cogitado pelo Ministério Público Federal e pela Polícia Federal, pois os grampos postos no meu gabinete seriam estendidos a outros desembargadores do Tribunal, se não fosse a pressa em me torpedear na eleição para a presidência, que estava próxima. Isso foi dito com todas as letras por um procurador da República, no Rio de Janeiro, a uma jornalista de um jornal *on-line*, como já relatado antes.

Só na Justiça Federal do Rio de Janeiro, a interceptação telefônica das minhas conversas, que acabaram sendo *indiretas*, em consequência da

Grampo no gabinete do desembargador Carreira Alvim

quebra de sigilo do meu genro, durou exatos sessenta e nove dias, embora a Lei do Grampo só permita a intercepção *por quinze dias*, renovável por *outros quinze*, uma vez comprovada a sua indispensabilidade, devendo a decisão ser fundamentada sob pena de nulidade. A Lei do Grampo diz isso expressamente, para não deixar dúvida, mas essa disposição foi atropelada, primeiro pela Justiça Federal Criminal do Rio de Janeiro, e, mais tarde, pelo ministro Cezar Peluso, como relator do furacão, e pela ministra Ellen Gracie do Supremo Tribunal Federal, na qualidade de sua presidenta.

Tendo eu sido *interceptado de forma indireta*, por uma inusitada decisão de uma juíza federal, quando apenas o Superior Tribunal de Justiça tinha poder para autorizar, em face da Constituição, fica evidente, mesmo para o pouco conhecedor do Direito, que todas as interceptações feitas contra mim entre maio de 2006 e agosto de 2006 foram incontestavelmente *ilegais*, porque deferidas por uma juíza reconhecidamente *incompetente* para autorizá-las.

Apenas em agosto de 2006, o procedimento de escuta em curso na Justiça Federal do Rio de Janeiro, em virtude de haver sido detectada uma conversa do ministro Paulo Medina, do Superior Tribunal de Justiça, com o seu irmão advogado, foi o expediente remetido ao Supremo Tribunal Federal, e lá encaminhado ao ministro Cezar Peluso, ocasião em que não só autorizou a continuação das interceptações nos meus telefones, como foi além, autorizando também a colocação de escuta ambiental no teto do meu gabinete.

Essa colocação de escuta ambiental no meu gabinete foi motivada pelo fato de nada ter sido detectado nas minhas conversas telefônicas que pudesse me comprometer, tendo o procurador-geral da República Antônio Fernando de Souza, então, requerido ao ministro Cezar Peluso o grampo no meu gabinete, que o autorizou, no suposto de que aí poderia ser obtida alguma coisa que me comprometesse; mas também aí nada se apurou, dando apenas à Polícia Federal as palavras que ela tanto buscava para montar uma frase emblemática contra mim, produto da sua pérfida imaginação.

A interceptação telefônica, que deveria obedecer às normas da Lei do Grampo, e que não permite que exceda de quinze dias, renovável por outros quinze, chegou a ser deferida, numa única decisão, pelo ministro Cezar Peluso por mais de quarenta e três dias, por causa do recesso forense, numa indisfarçável ofensa à permissão legal e na certeza de que não havia ninguém acima dele para corrigir a sua decisão.

Contando todos os prazos, até mesmo as prorrogações, uma das quais autorizada pela ministra Ellen Gracie, então presidenta do Supremo Tribunal Federal, as interceptações telefônicas dos meus telefones duraram mais de trezentos e trinta e cinco dias, quando, pela Lei do Grampo, só poderiam durar quinze, renováveis por mais quinze; e, durante todo esse tempo, a Polícia Federal conseguiu "utilizar" apenas dois telefonemas, que somados não chegam a *um minuto* de duração, como ficou comprovado pela perícia feita pelo professor Ricardo Molina, da Unicamp, perito em fonética forense.

Quando do recebimento da denúncia contra mim, no Supremo Tribunal Federal, em que se discutiu o prazo na Lei do Grampo, que só permite grampeamento por quinze dias, prorrogáveis por mais quinze, e em que o relator do processo ministro Cezar Peluso justificava a sua atitude de ter mantido os grampos por tanto tempo, lembro-me que um dos ministros, grande constitucionalista, questionou este aspecto, dizendo que a Corte tinha que se deter no exame desse prazo, pois não poderia ficar decidindo aleatoriamente, entendendo num caso que era ilegal, e em outros, que era legal. Mas, apesar desse *lance de razoabilidade,* e mesmo estando em jogo a honra de três desembargadores, um procurador da República e um ministro do Superior Tribunal de Justiça, esse ministro disse que, naquele caso concreto, quer dizer, no meu caso, ele acompanhava o entendimento de Cezar Peluso. Ora, aquele era um caso emblemático, que envolvia o lado moral do próprio Judiciário, e momento mais adequado não havia para que a questão do prazo fosse profundamente debatida; mas não foi porque o objetivo mesmo era naquela oportunidade receber a denúncia contra mim.

Houve também um *habeas corpus* por mim impetrado, em que se discutia a exigência de transcrição literal das interceptações na sua integralidade, em que cinco ministros me deram razão, pois deferiram a ordem, e cinco a denegaram, ocasião em que a ministra Ellen Gracie, a presidenta, que eu supunha minha amiga, votou duas vezes, desempatando contra mim. Pelas relações de amizade que eu tinha com a ministra, deveria ela no mínimo ter se dado por suspeita para participar desse julgamento. Aliás, ela fez exatamente o contrário do ministro Cezar Peluso no caso Joaquim Roriz, que, tendo que votar duas vezes em favor dos fichas-sujas para desempatar, porque já tinha votado uma vez a seu favor, preferiu abster-se, fazendo prevalecer a decisão do Tribunal Superior Eleitoral que prejudicava o impetrante. A única diferença é que a ministra Ellen Gracie votou duas vezes para me prejudicar, enquanto o ministro Cezar Peluso não quis votar a segunda vez para não beneficiar Joaquim Roriz. A meu ver, essa abstenção é uma fragorosa denegação de justiça, porque o regimento interno do Supremo Tribunal Federal manda que o presidente tenha voto de qualidade (votar duas vezes) quando há empate na votação, e isso não depende da vontade do presidente da Corte. Isso mostra como a Justiça tem realmente duas faces, dependendo de quem está sendo julgado e dos motivos que se "escondem" por detrás dos julgamentos.

Fico me questionando, como cidadão e como juiz que sou, que se o Supremo Tribunal Federal, que deveria zelar pelo respeito à Lei do Grampo, não a respeita, a quem deve o cidadão recorrer para que ela seja respeitada? E como poderá a Suprema Corte censurar os tribunais e juízes inferiores que não a respeitam?

Eu tinha ficado sabendo do grampeamento dos meus telefones porque, ao falar, notava que alguma coisa de anormal sempre acontecia durante as conversas, o que me levou, depois de algum tempo, a providenciar alguém para fazer um rastreamento nas minhas linhas. A essa altura, eu supunha que os grampos eram por causa da disputa interna pela direção do Tribunal, e o que fazia era defender-me dos meus "colegas", pretendentes à presidência da casa.

Um conhecido meu, que trabalha com segurança, me ensinou a testar os telefones para verificar se estavam ou não grampeados, e, quando fiz o teste com o meu telefone e os da minha família, descobri que todos, celulares e convencionais, estavam grampeados.

Por isso, e porque sabia que do outro lado da linha estavam os "arapongas", mas sem saber que estavam autorizados a *interceptar-me por tabela*, primeiro pela inferior instância, e, depois, pelo Supremo Tribunal

Federal, mandei-lhes, ao longo de todo o tempo da interceptação, alguns recados que, realmente, não devem ter gostado de ouvir, mormente dito por um juiz.

Eu disse mais ou menos o seguinte: "se vocês estiverem me grampeando, coloquem o que realmente estou falando, tá? Não coloquem 'inaudível' ou três pontinhos não". "Gravem a conversa toda e ponham exatamente o que estou falando."

A minha revolta com essas escutas era porque, para mim, se existisse o grampo, seria clandestino, pois nunca poderia imaginar que a Justiça, e muito menos um Tribunal Superior, tivesse algum motivo para autorizá-la, mesmo porque tal motivo inexistia; e também não acreditava que a Polícia Federal fosse capaz de montar o que montou contra mim, e que o Ministério Público Federal e a Justiça pudessem acreditar no que acabaram acreditando.

Como o meu genro não dispõe de foro especial, suspeito que as minhas conversas com ele tenham sido gravadas muito antes da autorização do Supremo Tribunal Federal.

Quando a Polícia Federal grava alguém que não dispõe de juízo especial, acha que não está obrigada a fazer a comunicação de que tem uma autoridade de hierarquia superior na conversa, e pedir autorização para continuar a interceptar. Isso aconteceu, no Espírito Santo, em que um juiz federal foi denunciado perante o Tribunal da 2ª Região em virtude de interceptações de um amigo seu, e o Tribunal entendeu, *contra o meu entendimento*, que esse procedimento era legal.

Nessa oportunidade, eu disse ao Plenário: "Vossas Excelências não são sensíveis a essas ilegalidades, porque o que está em jogo é a honra de um juiz federal, mas todos nós estamos sujeitos a interceptações dessa natureza". Mal sabia eu que a minha vez estava próxima, e por uma escuta com suporte de legalidade.

Mas, embora nas mensagens que eu mandava aos interceptadores lhes pedisse que transcrevessem a gravação da conversa por inteiro, fizeram pior, que foi gravar apenas trechos desconexos do que lhes interessavam, só gravando por inteiro as frases que *pudessem sugerir* corrupção.

Os textos transcritos pela Polícia Federal, no relatório final, assinado pelo delegado Ézio Vicente da Silva, que serviu de base para o procurador-geral da República me denunciar, e ao ministro Cezar Peluso para mandar me prender temporariamente, foram gravados quando eu ainda estava sendo interceptado *por tabela*, por determinação de uma juíza federal, portanto de forma flagrantemente ilegal, textos esses totalmente desconexos e sem qualquer sentido, diferentemente de muitas outras conversas mostradas pela mídia, nas quais existe começo, meio e fim.

Ainda revoltado com a interceptação telefônica, fui avisado, também, de que no teto do meu gabinete poderia ter sido instalado um sistema de "escuta ambiental". Confesso que não acreditei, pensando que fosse coisa de neurótico, como são todos os que lidam com a segurança; mas, infelizmente, era verdade.

Quando providenciei alguém da minha confiança para fazer a varredura no meu gabinete, fiquei estupefato, e me recusei a crer no que os meus olhos viam. Os servidores do meu gabinete, mais próximos de mim, que acompanharam a varredura, ficaram, igualmente, atônitos. Certo é que estávamos diante de um fato surrealista, em que o gabinete de um desembargador, vice-presidente de um Tribunal Regional Federal, estava tomado por um sistema de escuta ambiental; aliás, diga-se de passagem, da pior qualidade, que prejudica inclusive ao próprio grampeado, pela má qualidade da recepção. Pedi aos varredores que tirassem algumas fotos do que fosse possível fotografar e fui pensar nas providências que deveria tomar a respeito.

Assim que descobri os grampos, conversei com alguns colegas, como os desembargadores federais Vera Lúcia Lima, Paulo Barata e Ricardo Regueira, mostrando-lhes o que eu havia descoberto no teto do meu gabinete, alertando-os de que os seus poderiam estar também grampeados; ocasião em que lhes pedi sigilo sobre a descoberta porque, até então, não sabia a quem atribuir a responsabilidade.

De uma coisa eu tinha certeza: o então presidente, desembargador Frederico Gueiros, sabia do grampo, porque seria inadmissível que a Polícia Federal, com autorização ou sem ela, adentrasse o Tribunal, e o meu gabinete sem que o presidente do Tribunal o soubesse.

Em virtude da inconfidência do então desembargador Castro Aguiar à minha mulher, quando de uma conversa com ele a respeito da disputa para a presidência do Tribunal, também ele sabia da escuta, pois, de outro modo, não poderia saber que eu seria "preso e afastado do cargo de desembargador", pelo que não poderia ser candidato à presidência.

Fiquei sabendo nessa oportunidade que no Tribunal havia e continua havendo desembargadores federais da estrita confiança da Polícia Federal e do Ministério Público Federal, mas isso não é bom para a segurança dos direitos e pela confiança que todos depositam na Justiça.

Quando chamei o desembargador Ricardo Regueira ao meu gabinete para uma conversa, pensando que os grampos eram coisa da chapa alternativa à presidência da Casa, ele achou que eu deveria dar ciência da escuta ao então presidente, Frederico Gueiros, mas não dei.

Essa minha descoberta prematura da escuta ambiental, *segundo consta dos relatórios da Polícia Federal*, determinou o *abortamento* de outras iniciativas em relação a outros desembargadores federais do Tribunal, o que, de outra forma, poderia ter determinado a implosão do Tribunal por inteiro.

Depois do que passei com o maldito furacão, fico pensando se isso não teria sido melhor para a Justiça.

Suspeita de fraudes pela Polícia Federal

Quando eu estava na carceragem da Polícia Federal em Brasília, recebi a visita do meu irmão Bonifácio, médico conceituado, que me disse ter ouvido a minha voz numa das transmissões da Rede Globo, conversando com meu genro, e dizendo que queria "minha parte em dinheiro"; e que a voz era realmente minha.

Depois dessa visita, fiquei pensando nisso, pois tinha certeza de não ter tido nenhuma conversa com meu genro com esse teor.

Quando tive acesso às gravações feitas pela Polícia Federal, e ouvi a minha frase com o meu genro, dei-me conta de que a conversa que tivera com ele estava inteiramente fora do contexto, pois nada tinha a ver com decisões judiciais, mas com o congresso jurídico que realizamos em Buenos Aires, e ao qual compareceram os ministros Cezar Peluso, do Supremo Tribunal Federal, e Gilson Dipp, Eliana Calmon e Peçanha Martins, do Superior Tribunal de Justiça.

O que eu disse a meu genro nada tinha a ver com minhas decisões sobre caça-níqueis, tendo inclusive o ministro Peçanha Martins, quando depôs como minha testemunha no procedimento a que respondi no Conselho Nacional de Justiça, sob a relatoria do ministro Gilson Dipp, confirmado as nossas conversas, tanto a que teve comigo quanto as que mais de uma vez manteve com Silvério Júnior, meu genro, tudo dentro de um contexto que só quem não quer enxergar não vê ali a verdade sobre o episódio do dinheiro.

Nenhuma das conversas que o ministro Peçanha Martins teve comigo e com o meu genro foi transcrita pela Polícia Federal, porque seria a prova inconteste do embuste montado para fazer supor que eu tinha feito um trato que só existia na imaginação dos policiais.

Assim que tive acesso às gravações, pude constatar que tinha sido exatamente isso que acontecera, o que punha à mostra que a frase metida no relatório do delegado Ézio Vicente da Silva, da Polícia Federal, era produto de uma montagem, com palavras cortadas e coladas, o que dava para perceber a olho nu, e que mais tarde veio a ser comprovado pela perícia realizada pelo professor Ricardo Molina, da Universidade de Campinas, um dos mais acreditados peritos deste país.

Esses fatos são detidamente considerados num capítulo próprio pelo inusitado de que se reveste, na medida em que foram montados por uma instituição como a Polícia Federal, com potencial para convencer duas outras, todas da maior importância na garantia dos direitos e da liberdade neste país.

As pessoas supõem erradamente que a Polícia Federal, pelo só fato de ser a Polícia Federal, não seja capaz de "plantar" provas para comprometer alguém, sobretudo quando esse alguém é um magistrado, mas a verdade é que é; e não foram poucas as vezes em que como juiz me deparei com provas plantadas por ela; e, diga-se de passagem, mal plantadas.

Recordo-me que, de certa feita, tive em mãos um processo penal por tráfico internacional de cocaína, que tinha sido desmembrado em virtude do grande número de réus. Nesse processo aparecia como chefe da quadrilha um réu que havia sido reconhecido por meio de fotografia, e como tal prova não é consistente, e em face de outros elementos constantes dos autos, votei pela sua absolvição, no que fui acompanhado pelos demais desembargadores. A pena aplicada a ele pelo juiz federal tinha sido nada menos do que quarenta anos de prisão. Posteriormente, os dois outros processos desmembrados vieram também para o meu julgamento, por estar eu com a competência preventa, e nesses dois outros processos aquele que havia sido condenado no processo não aparecia como chefe, senão como um simples membro da quadrilha. A partir daí, concluí que no primeiro processo a prova por meio de fotografia tinha sido "plantada" pela Polícia Federal, digerida pelo Ministério Público Federal e deglutida pelo juiz federal, que com base nela impusera a condenação.

Importância do fato e da versão do fato

Uma coisa que me chamou a atenção como juiz e me preocupou como cidadão é como podia a Rede Globo divulgar que a Polícia Federal tinha desbaratado uma "organização criminosa", quando estava em face de uma operação que deveria ser executada em "segredo de justiça", conforme estava carimbado na busca e apreensão, determinada pelo ministro Cezar Peluso, do Supremo Tribunal Federal, na minha residência. A Operação Hurricane foi parar na tela da Rede Globo antes que tivéssemos tido tempo de nos dar conta do que estava acontecendo.

Essa penetração da Rede Globo não é apenas na Polícia Federal, mas no próprio Poder Judiciário, inclusive no Supremo Tribunal Federal, pois quando estávamos "custodiados" na Polícia Federal em Brasília, éramos primeiro intimados pela televisão, onde a intimação era anunciada, para somente depois que a Rede Globo divulgava uma decisão do ministro, os advogados terem acesso à mesma intimação.

Foi assim que ficamos sabendo que a prisão temporária seria prorrogada, como realmente foi, e também que o mesmo ministro havia expedido alvará de soltura em favor dos desembargadores, o que igualmente ocorreu.

A primeira notícia veiculada pela Rede Globo, em 13 de abril, era, inclusive, inverídica, porque dizia que eu estava preso quando, na verdade, ainda estava na minha casa "orientando" a busca e apreensão, que foi feita com a minha supervisão.

Nessa oportunidade, diziam os repórteres que eu integrava a máfia dos caça-níqueis e vendia liminares à quadrilha para viabilizar o funcionamento das casas de bingo, uma nova inverdade, porque as liminares concedidas não eram para funcionamento de casas de bingo, embora a Polícia Federal tenha se esforçado para aparentar que fossem.

As liminares objetivavam, na verdade, a liberação de máquinas de caça-níqueis, mas sob o fundamento de que a Polícia Federal alegava que *elas continham componentes importados*, quando não continham, pois estes componentes eram produzidos no país.

Como, na qualidade de desembargador, eu não era vidente e nem tinha bola de cristal, deferia liminares simplesmente para que as *máquinas indevidamente apreendidas fossem restituídas*, ficando retida apenas uma de cada tipo para ser periciada.

Todas as casas de jogos beneficiadas com essas decisões estavam funcionando, algumas com alvará concedido pelos municípios, como acontecia em Petrópolis, e outras com decisões provisórias concedidas por outros juízes ou desembargadores federais, *não tendo eu concedido nenhuma liminar nesse sentido*.

A maioria dos profissionais da imprensa não entende o funcionamento da Justiça, não sabendo sequer distinguir um "parecer" de uma "sentença", o que não causa surpresa, porque os delegados de polícia também não sabem o que deveriam saber, não sendo hábito deles acompanhar de perto a evolução da jurisprudência nos tribunais superiores.

Os jornalistas e repórteres da Rede Globo de Televisão deveriam saber também que as mesmas razões que determinaram a concessão de decisões em favor de casas de jogos, em virtude de recursos que ainda seriam interpostos pelas interessadas para os tribunais superiores, foram também concedidas à empresa Infoglobo Comunicações contra o Instituto Nacional do Seguro Social, para suspender liminarmente a exigibilidade da retenção de onze por cento do valor bruto da nota fiscal ou fatura de prestação de serviços, decisão esta que foi mantida integralmente pelo Tribunal.

A sociedade precisa saber que uma empresa da Rede Globo de Televisão pediu decisão liminar para não recolher parcela de contribuição devida à Previdência Social; e não que isso tenha sido ilegal, porque ilegais também não eram as decisões que ela tanto combateu, em que eu mandava que fossem restituídas as máquinas programadas pertencentes a casas de bingo em regular funcionamento, por decisões de desembargadores do Tribunal; mas porque ela fez o que não era ético fazer, que é "sentar no seu rabo, para falar do rabo dos outros".

Já na vice-presidência do Tribunal, voltei a conceder liminar à Infoglobo Comunicações, nos mesmos moldes das concedidas às casas de bingo, para que tivesse a empresa da Rede Globo tempo de interpor o seu recurso para os tribunais superiores.

Foi concedida liminar também à União (Governo Federal), antes do exame da admissibilidade dos recursos que interpusera, evitando que tivesse de pagar de forma cumulativa a pensão militar comum com a pensão especial de ex-combatente, que se beneficiou do meu entendimento sobre a matéria.

O entendimento que sempre orientou as minhas decisões nesses casos nada tinha de excepcional, porque estava embasado em decisões dos tribunais superiores, tendo inúmeras delas sido concedidas em favor de empresas que nada tinham a ver com casas de bingo.

Portanto, as decisões liminares por mim concedidas não beneficiavam apenas empresas exploradoras de jogos, como supôs a Polícia Federal e foi exposto diuturnamente na mídia, mas a todos os que demonstraram a existência dos pressupostos necessários à sua obtenção, sem qualquer discriminação em razão da natureza da atividade exercida, mesmo porque isso não era problema meu, que nunca me envolvi nos motivos pelos quais os bingos tinham obtido liminares de outros desembargadores do Tribunal, que não eu, para continuar funcionando.

Antes da minha chegada à vice-presidência do Tribunal, pedi uma estatística sobre as medidas liminares concedidas pelos anteriores vice-presidentes, e fiquei surpreso quando me disseram meus assessores que havia sido concedida apenas uma liminar pelo desembargador Frederico Gueiros; e mesmo assim em favor da União (Governo Federal), a respeito do funcionamento do lixão existente na Baixada Fluminense.

Não causa surpresa que o desembargador Frederico Gueiros tenha concedido apenas uma medida liminar na sua passagem pela vice-presidência, porque havia e continua havendo portaria da presidência do Tribunal, baixada pelo ex-presidente desembargador Valmir Peçanha, que praticamente inviabilizava a concessão de decisão liminar, em virtude da burocracia imposta aos procedimentos cautelares.

Para superar esse obstáculo, eu determinava a requerimento da parte que se encaminhassem imediatamente os autos do processo, que estavam estacionados num escaninho burocrático do Tribunal, para receber imediata decisão; e isso fosse quem fosse o requerente, independentemente de ser o Poder Público ou não.

Um político mineiro chamado José Maria Alckmin dizia que *o que importa não é o fato em si, mas sim a versão do fato*, parecendo ser este o lema da mídia, em especial da Rede Globo, que não se preocupa em divulgar nada além da versão que dá ao fato divulgado, conforme os vazamentos repassados pela Polícia Federal.

Na sua edição de 6 de julho de 2007, o jornal *O Globo* veiculou uma notícia sob o título "Liberdade para réus da Furacão gera polêmica", em que critica o ministro Marco Aurélio, do Supremo Tribunal Federal, por ter concedido *habeas corpus* para alguns denunciados em razão da Operação Hurricane, dizendo ser ele defensor da tese de que "só pode ser preso quem for condenado em última instância".

Mais uma vez a imprensa desconhece que esse fundamento não é "tese do ministro", mas um princípio inscrito na Constituição, de que *ninguém será considerado culpado até o trânsito em julgado de sentença penal condenatória*. E todos os que ingressam na magistratura, seja como juiz seja como ministro, assumem o compromisso de respeitar e aplicar a Constituição.

Nessa reportagem, o ministro disse não se importar com o barulho da turba, no que está coberto de razão, porque um juiz não pode se preocupar com a versão da verdade que a imprensa passa para a opinião pública.

Existe um velho ditado que diz que "cautela e caldo de galinha não fazem mal a ninguém", porque eu também, quando na vice-presidência do Tribunal, concedendo ou negando liminares, consoante a minha consciência, não me importava com o barulho da turba; mas acabei sendo envolvido nessa embrulhada aprontada pela Polícia Federal, com o apoio do Ministério Público e da Justiça, que custou a minha liberdade além do meu prévio julgamento pela imprensa sem o menor direito de defesa.

Isso me faz lembrar o escândalo feito pela Rede Globo com a série de reportagens "Balcão de sentenças", quando três desembargadores do Tribunal foram afastados para investigação, sob a acusação de terem vendido sentenças, mas cujo processo acabou arquivado por decisão do Supremo Tribunal Federal, e cujo motivo foi a falta de fundamento para as acusações.

Certa feita, conversando com um dos ministros do Supremo Tribunal Federal hoje aposentado, ele me disse que deveríamos afastar esses colegas "para dar uma satisfação à opinião pública"; mas, nessa ocasião, fiz ver a ele que a nossa função é a de julgar e não de dar satisfação à opinião pública, o que, aliás, a imprensa faz de sobra. E tanto eu estava certo na minha observação, que o Tribunal que ele próprio integrava acabou extinguindo prematuramente este processo, mandando os autos para o arquivo.

Reconheço que, quando as decisões judiciais encontram eco na opinião pública, o sentimento de justiça é mais confortável; mas a Justiça não é uma instituição que deva funcionar embalada pela opinião pública; mesmo porque, como se sabe, o nazismo, na Alemanha, e o fascismo, na Itália, que marcaram para sempre a humanidade, não teriam sido possíveis se não contassem com o apoio da chamada "opinião pública".

Depois do que aconteceu comigo, e tendo eu consciência do que fiz e do que a Polícia Federal e o Ministério Público Federal supõem que eu tenha feito, preocupa-me a independência de alguns juízes que fazem com que ainda haja justiça neste país, vítimas em potencial das maquinações institucionais, que, em vez de combatidas e punidas, são muitas vezes estimuladas pela própria Justiça.

Decisões sobre o funcionamento de bingos no Tribunal

Outra montagem que a Polícia Federal fez e vazou para a Rede Globo de Televisão, e esta repassou à opinião pública, foi a de que eu era integrante da máfia dos bingos, vendendo liminares para o seu funcionamento, mas a verdade é que eu nunca concedi individualmente liminares para esse fim, e nem o desembargador Ricardo Regueira. Todas as decisões para funcionamento de bingos partiram de outros desembargadores do Tribunal, que não foram alcançados pelo furacão.

Além do mais, muitas das decisões a mim atribuídas a título de liminares foram, na verdade, concedidas por órgão colegiado do Tribunal, como a proferida em favor da Federação de Tênis do Rio de Janeiro e outras empresas, em que o juiz federal tinha indeferido a petição inicial da ação.

Nesse caso, o meu voto foi no sentido de reformar a decisão do juiz, mas apenas para que ele próprio decidisse como fosse de direito sobre o pedido das empresas, concedendo-o ou negando-o.

No entanto, a desembargadora Julieta Lunz entendeu que havia elementos para ser deferida a liminar postulada pelas empresas, pelo que a deferia, e eu mais não fiz do que acompanhar esse entendimento, do que resultou uma decisão favorável à empresa, mas que era *de um órgão colegiado do Tribunal*, e não uma decisão minha isolada, ou na vice-presidência da Casa.

Nesse julgamento, entendeu a desembargadora que, estando as empresas impedidas de exercer as suas atividades, dificilmente seriam esses prejuízos reparados pela União (o Governo), mesmo que as empresas viessem a vencer a demanda, e por isso deferia a liminar.

Esta decisão nem chegou a ter eficácia, porque houve uma alteração na competência dos órgãos colegiados do Tribunal, com a especialização das Turmas, e a competente para decidir sobre a matéria concernente a bingos acabou por cassá-la.

Como o então chefe do Ministério Público Federal, Antônio Fernando de Souza, afirmou na denúncia que eu e o desembargador Ricardo Regueira nos unimos a uma quadrilha para autorizar o jogo de bingo no Rio de Janeiro e Espírito Santo, quando nenhum de nós proferiu qualquer decisão neste sentido, tendo eu concedido liminar apenas para liberação de máquinas caça-níqueis que o Ministério Público Federal supunha que tinham peças contrabandeadas, vou elencar alguns casos em que desembargadores do Tribunal Regional Federal da 2ª Região proferiram decisões que permitiram o funcionamento de bingos no Rio de Janeiro e Espírito Santo, para que possam a Polícia Federal, o Ministério Público Federal e o Supremo Tribunal Federal tomar as providências para investigar e descobrir o que estava realmente por detrás dessas decisões, como fizeram comigo e o desembargador Ricardo Regueira, que acabamos vítimas da sanha de poder dos que queriam dirigir o Tribunal.

Essas coisas a Polícia Federal não apura e nem o Ministério Público Federal corre atrás, por não ser do seu interesse, porquanto, se forem prender todos os desembargadores federais que deram liminares para o funcionamento de bingos, ou participaram de julgamentos em que isso aconteceu, o Tribunal fecharia as suas portas por falta de desembargadores para prestar jurisdição.

E não foi apenas no Rio de Janeiro e Espírito Santo que isso aconteceu, porque aconteceu em todos os estados, embora os únicos visados, não sei por que motivo, tenham sido os Tribunais Regionais Federais da 2ª e 3ª Regiões, este último com sede em São Paulo, onde a Polícia Federal e o Ministério Público Federal tentaram fazer o mesmo carnaval, mas não contaram com o apoio do ministro Félix Fischer, do Superior Tribunal de Justiça.

Reafirmo que, na vice-presidência, eu mandei liberar máquinas caça-níqueis porque as empresas estavam funcionando, tanto que, ao fazer a apreensão das máquinas, não me consta que as casas tivessem sido fechadas.

Por uma rápida pesquisa que fiz no *site* do Tribunal Regional Federal da 2ª Região, constatei que alguns dos desembargadores que participaram de processos que resultaram em autorização para funcionamento de bingos no Rio de Janeiro e no Espírito Santo foram os desembargadores Valmir Peçanha, Sergio Schwaitzer, Frederico Gueiros, André Fontes, Guilherme Calmon, Poul Erik, Raldênio Bonifácio, Benedito Gonçalves, Fernando Marques, Reis Friede, Liliane Roriz, Julieta Lunz, Alberto Nogueira e Vera Lúcia Lima.

Se a Polícia Federal, o chefe do Ministério Público ou mesmo o ministro Cezar Peluso, do Supremo Tribunal Federal tivessem feito o mesmo, teria verificado que não fomos apenas eu e o desembargador Ricardo Regueira que proferimos as chamadas "decisões suspeitas", porque as decisões que permitiam o funcionamento de casas de bingo não eram da nossa autoridade.

No processo da Slot Machine, quem manteve a decisão que beneficiava diversas empresas de bingo, ao indeferir um pedido de suspensão de decisão sobre funcionamento de bingo, formulado pelo Ministério Público Federal, foi o então presidente do Tribunal, desembargador federal Valmir Peçanha.

No processo da D.W. Brasil, quem reavaliou o seu entendimento, para acolher o pedido das empresas para garantir a elas o direito ao pleno exercício de suas atividades de exploração de jogos de bingo, foi o Sergio Schwaitzer. Tendo havido recurso dessa decisão, o então presidente do Tribunal, desembargador Frederico Gueiros, negou também o pedido de suspensão da liminar feito pelo Poder Público. Essa decisão do desembargador Sergio Schwaitzer só veio a ser suspensa mais tarde por decisão do Supremo Tribunal Federal, porque contrariava a sua jurisprudência, que era contrária à prática de jogos de bingo.

No processo do Bingo Piratininga, quem concedeu a autorização para que a empresa pudesse operar as atividades de bingo foi o desembargador André Fontes, sustentando na sua decisão que era possível a criação de loterias pelos estados, além de haver a situação de perigo evidenciada pelo número de funcionários e sócios, dependendo do funcionamento do empreendimento para a sua subsistência. Posteriormente, um órgão colegiado do próprio Tribunal tornou insubsistentes todos os atos decisórios do desembargador André Fontes.

No processo do Bingo Bola I, quem viabilizou o funcionamento da empresa de bingo foi o desembargador Guilherme Calmon, por não ter acolhido o recurso do Ministério Público Federal, que extinguia o processo, ressaltando o desembargador que a atividade de jogos vinha sendo desempenhada de maneira organizada por uma pessoa jurídica. Essa decisão foi colegiada, tendo votado em favor dos bingos os desembargadores Poul Erik e Raldênio Bonifácio.

No processo da Namibe, um juiz federal já tinha dado autorização para o funcionamento do bingo, com direito à devolução das máquinas de videobingo importadas, para evitar a sua apreensão e destruição, tendo o desembargador Guilherme Calmon mantido a decisão para manter a atividade de bingo, dizendo até que a liminar antes concedida pelo juiz tinha sido necessária para permitir a tutela do direito pretendido. Nessa ocasião a decisão do desembargador foi seguida pelos desembargadores federais Poul Erik e Raldênio Bonifácio.

No processo de Jorge Fernandes, que era uma questão criminal, acusado de manter em funcionamento máquinas de videopôquer, o réu foi absolvido porque o então desembargador Benedito Gonçalves, hoje ministro do Superior Tribunal de Justiça, entendeu que, apesar de o laudo pericial ter consignado que as máquinas de videopôquer apresentavam componentes eletrônicos estrangeiros, não tinha ficado comprovada a procedência estrangeira das mesmas. Nessa ocasião, votaram também em favor dos bingos os desembargadores Valmir Peçanha e Fernando Marques.

No processo da Gurgcon do Brasil, quem manteve a liminar concedida pelo juiz federal para que permanecesse lacrada e apreendida *apenas uma unidade de cada modelo de máquinas de propriedade da impetrante* foi o desembargador Reis Friede. Nessa ocasião, votaram no mesmo sentido, mantendo a liminar, as desembargadoras Julieta Lunz e Liliane Roriz.

Registro que fui preso e processado por haver proferido uma decisão exatamente como a proferida por esses três desembargadores, pois o que fiz para a empresa Betec, Abraplay e Reel Token foi mandar liberar máquinas de caça-níqueis apreendidas pela Polícia Federal, ficando apenas uma de cada tipo para ser periciada para constatar se havia ou não componentes importados.

No processo da Tamburelo, quem mandou que a autoridade se abstivesse de interferir nas atividades dos bingos autorizados e assegurou o funcionamento das empresas foi o desembargador Alberto Nogueira, dizendo que não se atinha ao exame das autorizações ou delegações federais para a atuação estadual quanto à matéria da concessão, autorização ou fiscalização dos bingos, mas, considerando que toda e qualquer autorização para o funcionamento de bingos se encerrava até o dia trinta de dezembro de 2002, mantinha a decisão para que a empresa continuasse funcionando. Nessa ocasião, votaram no mesmo sentido a desembargadora Vera Lúcia e o desembargador Raldênio Bonifácio.

No processo da Multi Games, em que se pretendia autorização para operar máquinas de bingo eletrônico e importar, internar e locar máquinas eletrônicas foi uma Seção do Tribunal, que é um órgão colegiado constituído por várias turmas, que concedeu a tutela apenas para evitar o perdimento dos bens. Nessa ocasião, ficamos vencidos eu, Carreira Alvim, Alberto Nogueira, Francisco Pizzolante, Paulo Barata e Julieta Lunz.

Eu fiquei vencido nesse julgamento por entender que, tendo a apreensão dos componentes eletrônicos ocorrido em Porto Alegre, o Tribunal Federal da 2ª Região nada tinha a ver com isso, por não ter como garantir o cumprimento da decisão no Rio Grande do Sul; mas o Tribunal entendeu de forma diferente.

No processo Maria Imaculada, sobre a importação de máquinas de bingo eletrônico na Bahia, também fui contra a pretensão da empresa por entender que o Tribunal não tinha jurisdição naquele estado, e o problema não era apenas de autorizar a importação, mas também de efetivá-la, que ficava extremamente dificultada pelo fato de o desembaraço da mercadoria dar-se em outro estado da federação. Essa decisão foi mantida pelo órgão colegiado do Tribunal, tendo o desembargador Ricardo Regueira, nessa ocasião, votado também no sentido de indeferir o pedido; e, ainda assim, acabou sendo acusado injustamente de pertencer a uma quadrilha de bingueiros.

Todas essas decisões põem à mostra que as autorizações para o funcionamento de jogos de bingo no Rio de Janeiro e no Espírito Santo não eram concedidas por mim, como afirma o então procurador-geral da República Antônio Fernando de Souza, tendo eu e também o desembargador Ricardo Regueira votado contra pretensões envolvendo interesses de empresas exploradoras desses jogos.

Portanto, se, como afirma ele, os desembargadores se uniram a uma quadrilha para explorar jogos de bingo, por certo esses desembargadores não são nem eu e nem Ricardo Regueira, pois nossos nomes não figuram em *nenhuma decisão que tenha autorizado o funcionamento de bingos ou a importação de equipamentos eletrônicos de jogos*; tendo eu apenas mandado liberar máquinas de caça-níqueis de três empresas.

Quanto a mim, em especial, todas as vezes em que participei desses julgamentos no órgão colegiado foi *para negar o pedido das empresas*, como aconteceu nos processos da Multi Games e da Maria Imaculada; e me lembro bem de que no caso da Multi Games, o seu advogado esteve antes no meu gabinete, para entregar um memorial, e me disse que, se a decisão do Tribunal fosse favorável à sua cliente, ela seria cumprida pelas autoridades gaúchas.

A diferença entre mim, — eu nunca autorizei o funcionamento de jogos de bingo — e todos os demais desembargadores que decidiram em favor do funcionamento, é que nenhum deles era o candidato natural à presidência do Tribunal e, portanto, não precisavam ser afastados do cargo para não colocar em risco os interesses do Poder Público.

É estranho que os diversos desembargadores do Tribunal, que decidiram favoravelmente ao funcionamento de jogos de bingo no Rio de Janeiro e no Espírito Santo, e, portanto, também decidiram contra o Poder Público, não tenham sofrido nenhuma represália da Polícia Federal, do Ministério Público Federal ou do Supremo Tribunal, por decidirem da forma como decidiram; e eu, por haver mandado liberar máquinas de bingo, retendo apenas uma de cada tipo para ser periciada, exatamente como fizeram os desembargadores Reis Friede, Liliane Roriz e Julieta Lunz, acabei sendo acusado de integrar uma quadrilha para viabilizar o funcionamento de jogos nesses estados, e, como tal, preso e processado pelo Supremo Tribunal Federal.

Eu só não fui eleito presidente do Tribunal porque o desembargador Castro Aguiar e o grupo dos quinze sabiam que a Operação Furacão estava a caminho, informados pelo Ministério Público Federal e pela Polícia Federal, que agiam em sintonia para encontrar alguma coisa que pudesse comprometer a minha integridade moral e fazer supor que as decisões que eu havia concedido tinham sido a pedido do desembargador Ricardo Regueira ou com a participação do meu genro.

Tanto isso é verdade, que quando a minha mulher foi ao gabinete do desembargador Castro Aguiar para saber se ele seria candidato à presidência, como circulava no Tribunal, ele disse que eu não poderia me candidatar porque seria processado e preso, o que para nós soou como uma pilhéria, porque nada havia de verdadeiro que comprometesse a minha conduta no Tribunal. Depois, constatei que realmente não havia, mas que eles fizeram com que parecesse ter havido, montando contra mim uma trama que convenceu até um ministro do Supremo Tribunal Federal.

Para que o leitor saiba da verdade e possa corrigir as distorções construídas pela imprensa na versão que deu aos fatos, está aí uma pequena relação dos desembargadores que realmente proferiram decisões favoráveis ao funcionamento de jogos de bingo no Rio de Janeiro e Espírito Santo, decisões estas que estão a meu ver corretas e não merecem qualquer censura, mas que foram injustamente depositadas nas minhas costas e nas do falecido desembargador Ricardo Regueira, como se tivessem sido produto de uma negociata com a máfia dos bingos.

Se havia uma quadrilha no Tribunal Regional Federal da 2ª Região, no que não acredito, mas afirmou expressamente o então procurador-geral da República Antônio Fernando de Souza na denúncia — e nisso acreditou o ministro Cezar Peluso, do Supremo Tribunal Federal —, por haverem alguns desembargadores proferido decisões favoráveis ao funcionamento de bingos no Rio de Janeiro e Espírito Santo, pode o leitor ter a certeza de que, dessa quadrilha, não participamos nem eu e nem o falecido desembargador Ricardo Regueira.

Clima de campanha para a presidência do Tribunal

Algum tempo antes da eleição para a presidência do Tribunal, conversei com o desembargador Benedito Gonçalves, hoje ministro do Superior Tribunal de Justiça, e o desembargador André Fontes, ocasião em que lhes pedi que, se o grupo dos quinze — ao qual eu sabia que eles pertenciam — pretendesse lançar candidato para concorrer comigo, atropelando a antiguidade, me dissessem, porque eu então me aposentaria; mas ambos me disseram enfaticamente que não havia nenhuma intenção de quebrar a ordem de antiguidade, e que, no caso do desembargador Chalu Barbosa, essa quebra se dera por motivo de saúde do candidato natural.

A advogada Lenora Schwaitzer, esposa do desembargador Sérgio Schwaitzer, trabalhava no meu gabinete, o que me levou a pensar ter nele um aliado, por tudo que eu fizera pelo casal, e pelo que supus que ele tivesse ficado agradecido.

Lenora Schwaitzer havia se incompatibilizado com o então diretor do Centro Cultural da Justiça, desembargador Paulo Barata, o que determinou, inclusive, uma representação do seu marido contra Paulo Barata no Conselho Nacional de Justiça, representação esta que veio a ser arquivada, o que não deixou, porém, de criar constrangimento entre os colegas, pois Schwaitzer acusava o decano de ter violado correspondência da sua mulher, endereçada ao Centro Cultural.

Sabendo dessa situação de constrangimento entre dois colegas do Tribunal, procurei a ambos, dispondo-me a requisitar Lenora para o meu gabinete, o que fiz com a maior felicidade no coração.

Tenho certeza de que Lenora reconhece o que fiz pelo bem do casal, porque, antes de sair do meu gabinete, procurou-me, deu-me um abraço e me disse: "Doutor! Não precisariam ter feito com o senhor o que fizeram, e da forma como fizeram". E o seu próprio marido estava entre "os que fizeram", pois fora o candidato eleito para o Centro Cultural da Justiça Federal, ao qual Paulo Barata concorria para ser reconduzido.

Constantemente perguntava ao desembargador Paulo Barata, o decano do Tribunal, como estavam fluindo as coisas, e ele me dizia que parecia estar tudo bem.

O desembargador Sérgio Schwaitzer sempre negou fazer parte do grupo dos quinze, mas, no dia da eleição, saiu candidato e se elegeu diretor do Centro Cultural da Justiça Federal, numa disputa com o decano desembargador Paulo Barata.

Poderia até parecer que eu era bobo, mas não era, e percebia que alguma coisa estava acontecendo, pois os meus "colegas" desembargadores já não me cumprimentavam com a desenvoltura de antes, passando-me a impressão de que a sua consciência os denunciava.

Num Tribunal, composto de apenas vinte e sete membros, não é difícil perceber essa mudança de comportamento, à medida que se aproximava o fatídico dia da eleição para os cargos de direção, verdadeiro dia "D" para os candidatos naturais ao cargo pela antiguidade.

De certa feita, recebi a visita do desembargador André Fontes no meu gabinete, quando me disse que tinha ouvido de alguns advogados, cujos nomes não gostaria de declinar, que eu não seria um bom candidato à presidência do Tribunal por causa das minhas atividades externas, de professor e palestrante.

Nessa oportunidade, percebi que o desembargador André Fontes não estava sendo sincero e que me relatava um fato inexistente, dizendo-me que os advogados não eram simpáticos à minha eleição para a presidência do Tribunal, criando o clima para alguma coisa que estava por acontecer.

Então, ponderei a esse desembargador que não acreditava no que ele me dizia, porque, se havia uma classe que tinha por mim e por meu trabalho o maior respeito, era a classe dos advogados. Isso porque, quando cheguei ao Tribunal, em 1993, os advogados eram recebidos num balcão existente no gabinete, e fui eu o primeiro desembargador a pedir à direção da casa que mandasse fazer uma sala de espera para os advogados.

Na véspera da eleição, nunca vi ninguém circulando tanto pelos corredores do Tribunal como o desembargador André Fontes, que entrava e saía sem parar nos gabinetes dos demais desembargadores.

Confesso que essa movimentação, por quem se dizia alheio a tudo o que acontecia no Tribunal, mexeu com a minha veia de candidato, pelo que o chamei ao meu gabinete e lhe disse: "André! Se alguma coisa de errado acontecer no dia da eleição, tenho a certeza de que o responsável é você". Ele desconversou e me disse que eu estava preocupado à toa, e que o eleito seria eu.

Em toda a minha vida, nunca conheci alguém tão dissimulado quanto o desembargador André Fontes, fazendo parecer uma coisa quando na verdade era outra. Certa feita, fui levá-lo até o elevador, quando ele, já lá dentro, gritou: "Carreira! Eu voto em você, desde que me prometa que vai manter os juízes convocados para a minha Turma". Como candidato, lembrei-me da advertência do desembargador Ney Fonseca, quando da minha conversa com o desembargador Sergio Feltrin, por ocasião da minha disputa para diretor da Escola da Magistratura, e simplesmente fiquei calado. Mas, no dia seguinte, chamei-o ao meu gabinete para lhe dizer que não deveria ter dito o que disse na presença da ascensorista do elevador, porque ficava mal para ele e para mim. Afinal, o que pretendia o desembargador André Fontes, como fizera o desembargador Sergio Feltrin, era permutar o seu voto em mim em troca de alguma coisa; que no caso era não mexer no seu gabinete.

Nessa ocasião, André Fontes reconheceu o erro, de que não devia ter dito o que disse da forma como disse, e me pediu desculpas, dizendo que o fato não se repetiria; e realmente não se repetiu, nem precisei manter na sua Turma os juízes convocados, porque disso se encarregou o seu próprio candidato, que foi o desembargador Castro Aguiar.

Àquela altura dos acontecimentos já circulava pela rádio corredor a notícia de que o desembargador Castro Aguiar ou Sergio Feltrin seria lançado candidato à presidência do Tribunal, e minha mulher ficou sabendo desse fato.

Minha mulher então me disse que eu teria que visitar todos os desembargadores para expor-lhes a minha candidatura, pois de outro modo as alternativas poderiam prosperar, e que ela iria conversar com os desembargadores Castro Aguiar e Sergio Feltrin para saber se eram ou não candidatos. Para isso, pediu audiência a ambos e foi falar com eles.

Quando retornou, disse-me que havia falado com Sergio Feltrin, que lhe dissera não ser candidato e que nem ouvira nada a respeito de qualquer outra candidatura além da minha.

No entanto, a conversa com Castro Aguiar, então corregedor de justiça do Tribunal, fora diferente e não das mais agradáveis, porque ele dissera a ela que eu não poderia ser candidato porque seria processado e afastado do cargo no Tribunal.

Essa inconfidência de Castro Aguiar deixou claro que o então corregedor sabia que a Operação Furacão estava a caminho, desencadeada pela Polícia Federal. Poucos dias antes da eleição, visitei um por um *todos* os desembargadores, expondo-lhes a minha candidatura e pedindo o seu apoio, e nenhum dos visitados me negou o seu voto.

Mas houve um que não me recebeu, apesar de eu haver insistido em falar com ele, que foi o então desembargador Castro Aguiar, o que, confesso, me deixou cabreiro, principalmente porque éramos colegas de Tribunal. Essa atitude me fez sentir que por detrás dessa recusa em falar comigo cara a cara havia uma candidatura "oculta", que ele não tinha coragem de revelar.

Outro com o qual eu tive dificuldade em falar foi o desembargador Fernando Marques, que depois veio a ser o candidato a vice-presidente na chapa de Castro Aguiar, mas acabei conseguindo encontrá-lo porque fui direto ao seu gabinete sem avisar e disse aos seus servidores que precisava falar com ele; e ele não teve como não me receber. Na conversa, foi reticente, desconversou, não disse que me apoiava, mas também não disse que não apoiava, e no dia da eleição fiquei sabendo o porquê, quando ele lançou o seu nome como candidato.

Houve quem fosse a mim, em vez de eu ir a ele, como o desembargador Raldênio Bonifácio Costa, que conversou demoradamente comigo, tendo a coragem de fazer-me sugestões para a minha administração, que ele próprio sabia, porque também era do clube dos quinze, que jamais se concretizaria.

Mas houve ainda outro, o desembargador Reis Friede, que me atendeu ao telefone, declarou-se meu eleitor, dizendo-me que eu não precisaria visitá-lo para esse fim, oportunidade em que sugeriu que eu patrocinasse uma eleição aberta; mas, se a eleição fosse aberta, como ele próprio sugerira, teria ficado numa calça-justa porque, pelas minhas contas, também não votou em mim.

No dia que antecedeu a eleição, conversei com o desembargador Paulo Barata, perguntando-lhe como estava a minha candidatura, e ele me disse que a eleição seria apertada, mas que eu seria eleito, pelo que, animado por essa previsão do decano do Tribunal, fomos à votação.

Dia de eleição no Tribunal

No dia da eleição, a minha mulher tinha que ir ao centro do Rio, por isso fomos juntos; e, ao chegarmos à garagem do Tribunal que dá acesso à entrada privativa dos desembargadores, estavam chegando juntos e parlamentando o então desembargador Benedito Gonçalves, hoje ministro do Superior Tribunal de Justiça, e o desembargador André Fontes, assim descemos do carro e fomos cumprimentá-los.

Nessa oportunidade, sem que perguntássemos qualquer coisa, o desembargador André Fontes virou-se para minha mulher, Tetê, e lhe disse: "Tetê! O Carreira está com medo de não ser eleito, mas a sua votação vai ser unânime"; ao que o hoje ministro Benedito Gonçalves, também sem provocação nossa, acrescentou: "É, Tetê! O melhor critério é mesmo a antiguidade".

Dali, a Tetê saiu a pé, pois iria fazer compras no centro da cidade; e eu e os dois desembargadores subimos pelo elevador privativo, indo cada qual para o seu gabinete, já que a sessão do Plenário teria início às 13 horas desse mesmo dia.

A sessão plenária teve início na hora aprazada, vindo a ser julgados os processos constantes da pauta, e lá pelas 15 horas o então presidente Frederico Gueiros anunciou que seria procedida à eleição para a nova direção da casa, e se havia outros candidatos além de mim.

É claro que o desembargador Frederico Gueiros sabia, como a maioria dos outros desembargadores, da candidatura do desembargador Castro Aguiar, pois também ele integrava o grupo dos quinze. A pergunta tinha o objetivo de cumprir um formalismo que, diga-se de passagem, foi cumprido à risca.

Nesse momento, o desembargador Castro Aguiar pediu a palavra, relatando um fato tão inusitado quanto os ventos que formariam o futuro furacão, dizendo que havia sido procurado no seu gabinete por uma pessoa, cujo nome não iria declinar porque não tinha provas, e que o ameaçara caso lançasse a sua candidatura à presidência do Tribunal, e que, em face disso, resolvera concorrer; e que apenas no dia anterior à eleição pusera-se em campanha, pedindo votos aos demais colegas.

Em Minas há um ditado que diz que "o mal do malandro é pensar que todo mundo é otário".

Como otário eu não era, percebi nesse momento que o então desembargador Castro Aguiar, o candidato "oculto" do grupo dos quinze, vira na visita da minha mulher ao seu gabinete, apenas para saber se realmente ele seria candidato, um trampolim para lançar-se oficialmente à presidência da Casa, como uma desculpa esfarrapada.

Essa pretensão tinha atrás de si o fator tempo, pois se a eleição seguisse o critério de antiguidade, ele não teria a chance de dirigir o Tribunal, já que estava então com sessenta e seis anos e seria jubilado antes que atingisse a condição de candidato natural ao cargo.

Curiosa e coincidentemente, esse foi o mesmo motivo que precipitara a candidatura do desembargador Valmir Peçanha, que, pelo critério da antiguidade, também não seria candidato antes de ser jubilado, e, como candidato patrocinado na época por Castro Aguiar, acabou torpedeando a candidatura natural do desembargador Chalu Barbosa.

Essas pretensões prematuras, atropelando as candidaturas naturais à presidência da Corte, lembraram-me da fábula de George Orwell *A revolução dos bichos*, feita em nome do *animalismo*, em que os bichos, ao perceberem que os "privilégios" desfrutados pelos humanos eram superiores aos seus, deram um jeito de acomodar os antigos "mandamentos" aos seus próprios interesses.

Parafraseando Orwell, no Tribunal, o mandamento segundo o qual "o presidente será escolhido pelo critério de antiguidade", passou a rezar que "o presidente será escolhido pelo critério de antiguidade, se não houver algum pretendente com idade avançada que pela candidatura natural jamais será eleito, e que saiba decapitar os candidatos naturais".

Assim que o desembargador Castro Aguiar se lançou candidato, as demais candidaturas ocultas pipocaram na sessão, tendo o desembargador Fernando Marques alegado que havia sido procurado por alguns colegas pedindo que se lançasse a vice-presidente, e, em seguimento, o desembargador Sergio Feltrin, dizendo que esses colegas lhe pediram para se lançar a corregedor da Justiça Federal; como que aproveitaram a chance e atropelaram na mesma ocasião os desembargadores Paulo Espírito Santo e Rogério Carvalho, candidatos à vice-presidência e à corregedoria, respectivamente.

Esse grupo de "colegas" a que Castro Aguiar, Fernando Marques e Sergio Feltrin se referiam era, na verdade, o grupo dos quinze, que, sob o comando do desembargador Sergio Feltrin, havia armado as candidaturas alternativas, sabendo que conseguiriam derrubar a antiguidade, que, no Regimento Interno do Tribunal, figurava como critério de escolha, seguido do advérbio "preferencialmente", que tem a cara da conspiração.

Na Lei Orgânica da Magistratura Nacional, o art. 102 estabelece que "Os Tribunais, pela maioria dos seus membros efetivos, por votação secreta, elegerão *dentre seus juízes mais antigos*, em número correspondente ao dos cargos de direção, os titulares destes, com mandato por dois anos, proibida a reeleição"; mas no regimento interno do Tribunal Regional Federal da 2ª Região, os que o idealizaram, já pensando em futuras maquinações, fizeram constar que "O Tribunal elegerá, dentre seus membros, seu presidente e vice-presidente e o Corregedor da Justiça Federal, recaindo a escolha, *preferencialmente*, nos juízes mais antigos, pelo seu Plenário".

A inserção do advérbio "preferencialmente" nos regimentos internos dos Tribunais, na contramão do disposto pela Lei Orgânica da Magistratura Nacional, tem sido questionada judicialmente, inclusive perante o Supremo Tribunal Federal, havendo acórdãos tanto no sentido de fazer prevalecer essa regra, quanto no sentido de que cabe a cada Tribunal resolver a controvérsia.

O Supremo Tribunal Federal, quando instado a decidir a respeito, o faz ao sabor das circunstâncias do caso concreto, ora anulando a eleição, fazendo prevalecer a Lei Orgânica da Magistratura Nacional, e ora fazendo aquilo que fez Pilatos, e que permitiu a condenação de Jesus Cristo: "lavando as mãos".

Assim que o desembargador Castro Aguiar pôs em mesa a sua candidatura, dizendo que o fazia por haver sido ameaçado por uma pessoa, a desembargadora Julieta Lunz pediu a palavra, dizendo que não podia concordar que alguém fosse candidato à presidência da Corte, cargo da mais alta responsabilidade, para revidar a uma possível ameaça, fazendo então, oral e formalmente, a impugnação da candidatura de Castro Aguiar, que pedia fosse submetida à apreciação do Plenário.

Terminada a impugnação feita pela desembargadora, que o então presidente Frederico Gueiros não mostrou o menor interesse em registrar e submeter à decisão do Plenário, passou-se imediatamente à votação.

Para assegurar que não houvesse oposição do Ministério Público Federal, com base na impugnação feita pela desembargadora Julieta Lunz, o presidente "convidou" o procurador regional da República, Celso Albuquerque, para ajudar na votação, na qualidade de escrutinador dos votos, sendo, em seguida, proclamado o resultado, de quinze a nove, favorável ao desembargador Castro Aguiar.

Indignação de um candidato

Ao ser proclamado o resultado da eleição para a presidência da Corte, fui dominado pela indignação, mas não a de quem havia sido derrotado, mesmo porque quem se habilita a uma disputa está consciente de que pode ganhar ou perder.

Nessa eleição, eu sabia de antemão que o desembargador Castro Aguiar não colocaria o seu prestígio em jogo se não tivesse muita certeza do resultado, muito menos com uma campanha de véspera. A minha indignação tinha outro viés, não estando ligada ao que aconteceu, mas à forma como tinha acontecido, porque, nesse caso específico, o presidente não proclamava o resultado de uma eleição, mas o produto de uma verdadeira conspiração.

Nenhuma eleição, para dignificar esse nome, pode possibilitar um resultado que seja produto da surpresa, da maquinação, devendo ser precedida de um procedimento que permita aos candidatos inscrever-se, sujeitar-se à impugnação, ter a sua candidatura homologada, e, enfim, apresentar sua plataforma de governo do Tribunal.

A dissimulação ou conspiração tem outro perfil, sendo fruto do improviso, da ocultação e da troca de favores, e foi exatamente isso que aconteceu na eleição para presidência do Tribunal, em que o desembargador André Fontes votava em quem não mexesse nos juízes convocados para sua Turma.

O resultado esperado pelo desembargador Paulo Barata em conversas de gabinete tinha tudo para se concretizar, mesmo porque, sendo eu o mais antigo, o eventual empate na votação seria resolvido pelo critério da antiguidade.

Sucede, porém, que alguns desembargadores foram estrategicamente cooptados para concorrer na chapa alternativa, que seria lançada de surpresa, na base da política franciscana do "é dando que se recebe"; e foi assim que a desembargadora Maria Helena Cisne foi convidada a concorrer para diretora da Escola de Magistratura; o desembargador Sérgio Schwaitzer, marido de Lenora, então trabalhando no meu gabinete, para candidato a diretor do Centro Cultural da Justiça Federal, e assim por diante.

A candidatura do desembargador Sérgio Schwaitzer tinha o sabor da vingança, porque o candidato a diretor do Centro Cultural era o desembargador Paulo Barata, que concorria à reeleição, justo aquele com quem a esposa do desembargador Schwaitzer se indispusera, e contra o qual o próprio desembargador fizera uma representação perante o Conselho Nacional de Justiça, posteriormente arquivada.

Se a eleição para a direção do Tribunal fosse mediante voto nominal, aberto, como deve ser toda votação em que a responsabilidade do eleitor seja transparente, talvez o resultado da disputa fosse outro, porque os que disseram que prestigiariam a antiguidade, como o hoje ministro Benedito Gonçalves, o desembargador André Fontes e o desembargador Reis Friede, não teriam coragem de fazer o contrário.

A eleição secreta é a mais convidativa a uma traição, por ser mais cômodo agradar gregos e troianos, dizendo que votará num quando na verdade votará noutro; e sem se poder saber ao certo onde se homiziam as traições.

Fiquei muito indignado com o resultado desse pleito e acabei me retirando antes do seu término.

O desembargador Paulo Barata tentou dissuadir-me de sair, dizendo-me que ele era candidato a diretor do Centro Cultural e que precisava do meu voto, mas, talvez num exercício de premonição, lhe disse que infelizmente não poderia continuar ali, porque não queria assistir ao que estava por acontecer ainda naquela sessão.

Ao chegar ao meu gabinete, ainda recebia manifestações de solidariedade dos servidores que trabalhavam comigo, inclusive Lenora, mulher do desembargador Sérgio Schwaitzer, e outros servidores da casa, quando me chegou a notícia de que não fora eu o único rejeitado, porque também o haviam sido os desembargadores Paulo Espírito Santo e Rogério Carvalho, candidatos pela antiguidade a vice-presidente e a corregedor da Justiça Federal, respectivamente.

O desembargador Paulo Espírito Santo era o candidato natural à vice-presidência pelo critério da antiguidade, mas, tanto quanto eu, fora preterido, porque o eleito fora o desembargador Fernando Marques.

Confesso que fiquei menos surpreso com a derrota do desembargador Rogério Carvalho, porque o desembargador André Fontes já me havia confidenciado que ele não seria um bom corregedor por ser *muito bonzinho*; e o eleito acabou sendo Sergio Feltrin, que, pelo menos na avaliação de André Fontes, é o contrário disso.

A minha indignação não era a de um cidadão comum, mas a de um magistrado que assistia a atos de dissimulação ou conspiração por parte de outros magistrados, pessoas que tinham o dever constitucional de fazer justiça, e dos quais seria exigido um mínimo de comportamento ético numa disputa. E pensava: "Meu Deus! São esses homens que fazem justiça nesta Casa; e, se fazem isso comigo, que sou seu colega, o que não farão com quem eles não conhecem?".

Esse questionamento ficou apenas na memória, porque nem mesmo eu consegui encontrar resposta para ele.

Deixei a vice-presidência em 10 de abril de 2007, mas nem tive tempo de retornar à Turma, porque no dia 13 desse mesmo mês, numa sexta-feira, quando me preparava para ir para o Tribunal, fui abatido pelo maldito furacão.

Dossiê fantasma ou imaginário

A eleição para a presidência do Tribunal gerou muita polêmica e também muita especulação, principalmente por parte da mídia, em busca de uma explicação sobre a minha descoberta do grampo instalado pela Polícia Federal, com autorização do Supremo Tribunal Federal, no teto do meu gabinete; mas que até então eu supunha ser obra dos estrategistas de uma eventual chapa alternativa à presidência da Corte.

Eu tinha todos os motivos possíveis e imagináveis para supor que aquele grampeamento fosse coisa interna, a uma, porque havia buscado saber, *oficialmente*, se havia alguma autorização do Superior Tribunal de Justiça, que seria o meu juízo natural, para me grampear, e comprovei que não havia; a outra, porque jamais poderia supor que essa autorização pudesse provir do Supremo Tribunal Federal; e, muito menos, que havia um ministro do Superior Tribunal de Justiça também envolvido na trama urdida pela parte malsã da Polícia Federal.

Naquela oportunidade, telefonei a dois ministros do Superior Tribunal de Justiça, para saber se estava grampeado com autorização daquela Corte, e recebi deles o retorno, dizendo-me que não havia grampo algum contra mim; tendo recebido também um ofício do então presidente dessa mesma Corte, a quem eu havia oficiado formalmente sobre o assunto, dizendo-me a que ministros eu deveria dirigir-me para saber se havia grampos, que eram os relatores dos processos penais em curso sobre a matéria.

Realmente, quando o Superior Tribunal de Justiça me respondeu *negativamente* sobre o grampo, cheguei a pensar que tivesse este sido autorizado por algum juiz federal, e tinha, também, bons motivos para pensar assim, porque a última coisa que o grupo dos quinze queria era me ver na presidência do Tribunal; o que importaria no sepultamento da pretensão de Castro Aguiar de chegar à presidência da Corte.

Nesse ponto, eu não estava totalmente equivocado, porque, tendo o meu genro sido grampeado por decisão de uma juíza federal do Rio de Janeiro, eu, por ser seu sogro e conversar com ele por telefone com muita frequência, sobre assuntos que nada tinham a ver com a Justiça, acabei indiretamente grampeado, tendo muitas das conversas referidas pela Polícia Federal no seu relatório sido dessa época.

Ainda na carceragem da Polícia Federal em Brasília, assisti ao *Jornal Nacional*, que veiculou uma notícia dizendo que havia sido apreendido na minha residência um "dossiê", contendo provas com as quais eu pretendia "chantagear" um colega de Tribunal.

Eu, que tinha sido vítima de uma *chantagem policialesca* em que os grampeadores, mediante a *montagem* de conversas gravadas e fora de contexto, me haviam colocado hilariamente como "integrante de uma organização criminosa"; expunham-me, agora, como um aprendiz de chantagista; e, por sinal, um péssimo aprendiz, pois, estando com todas as supostas provas em meu poder, não conseguira levar a termo a suposta chantagem. Realmente, só um débil mental seria capaz de imaginar coisa do gênero.

Aquilo que a mídia chamava de "dossiê", que significa uma coleção de documentos, era, na verdade, provas sobre a conduta de alguns desembargadores federais do Tribunal, que me haviam sido entregues por quem os tinha em seu poder, para demonstrar o caráter daqueles que pretendiam disputar a direção da Casa, passando para trás os candidatos mais antigos.

Fiquei perplexo com o fato de ter eu passado, por força da imaginação dos grampeadores e da mídia, de uma hora para outra, de detentor de provas da conduta de desembargadores nada éticos, a um armador de chantagens contra colegas meus por causa da disputa eleitoral.

Mais estarrecido fiquei quando o presidente da Ordem dos Advogados do Brasil, Seção Rio de Janeiro, sugeriu que os juízes e *desembargadores* investigados pela Operação Hurricane, e soltos por ordem do próprio Supremo Tribunal Federal, pedissem afastamento de suas funções pelo tempo que durassem os processos; referindo-se evidentemente a mim e ao desembargador Ricardo Regueira.

Não acreditei na sinceridade do presidente da Ordem, porque, a bem da verdade, antes da Operação Hurricane, quando vi essa instituição entrar de sola no caso das provas de um concurso realizado pelo Tribunal de Justiça do Rio de Janeiro, chamei-o ao meu gabinete, juntamente com um conselheiro federal da mesma Ordem, e narrei aos dois tudo o que me havia sido repassado por terceiros sobre a "conduta" dos desembargadores, identificando-os nominalmente. Mas, quando percebi que não havia clima para nenhuma providência por parte da Ordem, que não se mostrara nada interessada na apuração dos fatos que eu narrara, concluí comigo mesmo que deveria deixar as coisas como estavam.

Nessa reunião, o presidente da Ordem no Rio de Janeiro, Wadih Damous, *entrou mudo e saiu calado*, pois quem falou foi apenas o conselheiro federal; mas nenhum dos dois se mostrou interessado em que aquela instituição se intrometesse no que consideraram um problema interno do Tribunal. Na verdade, não era um problema interno, pois eram provas concretas de fatos que, se devidamente apurados, poderiam ensejar processo por crime previsto no Código Penal; e sem prejuízo de procedimentos na esfera administrativa; eventualmente eles nem poderiam disputar cargos de direção da Casa.

Essas provas apreendidas pela Polícia Federal são altamente antiéticas e incriminadoras, tendo uma delas aparecido num processo administrativo aberto pela Reitoria da Universidade Federal do Rio de Janeiro, que por conveniência acabou arquivado por decisão judicial, e que o presidente do diretório me disse ter comunicado ao Ministério Público Federal. A outra, contra um desembargador, foi inclusive notícia na *Folha Online Brasil* e no jornal *on-line Consultor Jurídico*, mas nenhuma providência foi tomada nem pelo Ministério Público Federal, nem pela direção do Tribunal para apurar a veracidade dos fatos, apesar de particularmente graves.

Entre esses documentos havia também petições que me foram repassadas por um advogado, cuja cliente havia movido uma ação de despejo contra um dos desembargadores do qual eu e minha mulher tínhamos sido fiadores, vindo nós por isso a ser executados juntamente com ele por falta de pagamento, e cuja dívida acabou sendo paga por meio de um *cheque administrativo* bancário.

Com base em meras *suposições* e porque eu era candidato natural à presidência do Tribunal, acabei envolvido numa trama macabra, que deu num furacão, com a mútua colaboração de instituições como a Polícia Federal, o Ministério Público Federal e o Supremo Tribunal Federal, mas contra esses desembargadores, apesar das provas concretas, apreendidas pela Polícia Federal, sobre condutas comprovadamente afrontosas à ética e algumas com indícios de criminalidade, *nada aconteceu*.

Quando era o corregedor do Conselho Nacional de Justiça o ministro Pádua Ribeiro, estive naquele Conselho para lhe mostrar esses documentos, tendo ele, naquela oportunidade, me dito que eu deveria fazer um *encaminhamento formal ao Conselho*, para apurar os fatos; não sem antes ter nas mãos esses documentos e inteirar-se do que se tratava, tendo me dito que os fatos eram realmente muito graves. Evidentemente que não fiz isso, porque nunca me considerei uma palmatória do mundo, nem com vocação para tanto.

No entanto, quando ocorreu o furacão, esse mesmo ministro se encarregou de determinar, *de ofício*, a abertura de um procedimento administrativo contra mim e outros desembargadores, paralelamente ao processo penal que corre no Supremo Tribunal Federal, para apuração *dos mesmos fatos*.

A partir daí, tive a percepção de que a atuação do Conselho Nacional de Justiça é *de ofício* ou *mediante encaminhamento*, dependendo do estardalhaço que a mídia faça a respeito dos fatos e das pessoas neles envolvidas.

Se eu pretendesse usar esses documentos contra os desembargadores federais para dissuadi-los de concorrer à direção do Tribunal, tê-lo-ia feito antes da eleição para a Corte, e não depois dela.

Para fazer com que os ventos do furacão se voltassem contra o próprio Tribunal, em vez de atingir a mim, em especial, eu teria que ter entregado esses documentos à imprensa, para que ela fizesse o que mais gosta, que é aprontar escândalos; mas teria feito sangrar o Tribunal por inteiro, pelo que não me senti, naquela época, estimulado a tanto; embora o seu então presidente Frederico Gueiros e os futuros dirigentes da Corte não se mostrassem nem um pouco preocupados com isso.

Essa foi também a razão pela qual não entreguei essas provas ao jornalista Marcelo Auler, do jornal *O Estado de S. Paulo*, que, sabendo da sua existência, me procurou insistentemente no meu gabinete para obtê-las, pouco antes da chegada do furacão, para divulgar esses fatos pela imprensa, e fazer os escândalos que só ela sabe fazer.

Esse foi um dos meus arrependimentos, porque se o *Estadão* saísse em campo, pondo a descoberto tudo o que passava nas entranhas do Tribunal, talvez tivesse havido outros ventos para neutralizar aqueles que vinham formando o maldito furacão.

CAPÍTULO 3

DO FURACÃO
À CARCERAGEM

Chegada do furacão

Era 13 de abril de 2007, às 5h30 da manhã, quando tocou o telefone, e do outro lado da linha, a minha filha Luciana mal conseguindo falar disse: "Pai", e o telefone foi desligado num repente.

Pensei que tivesse havido alguma briga entre ela e o marido, Silvério Júnior; mas quase ao mesmo tempo tocou a campainha do meu apartamento com tal insistência, que indicava que a situação era de indiscutível anormalidade.

Antes que me levantasse, tocou de novo o telefone, e, então, a minha filha Luciana conseguiu me dizer: "Pai, a Polícia Federal está aqui em casa, revirando tudo".

Nesse momento, percebi que alguma coisa grave estava acontecendo, mas nem tive tempo de pensar, pois minha mulher, Tetê, que tinha saído do quarto, retornava, dizendo-me, assustada: "Carreira, a Polícia Federal está lá na sala armada até os dentes".

Quando me levantei, ainda de pijama, deparei-me com diversos policiais federais fortemente armados, em que a arma menos potente era um *big* fuzil, de fazer inveja a qualquer um daqueles exibidos em *Tropa de Elite*, fazendo-me sentir realmente como se fosse um dos mais temidos criminosos do Rio de Janeiro.

O delegado encarregado da diligência disse-me, então, que era de Santa Catarina, e que deveria cumprir um mandado de busca e apreensão na minha residência, por determinação do Supremo Tribunal Federal, ocasião em que me exibiu cópia de um mandado de busca e apreensão, com a assinatura do ministro Cezar Peluso; mas, como não tinha um timbre, pedi ao delegado que aguardasse até que eu me certificasse de que era autêntico.

Confesso que não acreditei que se tratasse de um mandado expedido por um ministro do Supremo Tribunal Federal, a uma, porque competente para me processar e julgar era o Superior Tribunal de Justiça; e a outra, porque esse Tribunal tinha me dito que nada havia lá contra mim.

Vou morrer sem entender por que, sendo eu um magistrado que nenhum risco podia oferecer à segurança pública, e muito menos às investigações feitas contra mim, tive que ser acordado às 5 horas da manhã, com um contingente de policiais federais armados até os dentes, pondo em risco a integridade física e mental da minha família, quando bastaria ao ministro Cezar Peluso determinar que me apresentasse a ele, ou me considerasse detido na minha residência até que se ultimasse a busca e apreensão ou se complementassem as diligências por ele determinadas.

O que primeiro me ocorreu, naquele momento, foi ligar para o ministro Carlos Velloso, já aposentado, meu amigo desde os meus tempos de estudante, meu padrinho de casamento, e que poderia me ajudar a esclarecer o que estaria ocorrendo, já que morava em Brasília e, por certo, teria o telefone do ministro Cezar Peluso, mas, para minha desventura, ele estava viajando.

Lembrei-me, então, de ligar para outro amigo, o saudoso ministro Peçanha Martins, então vice-presidente do Superior Tribunal de Justiça, para me ajudar a certificar a autenticidade da ordem, mas ele me disse que não tinha o telefone do colega do Supremo Tribunal Federal, retornando-me, depois, a ligação, para me dizer que o ministro Cezar Peluso tinha viajado para São Paulo.

Consegui, então, ligar para o advogado Sergio Bermudes, contando-lhe o que estava acontecendo — o que, aliás, já era do seu conhecimento —, tendo-me dito ele que nada entendia de Direito Penal e que iria contatar um criminalista e especialista no assunto, para que entrasse em contato com a minha família.

Sem poder certificar-me da autenticidade daquela cópia *xerografada*, com uma assinatura que "indicava" ser do ministro Cezar Peluso, não tive alternativa senão em consentir que a Polícia Federal, comandada pelo delegado de Santa Catarina, revirasse a minha residência pelo avesso, dando início à busca e apreensão.

Depois da minha soltura, e de novo no Rio de Janeiro, recebi um *e-mail* de uma ex-aluna minha, que morava em Blumenau, dizendo-me que tinha tomado conhecimento de que um delegado da Polícia Federal de Santa Catarina tinha sido deslocado para o Rio de Janeiro para prender bingueiros, mas que naquele próprio estado o jogo de bingo e caça-níqueis corria solto.

Furacão varre a minha casa

Até então eu não sabia de nenhuma ordem de prisão contra mim, mesmo porque nem sabia ainda, ao certo, o que determinara tamanha truculência numa cidade infestada de quadrilhas de traficantes de droga, atrás das quais deveria estar a Polícia Federal, em vez de estar atrás de um magistrado.

Como o delegado de Santa Catarina me informara que a diligência era *sigilosa*, e realmente deveria ser porque isso constava do mandado de busca e apreensão, fiquei surpreso quando a televisão foi ligada e a notícia estava no ar, com a informação de que a Polícia Federal acabara de deflagrar, com sucesso, mais uma das suas "operações", denominada "Operação Furacão", desmantelando uma quadrilha ligada à "máfia de caça-níqueis", e que tinham sido presas vinte e cinco pessoas, dentre elas o desembargador federal Carreira Alvim, ex-vice-presidente do Tribunal Regional Federal da 2ª Região.

As notícias que se seguiram davam-me como integrante de uma quadrilha que vendia decisões para que as máquinas de caça-níqueis continuassem funcionando.

Acredito que deva ter sido noticiado também o nome do desembargador Ricardo Regueira, mas confesso que estava mais preocupado em preservar a integridade física da minha família do que ouvir o que a mídia dizia a nosso respeito.

A partir daquele momento, compreendi que tinha sido alvo de uma trama adredemente armada, mas ainda atônito porque, no exercício da função de vice-presidente do Tribunal, mais não fizera do que aquilo que a Constituição e a lei determinam, ou seja, proferir decisões de forma rápida sobre os pedidos que me haviam sido formulados; e que, se não estivessem corretas, deveriam ser reformadas pelo Tribunal.

Nunca tinha tido conhecimento de que um juiz pudesse ser preso pelo teor das decisões proferidas, mesmo porque existe um princípio constitucional, chamado de "garantia política", segundo o qual o juiz não pode ser responsabilizado pelos erros nas suas decisões, salvo quando age com dolo ou culpa grave; e eu, particularmente, não tinha agido fora dos padrões como sempre decidira no exercício da minha judicatura.

No curso da diligência de busca e apreensão, a Polícia Federal apreendeu tudo o que de pessoal me pertencia, como disquetes de trabalho, cópias de trabalhos científicos, e até um aparelho mp3, que é um aparelho digital de armazenar músicas, sendo difícil acreditar que no comando dessa diligência estivesse realmente um delegado federal, que é um profissional do Direito.

De algum valor, apreenderam pouquíssimas joias da minha mulher, compradas ainda quando solteira, e, em dinheiro, dois mil e trezentos dólares americanos e cinco mil reais, valores estes que seriam usados numa viagem a Paris em maio, quando minha mulher entraria em férias, e eu também; ela com passagem já comprada e eu providenciando a compra da minha.

Ao localizar a pequena quantia contida no cofre da minha casa, o delegado de Santa Catarina ligou, *na minha frente*, pelo celular, para o delegado que comandava a operação no Rio de Janeiro, informando-lhe que, de acordo com as anotações que lhe tinham sido passadas, ele deveria apreender apenas "grandes quantias em dinheiro", mas que, na minha casa, haviam sido encontrados apenas dois mil e trezentos dólares e cinco mil reais; e se era para apreender. Tendo recebido resposta afirmativa, foram esses os valores igualmente apreendidos, já que as "grandes quantias" só existiam na imaginação de Antônio Fernando de Souza, o procurador-geral da República que havia requerido a busca e apreensão.

Assim que cheguei à carceragem da Polícia Federal no Rio de Janeiro, o delegado federal Emmanuel me chamou em particular, dizendo-me que eu tinha sido vítima de uma armação feita pelo meu genro; mas a verdade que apareceu posteriormente foi que essa armação tinha partido mesmo da própria Polícia Federal, mancomunada com o Ministério Público Federal e supervisionada pelo ministro Cezar Peluso, do Supremo Tribunal Federal.

Todos os cômodos da casa foram literalmente vasculhados, mostrando-se os policiais federais interessados até em desmontar os nossos armários para certificar-se do que havia por detrás deles, embora o bom senso tenha prevalecido e esse propósito ficado apenas na intenção.

Mas não deixaram os policiais de revistar todos os meus livros, um por um, supondo que dentro deles pudessem estar escondidas as "grandes quantias" imaginadas pelas mentes férteis de quem concebeu o furacão, mas encontrando apenas apontamentos de quem se dedica ao estudo do Direito.

Como a Polícia Federal chegara com um grande número de sacos negros para levar as "grandes quantias em dinheiro" que nunca existiram, e, para não sair com os sacos vazios, acabou por se apoderar de tudo o que fosse capaz de enchê-los, inclusive matéria de cunho científico; mesmo porque, o que existia em grande quantidade na minha casa era algo que não se carrega em sacolas, que são a honradez e dignidade, qualidades que a gente carrega na alma.

Decifra-me ou te devoro

Quando o delegado federal de Santa Catarina me disse que a ordem para realizar a busca e apreensão, e que depois fiquei sabendo que também decretava a minha prisão temporária, tinha sido dada pelo ministro Cezar Peluso, foi que entendi o que até então não tinha entendido quando estivemos juntos em Buenos Aires, poucos meses antes.

Por ironia do destino, o ministro Cezar Peluso, que *supervisionou* o inquérito que deu origem à Operação Hurricane, compareceu ao 69º Curso Internacional de Criminologia, realizado em Buenos Aires, organizado pelo Instituto de Pesquisa e Estudos Jurídicos (IPEJ-RJ), por meu intermédio; pela Sociedade Internacional de Criminologia, com sede em Paris, e pelo Instituto Jurídico Consulex, com sede em Brasília, a cargo de quem, aliás, ficaram as despesas de patrocínio do ministro e sua esposa, tendo todos os participantes se hospedado no Hotel Panamericano.

Para certificar-me de que não haveria falha no comparecimento da ministra Eliana Calmon, do Superior Tribunal de Justiça, que também aceitara ir ao evento, e do ministro Cezar Peluso e esposa, todos patrocinados pela revista *Consulex*, liguei mais de uma vez para o seu diretor Luiz Fernando Zakarewicz, para confirmar a participação do seu Instituto no patrocínio para esses ministros, tendo ele me confirmado que estava tudo acertado com os próprios ministros.

Fiquei surpreso que nenhuma dessas conversas tivesse aparecido nos relatórios da Polícia Federal, elaborados pelo delegado federal Ézio Vicente da Silva, conversa esta sem nenhum colorido de ilegalidade, mas que era a respeito de uma viagem de estudos de uma ministra do Superior Tribunal de Justiça, Eliana Calmon, e do próprio ministro do Supremo Tribunal Federal, Cezar Peluso, que havia autorizado os grampos nos meus telefones e da minha família e a interceptação ambiental no meu gabinete.

Houvesse a Polícia Federal feito constar dos seus relatórios essa conversa, teria posto em evidência o contexto em que ocorrera a minha conversa com o meu genro a respeito de dinheiro, sem qualquer ligação com decisão liminar sobre máquinas de bingo, como concebido pela imaginação doentia de todos os que participaram desse doloroso episódio.

Em Buenos Aires, o ministro Cezar Peluso, que então já comandava o inquérito no qual eu era um dos principais indiciados, participou inclusive da abertura do 69º Curso Internacional de Criminologia, compondo muitas das Mesas de Trabalho, fazendo-se também presente em todos os painéis que lá realizamos.

O ministro deve ter-se sentido muito desconfortável me ouvindo falar sobre corrupção e os meios de combatê-la, o que eu fazia a cada intervalo de cada palestra, porque o tema central do evento era justamente "Os desafios da corrupção"; e ele supunha, induzido pelo então procurador-geral da República, Antônio Fernando de Souza, que eu pudesse ser um corrupto.

Como eu já conhecia o ministro Peluso de outros eventos, percebi que alguma coisa "não batia", pois só tinha conseguido tirar com ele uma única foto, logo na abertura do evento. Nos intervalos dos trabalhos e debates que se seguiram, ele sempre se esquivava quando convocado por algum participante, para ser fotografado ao meu lado, ainda que na foto estivesse também o ministro Raúl Zaffaroni, o grande homenageado do evento, ou mesmo algum outro ministro colega seu.

Numa dessas oportunidades, lembro-me bem, o ministro Cezar Peluso deu uma vaga desculpa, de que não gostava de ser fotografado; e ia se retirando para bem longe, sem dar chance ao seu interlocutor de insistir no convite.

Ao término do evento de Buenos Aires, foram convidadas as mais altas autoridades presentes, brasileiras e estrangeiras, para um jantar num restaurante escolhido a dedo para a ocasião — jantar este que foi também patrocinado, desta feita pela agência organizadora do encontro, pelo professor Edmundo Oliveira e por mim, Carreira Alvim —, e, mais uma vez, percebi, que apesar de a cadeira reservada ao ministro Cezar Peluso estar localizada ao meu lado, ele arrumou uma desculpa para sentar-se do lado oposto, dizendo que precisava conversar com alguém que estava desse outro lado.

Como não sou nenhum idiota, percebi que a minha presença *incomodava* o ministro, pois ele me evitava onde eu estivesse, mas eu não me dava conta do motivo de sua atitude, o que só veio a ocorrer no dia 13 de abril de 2007, quando fui atingido pela Operação Hurricane. Foi aí que a ficha caiu e pude decifrar o enigma.

A minha incredulidade com o que tinha ouvido desse delegado de Santa Catarina era tanta, que nada tendo que pesasse na minha consciência, tentei infantilmente uma ligação para falar com o ministro, para saber se era verdade o que estava acontecendo; mas não consegui, porque ele estava viajando; e não conseguiria mesmo que ele estivesse em Brasília, porque ele sabia do que se tratava.

A ironia do destino foi ter colocado o Instituto de Pesquisa e Estudos Jurídicos (IPEJ-RJ) na rota desse evento, e ter eu aceito o convite da Sociedade Internacional de Criminologia, por intermédio de Edmundo Oliveira, para organizá-lo, porque foi em função dessa organização que tive a ideia nada feliz — sobretudo porque sabia que a Polícia Federal estava me interceptando por todos os lados — de tratar com Silvério Júnior, meu genro, de um assunto em cuja conversa foram proferidas as palavras "parte" e "dinheiro", o explosivo de que a Polícia Federal e o Ministério Público andavam à cata, com o apoio do ministro Cezar Peluso, para explodir a minha carreira e minar a minha credibilidade jurídica no país.

Por outro lado, fico pensando que, se não tivessem os que me armaram o furacão conseguido fazê-lo pela forma como fizeram, por certo teriam buscado outra forma de me apear do Tribunal e de impedir-me de chegar à presidência da Casa.

Furacão sacode o Instituto de Pesquisa e Estudos Jurídicos

No mesmo dia 13 de abril de 2007, por volta das 5h30, tocou o celular de Adriano, funcionário do Instituto de Pesquisa e Estudos Jurídicos (IPEJ-RJ), e, do outro lado da linha, o porteiro do edifício Rio Branco disse que "tinha um monte de policiais" querendo entrar ali, quando foi, repentinamente, interrompido, entrando a falar alguém que se identificou como delegado da Polícia Federal. Nessa oportunidade, o delegado disse a Adriano que ele poderia colaborar ou entrariam à força, arrombando a porta do Instituto, ao que o servidor respondeu que não havia necessidade de arrombamento, pois morava perto e estava indo até lá.

Adriano chegou ao Instituto por volta das 5h50m, encontrando um verdadeiro aparato policial, também armado até os dentes. Um policial federal se identificou como o responsável pela operação, encarregado de executar o mandado de busca e apreensão. Aberta a porta, alguns agentes federais foram para a sala de reuniões, outros para a biblioteca, e o restante para outras áreas do Instituto.

O delegado federal que comandava a operação pediu a Adriano que o acompanhasse na busca, no que foi atendido, ao mesmo tempo em que o questionava sobre as minhas atividades e as do Instituto, indagando-lhe há quanto tempo trabalhava comigo.

Adriano respondia a tudo com prontidão e respeito, mas os agentes queriam ouvir de sua boca alguma coisa que pudesse me comprometer e garantir o sucesso da diligência, que seriam relações, que jamais existiram, com o pessoal do jogo de bingo.

Quando Adriano abriu o cofre do Instituto a mando do delegado federal, percebeu a sua cara de decepção, por não haver lá nada do que supostamente estavam procurando, que seriam as "grandes quantidades de dinheiro"; mas lá havia apenas cheques pré-datados de mensalidades, emitidos pelos alunos dos cursos de pós-graduação em andamento, sendo um de Direito e Processo do Trabalho, coordenado pelo juiz do trabalho Leonardo Borges, e outro de Direito Processual Civil, sob a minha coordenação.

O juiz do trabalho Leonardo Borges foi um grande colaborador na realização de cursos de pós-graduação, a quem eu supunha amigo para todas as horas, mas que o furacão se encarregou de espantar. Assim que as coisas serenaram, o juiz, no mesmo dia, foi ao Instituto, pegou as suas coisas, inclusive um porta-retrato em que aparecíamos juntos, e desapareceu de vez. Parece até que foi ele o atingido pelo maldito Hurricane.

O mesmo aconteceu com a juíza aposentada Maria Teresa de Cárcomo Lobo, que, de pessoa da minha intimidade, como se fosse da família, evaporou assim que fui atingido pelo furacão; nunca mais deu o ar da graça.

Essas atitudes me fizeram lembrar de um ditado tão certo quanto verdadeiro: "A prosperidade faz os amigos; e a adversidade os testa".

Inconformados com o que haviam encontrado, os policiais federais começaram a vasculhar a biblioteca do Instituto, abrindo livro por livro, olhando atrás dos quadros e dentro das gavetas, mas nada encontraram além dos vários cheques, no valor de duzentos reais cada, e uma quantia em dinheiro de dois mil reais.

Os cheques pré-datados haviam sido emitidos pelos alunos do curso de especialização em Direito, e o dinheiro era também proveniente do pagamento de mensalidades; mas, independentemente disso, foi tudo levado, deixando o Instituto a zero para arcar com as suas responsabilidades sociais.

Aliás, o pouco dinheiro apreendido no IPEJ, cuja liberação já foi pleiteada com o relator do processo do furacão no Supremo Tribunal Federal, já recebeu até parecer favorável do Ministério Público Federal, porque o Instituto tem personalidade jurídica própria e nada tem a ver com a minha pessoa em particular, não foi restituído; até hoje não se conseguiu que o ministro condutor do processo despachasse o pedido.

Houve alunos dos cursos que se recusaram a pagar de novo, alegando que já haviam pago e que só o fariam de novo se lhes fossem devolvidos os cheques pré-datados; e como esses cheques até hoje estão retidos pelo Supremo Tribunal Federal, o Instituto ainda não recebeu aquilo a que tem direito.

Alguém que assistia à execução da diligência me contou posteriormente que Adriano revelou muita tranquilidade, quando o delegado federal, depois de abrir o cofre e não encontrar o que queria, teria sido muito grosso com ele, dizendo: "Você está de brincadeira; está de palhaçada; sabe que não é isso que estamos procurando". E disse também: "Você não precisa esconder nada. O seu patrão está fodido mesmo; pode falar; libera a gente".

Os policiais federais pretendiam levar todos os valores apreendidos, sem nem fazer sequer uma relação individualizada, e só não fizeram isso porque a então juíza federal Salete Maccalóz, hoje desembargadora, minha colega também na Faculdade Nacional de Direito, sabendo da operação e da minha prisão pela Polícia Federal, por intermédio dos meus alunos, deixou imediatamente a sala de aula e dirigiu-se para o Instituto.

Estava eu, ainda em casa, acompanhando as diligências que lá se desenvolviam, quando recebi um telefonema de Salete, dizendo que estava no IPEJ, acompanhando a operação, e que não sairia de lá enquanto a sua presença fosse necessária para que as diligências se mantivessem nos trilhos da legalidade.

Adriano tentou fazer ver aos policiais que os cheques pré-datados apreendidos eram destinados ao pagamento dos professores e das despesas dos cursos de pós-graduação, mas eles disseram que eles constituíam "prova" contra mim, e, por isso, seriam também apreendidos.

Nessa oportunidade, foram mostrados aos policiais todos os recibos em nome dos alunos, comprovando a procedência lícita dos cheques, mas nada disso valeu, porque os cheques foram levados juntamente com toda a documentação fiscal do Instituto, inclusive os talonários de notas fiscais, o que mais prejudicou o Instituto; pois este ficou impedido de emiti-las para receber as inscrições feitas por empresas.

Posteriormente, a Polícia Federal vazou essa apreensão para a mídia, especialmente para a Rede Globo, que divulgou uma notícia imaginária e falsa, de que haviam sido apreendidos no IPEJ diversos cheques pré-datados, dando a entender que se tratava de dinheiro proveniente de *propina*.

Não satisfeitos com as apreensões feitas, os policiais federais vasculharam o computador e, não tendo encontrado nada que me comprometesse ou o Instituto, ficaram visivelmente irritados, decidindo levar, também, o próprio computador.

Essa diligência só terminou por volta das 16h30 do próprio dia 13.

Furacão chega à casa de Itaipava

O furacão estava ainda dentro da minha casa quando tocou o telefone e Tetê atendeu. Do outro lado da linha, a voz assustada do meu caseiro me dava conta de que a Polícia Federal estava na porta da nossa casa de Itaipava, para cumprir, também lá, um mandado de busca e apreensão expedido pelo ministro Cezar Peluso, do Supremo Tribunal Federal.

O telefonema teve o objetivo específico de perguntar à minha mulher se ela tinha interesse em acompanhar a diligência, porque o caseiro havia dito ao delegado federal que ali era a residência dela; aliás, providência que os policiais sabiam que nem poderia se realizar, já que minha mulher naquele momento estava no Rio de Janeiro.

Poderia a minha mulher até ter pedido a alguém para acompanhar a diligência, porque temos grandes amigos em Itaipava, mas isso era desnecessário porque nada havia lá, e nem em lugar nenhum, que pudesse comprometer a minha honra.

Essa casa de Itaipava era, na verdade, a transmutação de outra, que tínhamos em Brasília, onde moramos durante mais de quinze anos, casa esta vendida em 2005. Com o produto da venda, começamos a construir a de Itaipava, que ficou pronta no final de 2006. Mas, como o dinheiro não deu para terminá-la, ela acabou ficando inacabada.

Quando a mídia divulgou o que o relatório da Polícia Federal continha, ou seja, que eu havia recebido propinas de até um milhão de reais em troca de sentença, achei graça, porque com a construção da casa de Itaipava, a minha vida transformou-se em *vida de devedor*, sobrevivendo com recursos do cheque especial, estando todas as minhas contas-correntes no vermelho, o que não acontecia havia mais de trinta anos.

Essa casa, construída com o dinheiro da venda da casa de Brasília, foi toda administrada pelo arquiteto Luiz Carlos, vulgo Lula, e pela minha assessora Luzinalva, aquele pedindo e esta repassando o dinheiro necessário para tocar a obra, tanto que, quando o dinheiro depositado no Banco Real acabou, a obra parou e estava parada quando eclodiu o furacão.

O meu caseiro me disse que os policiais federais que lá estiveram fizeram questão de vasculhar centímetro por centímetro da casa, revistando não só o meu escritório, como também todos os demais cômodos, debaixo dos tapetes, atrás dos quadros pendurados nas paredes, os baús, e tudo o mais que pudesse sugerir um lugar para se guardar alguma coisa.

Nada de valor foi apreendido, sendo levada a torre do meu computador, três pastas com a prestação de contas feitas pelo arquiteto Lula, agendas velhas, decisões de processos e outras coisas sem nenhuma importância para o processo.

Disse-me o caseiro que, quando ficou sabendo do motivo da busca e apreensão, chamou o delegado federal que conduzia as diligências, levou-o até a parte da frente da casa e mostrou-lhe a obra inacabada, dizendo-lhe: "Olha lá, doutor! O senhor acha que alguém que tivesse recebido aquele dinheirão todo estaria com esta obra neste estado?".

A diligência estendeu-se até a parte da tarde, e antes do anoitecer os policiais federais se retiraram, voltando para o Rio de Janeiro e deixando para trás os dois caseiros, evangélicos, atônitos com o que estava acontecendo, e orando para que tudo se esclarecesse.

Preso sem exibição de mandado de prisão

Terminada a diligência na minha casa, que durou até a parte da tarde, em busca de algo que me incriminasse, mas que não foi encontrado, restaram algumas sacolas pretas recheadas de quinquilharias para fazer volume, quando o delegado me chamou e disse que eu deveria acompanhá-lo até a Superintendência da Polícia Federal no Centro, "para conferir lá o que havia sido apreendido na minha residência".

Nunca vi na minha vida uma desculpa mais esfarrapada, que me surpreendeu partindo de um agente do Poder Público, como é o delegado da Polícia Federal.

Até então eu não sabia que havia contra mim um mandado de prisão temporária, pensando que estava sendo vítima de uma truculência apenas de busca e apreensão.

Nessa ocasião, eu disse ao delegado que, tendo a Polícia Federal feito uma relação dos objetos apreendidos, eu não tinha o menor interesse em fazer qualquer conferência; ao que ele me retrucou que, se eu não me dispusesse a acompanhá-los por bem, seria levado à força.

Essa advertência me preocupou, pois sendo um magistrado, sabia que ninguém pode ser conduzido à força, sem a exibição de um mandado de prisão; e, como eu não estava em flagrante, praticando qualquer crime, não tinha como aceitar aquela intimidação.

Nesse momento, perguntei ao delegado federal de Santa Catarina pelo mandado de prisão, e ele me disse que não o tinha — nem ele, que cumpria a diligência, lera a decisão do ministro Cezar Peluso, que *aparentava*, e só aparentava, autorizar minha prisão temporária —, mas que, mesmo assim, eu tinha que acompanhá-lo, por bem ou por mal; foram essas as suas palavras ditas na presença de diversas pessoas.

Para a Polícia Federal, a *exibição* de um mandado de prisão ao detido não passa de uma *formalidade*, bastando que essa prisão tenha sido autorizada num documento da autoridade policial encarregada do comando da operação; e, como formalidade, era desnecessário exibi-lo ao preso, mesmo que este fosse um magistrado.

Em face dessa "coerção" de um delegado federal a um magistrado, sem qualquer mandado, mas com instrumentos, como fuzis e metralhadoras, mais do que suficientes para convencer qualquer um a acatá-la, aceitei acompanhá-lo; mas antes, chamei a síndica do meu prédio Lúcia, intimada pela própria polícia para acompanhar a diligência, a minha faxineira dona Neuza, seu Lucas, meu agente de segurança, e a Raimunda, minha servidora havia mais de trinta anos, dizendo-lhes, na frente do delegado federal de Santa Catarina e seu contingente:

"Quero dizer, para que vocês ouçam que o delegado federal me fez um convite para que eu o acompanhe até a Superintendência da Polícia Federal, aqui no Rio de Janeiro, e que, se eu não aceitar o seu convite, serei levado à força. Como, quem é levado à força, aonde não quer, não é 'convidado', mas 'preso', eu estou sendo preso, sem a exibição de qualquer mandado de prisão".

Cheguei a ponderar ao delegado federal que eu poderia ser mantido em prisão domiciliar, e que poderia até um dos policiais federais ficar na porta da minha casa, zelando para que eu não saísse, mas tudo em vão; eu deveria ser conduzido "preso" à Superintendência no centro, pois a minha prisão fazia parte da pirotecnia armada pela Polícia Federal, com a cumplicidade do Ministério Público e supervisionada pelo Supremo Tribunal Federal; e lá fui eu, suportado, nas duas pernas, pela indignação com essa arbitrariedade.

A Operação Furacão não teria a repercussão que teve se eu e o desembargador federal Ricardo Regueira não fôssemos presos juntamente com os donos de casas de bingo e caça-níqueis, embora contra eles a Justiça alegasse que exerciam uma atividade ilegal, que, na verdade, estava autorizada por inúmeras liminares expedidas por desembargadores do Tribunal, que não eu ou Regueira; mas, contra nós, não passava de simples suspeitas baseadas em gravações forjadas.

Mais tarde, compreendi melhor as palavras que um bicheiro me disse na carceragem, em Brasília, junto com o qual tomava banho de sol, de que a Justiça se sentia *prestigiada* com essas megaoperações realizadas pela Polícia Federal.

Na minha carteira de desembargador federal consta literalmente constituir prerrogativa do cargo a requisição de força federal ou estadual para o cumprimento das minhas decisões, isso apoiado na Constituição; e consta também que o desembargador não pode ser preso, salvo em flagrante delito de crime inafiançável, caso em que a autoridade fará imediata comunicação e apresentação ao presidente do Tribunal, com base na Lei Orgânica da Magistratura Nacional.

Por ironia do destino, eu, que tinha como prerrogativa do cargo requisitar força federal para cumprimento de minhas decisões, o que nunca fiz porque jamais foi preciso, pois minhas decisões sempre se respaldaram na sua própria força moral, estava sendo preso por uma força federal, a mando de um ministro do Supremo Tribunal Federal, por algo que eu jamais havia feito.

Nessa ocasião, mostrei ao delegado federal de Santa Catarina a minha carteira funcional, mas ele raciocinou que, se um ministro do Supremo Tribunal Federal, que deveria conhecer a lei e as prerrogativas dos magistrados não havia determinado a providência que constava da minha carteira de magistrado, era porque eu deveria ser mesmo conduzido à Superintendência da Polícia Federal; e lá fui eu, apesar das minhas prerrogativas de magistrado.

A minha mulher, Tetê, quis me acompanhar, mas eu a convenci a não ir, pois as poucas vezes em que, como juiz, estive na Superintendência da Polícia Federal, não me deixaram boa impressão; e eu podia calcular o que seria dessa vez, em que eu não estaria lá como juiz, mas como um "preso", acusado de integrar uma organização criminosa.

Nessa oportunidade, o delegado federal me disse que eu poderia ir no carro oficial, que já estava ali porque eu iria para o Tribunal, evitando que eu fosse colocado num daqueles veículos que mais não se prestam do que denegrir a dignidade de quem a Polícia Federal ou a própria Justiça considera um suspeito de crime.

Sempre escoltado pelos policiais federais fortemente armados, como se eu fosse um bandido, descemos pelo elevador social do prédio em direção à garagem, cumprimentando os vizinhos que encontrei no trajeto, constrangido pela presença dos policiais ao meu lado.

Eu deitara, na noite anterior, como juiz, e acordara, na manhã seguinte, como membro de uma organização criminosa que eu nem conhecia, metido, literalmente, no olho de um furacão "provocado" para encerrar a minha carreira, mas que acabou servindo para fortalecer o meu espírito e me permitir alçar voos que de outra forma jamais seriam alçados.

Poder contar a minha história, para que a sociedade saiba o que são as instituições por dentro, como elas funcionam *patologicamente*, e como a alma humana é um universo indecifrável, tanto para o bem como para o mal, só quem passa pelo que passei tem a oportunidade de poder fazer, na esperança de que a história faça a sua parte.

Sete pecados capitais da decisão sobre a prisão

A decisão que resultou na busca e apreensão na minha residência, no Rio de Janeiro, em Itaipava; no Instituto de Pesquisa e Estudos Jurídicos (IPEJ); e no meu gabinete, no Tribunal; merece considerações pelo inusitado de que se reveste, parecendo uma peça de um iniciante em Direito Penal.

Foi realmente uma decisão muito peculiar, pois pecou pela supressão, nas cópias que me foram apresentadas pelo delegado federal de Santa Catarina, da sua parte mais importante, que seria o deferimento da prisão temporária, que *deveria constar do mandado*, mas *enigmaticamente* não constou, constando apenas o que nada tinha a ver com a prisão em si.

Mesmo quando se trata, como se tratava, de uma operação sigilosa — embora vazada para a mídia, nem bem tinha ainda começado —, um mandado de tamanha importância não poderia ter algumas de suas partes suprimidas, pois o detido tem o mais elementar direito de conhecer, *na íntegra*, os termos em que foi determinada a sua detenção.

Se a situação de cada um dos presos era diversa, como realmente era, cumpria ao ministro Cezar Peluso, subscritor do mandado, fazer expedir tantos *mandados individuais* quantos fossem esses presos, para não acontecer o que aconteceu comigo, que, como magistrado, sempre zeloso da fundamentação dos mandados por mim assinados, me via vítima de um mandado que, por mais que me esforçasse, não conseguia entender.

O que me deixou ainda mais perplexo foi que a decisão que se dizia extraída de um inquérito não continha *elementos mínimos* que pudessem atestar a sua veracidade; pois não continha o timbre do Supremo Tribunal Federal; eu não conhecia a assinatura do ministro Cezar Peluso, para saber se era autêntica; e o carimbo "Confere com o original", normalmente aposto nesses documentos, parecia ter sido preenchido no escuro, porque estava simplesmente ilegível.

A decisão que decretou a busca e apreensão e, supostamente, a minha prisão, contém no mínimo sete pecados capitais, que comprometem a sua legalidade:

PRIMEIRO: o ministro se reporta a uma petição do procurador-geral da República, onde o pedido estaria exposto, demonstrando a existência de uma organização criminosa, mas eu não sabia o que continha ali porque o mandado não foi acompanhado de cópia.

SEGUNDO: o ministro diz que a petição do procurador-geral da República procura demonstrar todo o encadeamento das atividades *hipoteticamente* delituosas, pelo que continuei sem saber do que se tratava, já que a cópia do pedido autoral não veio.

TERCEIRO: afirma o ministro justificar-se, com abundantes razões a que se reporta, a necessidade da busca e apreensão e prisões temporárias, prisões estas *para evitar interferências capazes de frustrar a eficiência das diligências*, como destruição de provas e orientação de comportamentos.

QUARTO: assevera o ministro que as prisões temporárias devem ser efetuadas *no curso das buscas e apreensões, enquanto se realizem, estando nisso sua medida temporal*; para que, durante as investigações *não sejam frustradas por manobras dos suspeitos, que no esquema da organização criminosa, mantêm intensa comunicação que poderia comprometer o resultado das diligências.*

QUINTO: afirma o ministro que deferia a medida de busca e apreensão que deveria ser executada no endereço onde resido com minha família.

SEXTO: este item que, ao que suponho, seria referido à minha prisão temporária, foi simplesmente suprimido na cópia, pois, pelo que constatei posteriormente, não aparece no mandado de prisão.

SÉTIMO: concede o ministro autorização à autoridade policial para analisar todo o material apreendido, bem como para proceder à inquirição dos investigados presos temporariamente.

A referida decisão fala em diligências especiais e sigilosas, quando, na realidade, essas diligências ocuparam, em edição extra, todos os jornais televisivos do país, sem que o ministro Cezar Peluso tivesse demonstrado autoridade para fazê-las cessar, nem a requerimento dos advogados, parecendo que somente ele não assistia aos jornais daquela malsinada manhã de sexta-feira, treze, com os fatos resultantes do seu *impensado* despacho.

Ponha o leitor atenção no quarto pecado acima, no qual o ministro diz com todas as letras que "as prisões temporárias devem ser efetuadas no curso das buscas e apreensões, enquanto se realizem, estando nisso a sua medida temporal", para que durante as investigações não sejam frustradas as manobras dos suspeitos na organização criminosa.

Basta que alguém saiba ler para concluir que, tendo o ministro dito o que ele disse, usando as palavras que usou, a minha prisão temporária deveria ser efetuada *no curso das buscas e apreensões, enquanto estivessem sendo realizadas essas diligências,* dizendo ele próprio que nisso residiria a sua medida temporal; e essa prisão temporária era para não atrapalhar as buscas e apreensões pela comunicação entre os detidos. Essa é a única conclusão possível para quem sabe português.

Ponha ainda o leitor atenção no sétimo pecado, quando o ministro, emérito processualista civil, parece não se ter dado conta de que não estava lidando com presos normais, mas com desembargadores e ministros, com privilégio de foro, em virtude da função que exercem, e manda que a autoridade policial proceda à inquirição dos investigados presos temporariamente.

Isto significa, em última análise, que eu deveria ser ouvido num inquérito, o que, em outros termos, quer dizer "interrogado" por um delegado da Polícia Federal, invertendo todas as regras da hierarquia judiciária, e afrontando a Constituição, porque é ela que assegura a determinadas pessoas um foro próprio nos tribunais superiores. Assim, o delegado da Polícia Federal, que faz parte da Polícia Judiciária, com deveres funcionais de atender a todas as determinações legais do juiz, seria o órgão interrogante do juiz, por determinação de um ministro do Supremo Tribunal Federal; mas o mínimo que um ministro deve, mormente sendo da mais alta Corte de Justiça do país, é o respeito à Constituição e às leis. Nesse campo, felizmente, não se pode relativizar.

Na prática, a determinação não funcionou, porque, embora o delegado Ézio Vicente da Silva estivesse ávido por me ouvir, na presença de uma procuradora da República que a tudo assistia, como que incrédula, mas sem nada fazer, não cheguei a prestar depoimento, apesar da determinação do ministro Cezar Peluso, porque o meu advogado me orientara para eu não me submeter a essa situação. Mesmo que não tivesse sido orientado, eu jamais prestaria depoimento a um delegado, pois quem deveria me ouvir seria o próprio ministro, ou, no mínimo, um desembargador com a mesma hierarquia funcional. Aliás, é assim até nos procedimentos administrativos, e nós estávamos num procedimento criminal, em que as garantias individuais são muito mais importantes e necessárias, para evitar abuso e ilegalidade de poder.

Na visita que me fez o ex-presidente da Associação dos Juízes Federais (AJUFE) Walter Nunes na carceragem da Polícia Federal em Brasília, onde eu estava custodiado, pôde constatar a situação que me encontrava, e chegou a peticionar ao ministro Cezar Peluso, dizendo que a prisão provisória não se justificava, porque ao final da investigação poderia chegar-se à conclusão de *inexistência de crime ou mesmo de comportamento criminoso da minha parte*.

Nessa oportunidade, lembrou o presidente da AJUFE ao ministro Cezar Peluso que, em face do que dispõe a Lei Orgânica da Magistratura Nacional, é direito e prerrogativa do juiz, quando investigado, *ser ouvido diretamente pelo magistrado responsável pela condução do inquérito*, que era o próprio ministro, citando jurisprudência também do próprio Supremo Tribunal Federal, que assim entendia, e pedindo-lhe que fosse dado conhecimento a todos os membros da Corte.

A petição não passou de mais um papel juntado aos autos, porque o ministro não lhe deu a mínima importância, comportando-se como se estivesse acima da Constituição e das leis do país.

No despacho em que decretou a minha prisão, disse o ministro, na sua decisão, que a minha prisão tinha por fim evitar "interferência capaz de frustrar a eficiência das diligências, tais como destruição de provas e prevenção e orientação de comportamentos, e colher depoimentos em tese valiosos à mesma elucidação e à apuração das eventuais responsabilidades de ordem pessoal".

No particular, a decisão se mostra *precipitada*, pois o que aconteceu foi exatamente o *contrário disso*, já que todas as provas consideradas importantes foram apreendidas na minha casa, no IPEJ e na casa de Itaipava, pelo que o motivo invocado pelo ministro para "evitar a destruição de provas" não tinha o menor sentido; e não tinha porque nada mais havia em meu poder que pudesse interessar ao inquérito; tanto que nenhuma diligência complementar foi determinada pelo ministro, nem solicitada pelo Ministério Público Federal, como fazia intuir o despacho determinante da diligência.

No que tange à "prevenção ou orientação de comportamentos", o que significaria não poder um preso se comunicar com outro, o despacho inviabilizou a si próprio, porque a Polícia Federal me colocou na mesma cela em que estava, inclusive um dono de bingo, por ser advogado, e pudemos conversar o que nos deu vontade. Se fôssemos mesmo membros de uma quadrilha, teríamos podido combinar o que nos conviesse.

Nada disso aconteceu, porque a própria Operação Hurricane é produto de uma visão maldita de instituições que deveriam ser mais sérias no cumprimento de seus deveres institucionais, mas que infelizmente não são, e os crimes que teriam sido por mim cometidos só existiam nessas cabeças.

Embora cada grupo de seis indiciados tivesse sido recolhido em celas distintas, todos se encontraram e reencontraram por ocasião dos banhos de sol, no pátio da carceragem; e foi ali que tive a oportunidade de conhecer Sérgio Luzio, que mais tarde fiquei sabendo ser o advogado que o procurador-geral da República pensava, e o ministro Cezar Peluso acreditou, ter comprado decisão minha sobre liberação de máquinas programadas, vulgarmente conhecidas como caça-níqueis. Esse advogado, irmão de um juiz federal, acabou vítima de um acidente de trânsito na estrada de Angra dos Reis, talvez pelo impacto de ter sido acusado de ser um marginal pelo fato de exercer regularmente a sua função para clientes donos de bingo.

Aliás, por *fás* ou por *nefas*, o maldito furacão já matou indiretamente dois denunciados, sendo um o desembargador Ricardo Regueira e outro o advogado Sérgio Luzio; e só não me matou também porque a minha alma é bem maior do que a dos que me difamam e incriminam, e preciso estar vivo para contar a verdadeira história dessa farsa.

Na carceragem da Polícia Federal em Brasília, conversei com todos os presos, indistintamente, bingueiros e não bingueiros, tendo inclusive perguntado a um deles quantas vezes havia sido preso, e ele me disse que já não se lembrava, mas, talvez, mais de quarenta, e acrescentou: "Prender bicheiro dá Ibope, desembargador; tanto para a polícia quanto para a Justiça; e ajuda até a eleger juíza para o Senado".

Na prática, se o que a decisão do ministro Cezar Peluso pretendeu foi evitar a "orientação de comportamentos", acabou por criar a melhor das oportunidades para que ela acontecesse, pois fui colocado na mesma carceragem que os demais presos, onde nos encontrávamos diariamente nos chamados banhos de sol.

A "discrição" que o ministro Cezar Peluso mandou que fosse observada foi cumprida literalmente *pelo avesso*, porque assim que os policiais federais adentraram a minha casa para proceder à busca e apreensão, antes mesmo de se saber que também a minha prisão temporária estava autorizada, a Rede Globo e demais emissoras de televisão começavam o seu *show* pirotécnico, em virtude do vazamento da operação para a mídia pela própria Polícia Federal.

Se as megaoperações da Polícia Federal fossem feitas realmente de forma sigilosa, tenho certeza de que não seriam realizadas com tanta presteza, pois o que os maus policiais federais mais curtem é a repercussão televisiva das suas operações. Isso não foi alguém que me disse, mas eu mesmo vivenciei enquanto estive detido na Superintendência da Polícia Federal no Rio de Janeiro, pois os jovens agentes federais fizeram um verdadeiro carnaval quando foi encontrado dinheiro escondido dentro da parede da casa de um dos donos de bingo.

Eu cometi um erro que não poderia ter cometido, que foi, ao descobrir que meus telefones estavam interceptados e o meu gabinete grampeado, por determinação judicial, ter feito saber aos meus grampeadores que eu sabia dos grampos, e lhes mandava, quando falava ao telefone, os recados que achava que eles mereciam.

O chefe do Ministério Público Federal, Antônio Fernando de Souza, deve ter ficado ansioso para pedir a minha prisão temporária no curso do inquérito, mas se o fizesse, não teria obtido sequer as minguadas conversas, que foram ao todo duas ao longo de mais de um ano de gravação, entre mim e o meu genro; mas não perdeu a chance de pedi-la, mesmo quando já não era necessária para as investigações; e inacreditavelmente conseguiu que fosse decretada.

Fui preso *desnecessariamente* e submetido a um escárnio igualmente *desnecessário* da mídia, que me julgou e me condenou por antecipação, antes mesmo de apurados os fatos, sendo libertado nove dias depois de encarcerado, sem que nenhuma nova diligência se mostrasse necessária, mas depois de ter sido um ator involuntário dos *shows* da Rede Globo e da mídia nacional por semanas inteiras.

Alguns desembargadores do Tribunal Regional Federal da 3ª Região, com sede em São Paulo, foram vítimas da Operação Têmis, mas lá o bom senso e a sensibilidade judicante falaram mais alto; pelo que o ministro Félix Fischer, do Superior Tribunal de Justiça, autorizou apenas buscas e apreensões, mas não mandou prender ninguém, e foi rara a divulgação dada ao fato, tendo a operação sido realmente sigilosa.

Esse processo acabou arquivado pelo Tribunal de Brasília, porque nada se apurou de verdadeiro, tudo não passando de outra armação como a que me atingiu; mas lá ninguém era candidato como eu à presidência de um tribunal.

Estopim do furacão: decisão em favor da Betec

O grande pretexto para desencadear as investigações contra mim, por suspeita de vender decisões judiciais, partiu do emblemático caso Betec, que era um caso como qualquer outro, decorrente de uma ação proposta pela Betec e outras empresas no órgão competente para a defesa dos direitos garantidos pela Constituição, que era a Justiça Federal e o Tribunal Regional Federal.

O caso Betec originou-se de um pedido feito pela empresa Betec e outras para mandar que a Polícia Federal lhes restituísse as máquinas eletrônicas programadas de sua propriedade, vulgarmente conhecidas como caça-níqueis, que tinham sido apreendidas nas casas de bingo, e que estavam funcionando com a autorização expressa do Tribunal, por decisões de diversos dos seus desembargadores, que não eu e nem o desembargador Ricardo Regueira.

É um mistério para mim o fato de essas empresas terem funcionado regularmente no Rio de Janeiro e no Espírito Santo, com a autorização do Tribunal Federal e, de repente, a Polícia Federal passar a fazer uma verdadeira caça às bruxas contra essas atividades, atropelando as decisões judiciais que as sustentavam.

O pedido original fora formulado ao juiz federal de Niterói que, numa ação cautelar ajuizada pelo Ministério Público Federal, havia mandado fazer a busca e apreensão de todas as máquinas eletrônicas de propriedade das impetrantes, bem como a eventual documentação relativa às mesmas, valores em dinheiro decorrente da sua exploração e outros objetos que pudessem interessar à investigação de crime de contrabando, com a finalidade de proceder à perícia de componentes e seus acessórios para constatar se teriam sido realmente contrabandeados.

Essa decisão do juiz de Niterói não mandava fechar os bingos, mas apenas apreender máquinas caça-níqueis para serem periciadas, e foi contra essa decisão que os donos de bingo pediram um mandado de segurança ao Tribunal, que foi negado por um desembargador isoladamente sem levá-lo ao julgamento do órgão colegiado, como se ele próprio fosse o Tribunal.

A medida cautelar requerida na vice-presidência do TRF-2 foi assinada pelo advogado Sérgio Luzio, a quem eu nem conhecia e só vim a conhecer na carceragem em Brasília, que nunca havia despachado comigo qualquer petição, embora tenha o procurador-geral da República Antônio Fernando de Souza, propositalmente de má-fé, transcrito na denúncia uma conversa, que era entre mim e meu assessor Bruno, dizendo tratar-se de uma conversa com o advogado Sérgio Luzio, uma deslavada mentira, carregada de falsidade ideológica, que pode ser comprovada com uma consulta aos autos do inquérito, do que nunca pensei que o chefe do Ministério Público, que se supõe um homem honesto, ético e de bem fosse capaz.

Essa minha decisão no caso da Betec não constituía novidade para ninguém, porque todos os advogados que atuam no foro do Rio de Janeiro e do Espírito Santo sabiam do meu entendimento quanto à concessão de liminares, porque sendo, além de magistrado, um professor de Direito Processual Civil, era meu dever conhecer como devem funcionar as medidas de urgência; o que não se pode dizer infelizmente de todos aqueles que se dispõem a fazer justiça neste país.

Essa não era a primeira decisão do Tribunal sobre essa matéria, porque este já havia decidido noutra oportunidade, num recurso julgado sob a relatoria do desembargador Ney Fonseca, do qual participaram a desembargadora Julieta Lídia Lunz e eu, que as máquinas eletrônicas não deveriam permanecer todas apreendidas, mas apenas uma de cada tipo para serem periciadas e comprovar se realmente havia contrabando.

Nessa ocasião, entendeu o Tribunal que na hipótese em que a determinação da busca e apreensão visa assegurar a realização de perícia em máquinas de propriedade da impetrante, com o objetivo de comprovar a procedência dos componentes eletrônicos das mesmas, um dos elementos indispensáveis à eventual configuração do crime de contrabando, era *suficiente para a efetivação da diligência com a apreensão de apenas uma unidade de cada modelo de máquina, uma vez que a diligência determinada deveria ser realizada de maneira menos onerosa para a parte, que tem em seu favor a presunção constitucional de inocência.*

Como se vê, não era a primeira vez que acontecia uma apreensão de máquinas caça-níqueis pela Polícia Federal em Niterói, e tinham sido liberadas pelo Tribunal, com a única diferença de que o desembargador Ney Fonseca não era, como eu, candidato a presidente do Tribunal, e por isso não precisava ser varrido do mapa.

Se o mandado de segurança tivesse sido posto pelo desembargador Sergio Feltrin em julgamento pelo órgão natural que era o colegiado do Tribunal, não teria sido necessário que eu, como vice-presidente da Corte, interviesse a pedido dos interessados para garantir que não fossem prejudicados pela decisão.

No entanto, tendo esse desembargador procedido como procedeu, *negando seguimento* ao mandado de segurança mediante decisão isolada, as empresas interessadas não tiveram alternativa senão recorrer dessa decisão do desembargador Sergio Feltrin, sob pena de não terem acesso ao recurso próprio para os tribunais superiores por não terem recorrido antes no Tribunal.

O que aconteceu nesse caso específico foi que o desembargador Sergio Feltrin, temendo que a sua decisão isolada viesse a ser reformada pelo órgão colegiado do Tribunal, procrastinou o quanto pôde o recurso interposto contra esta sua decisão, embora o regimento interno da Corte mandasse que ele levasse imediatamente o recurso a julgamento pelo órgão colegiado.

Se isso tivesse ocorrido, eu teria sido poupado de ter que decidir a confusão provocada pelo desembargador, porque o órgão colegiado do Tribunal teria decidido, e fosse qual fosse a sua decisão, as empresas iriam diretamente ao Superior Tribunal de Justiça buscar o amparo que acabaram, pelas regras dos recursos, tendo que pedir a mim.

O que me foi pedido e comprovado pelos interessados foi que todas as vezes em que requeriam ao desembargador Sergio Feltrin uma providência para que o seu processo fosse levado a julgamento pelo órgão colegiado do Tribunal, ele mandava os autos para manifestação do Ministério Público Federal, tendo lá estado pelo menos umas três vezes, com o deliberado propósito de dizer que não decidia porque os autos estavam com o Ministério Público.

Como o Ministério Público Federal era parte na ação de cautela ajuizada em Niterói, na qual tinha o juiz determinado a apreensão das máquinas de bingo, não tinha ele o menor interesse em que esse processo fosse julgado, temendo que a decisão do desembargador Sergio Feltrin, que vinha obstaculizando o seguimento do recurso, viesse a ser reformada pelo órgão colegiado. Aliás, conhecendo hoje como conheço o pensamento do Tribunal, acho que esse temor não tinha sentido, porque o órgão colegiado teria confirmado a decisão, como realmente a confirmou; mas por outro lado teria rendido ensejo a que os interessados batessem na porta do Superior Tribunal de Justiça, que poderia concedê-la, por conta de um entendimento diverso.

A Justiça não deveria funcionar assim, mas infelizmente é assim que ela funciona, e todos os que já tiveram uma questão a ser julgada sabem disso.

Nesse caso específico, a omissão do desembargador Sergio Feltrin em fazer aquilo que lhe cumpria fazer de acordo com o regimento interno do Tribunal acabou por deixar ao relento o alegado direito das empresas, de pretender a liberação das máquinas eletrônicas programadas, ficando apenas uma retida para perícia, na medida em que todos os bingos que estavam em funcionamento no Rio de Janeiro e Espírito Santo tinham autorização de vários dos desembargadores do Tribunal, que depois do furacão mudaram radicalmente de ideia, com medo de serem alcançados por ele.

Para que o leitor não versado em Direito entenda, para alguém obter na Justiça uma medida de proteção provisória, vulgarmente conhecida como *liminar*, basta que demonstre ter um direito aparentemente bom e estar numa situação de perigo. Trata-se de uma decisão provisória que só tem eficácia enquanto não se resolva definitivamente a questão.

O Superior Tribunal de Justiça vinha entendendo pacificamente que era possível *suspender o efeito do recurso especial*, que é um recurso específico para determinadas hipóteses previstas na Constituição, *e que ainda será interposto*, sempre que provado um perigo de dano e um direito com boa aparência por quem alega; tendo sido este o fundamento que prevalecia em todas as decisões por mim proferidas na vice-presidência. O delegado federal Ézio Vicente da Silva, que deveria conhecer Direito Processual Civil, mas não conhece, afirmou no relatório da Polícia Federal que eu *inventava teorias para dar amparo às minhas decisões*. Ele poderia até desconhecer a jurisprudência, mas não o Ministério Público Federal e o ministro do Supremo Tribunal Federal, porque essa doutrina era a dominante nessa Corte.

A jurisprudência, para quem não sabe, são os julgamentos repetitivos dos tribunais.

Na decisão que proferi sobre a devolução das máquinas — e não para permitir o funcionamento de casas de bingo, como supôs o Ministério Público Federal, muito divulgado pela imprensa —, considerei presente o risco de dano grave e de difícil reparação, por conta da decisão isolada do desembargador Sergio Feltrin, de negar seguimento ao mandado de segurança — que é uma ação para corrigir abuso ou ilegalidade de poder do juiz — que, em vez de remeter o processo para julgamento do órgão colegiado do Tribunal, mandava os autos do processo para que o Ministério Público Federal se manifestasse; e, desnecessariamente, porque ele já havia se pronunciado nele duas vezes. Isso incontestavelmente causava prejuízos à atividade das requerentes, que ficavam de pés e mãos atados com o comportamento desse desembargador, apesar de a Constituição dizer com todas as letras, copiando disposições de convenções e tratados internacionais, que as pessoas têm direito a uma razoável duração do processo; razoabilidade essa que não estava ocorrendo por conta do comportamento do citado desembargador.

Na oportunidade em que proferi as decisões, mandando liberar as máquinas ilegalmente apreendidas, porque o jogo estava funcionando com autorização do Tribunal dada por outros desembargadores que não eu nem o desembargador Ricardo Regueira, invoquei a autoridade de um dos maiores políticos e juristas mineiros, o professor Pedro Aleixo, que na sua grande sabedoria dizia que "portaria deveria ser coisa de porteiro".

Isto porque, todas as vezes que a Administração Pública se metia a expedir portarias sobre qualquer assunto que fosse, acabava sempre atropelando as leis e até a Constituição.

Numa das passagens do seu relatório, a Polícia Federal, que nem sabe quem foi Pedro Aleixo, apesar de ter sido ele vice-presidente da República, criticou o que eu dissera, como se essa frase fosse uma criação minha para desmoralizar a Administração Pública — o que nem seria preciso, porque ela se incumbe de desmoralizar a si mesma —, sem se dar conta de que eu não afirmara nada, limitando-me a reportar ao que dissera um grande jurista mineiro.

Nessa decisão, registrei também que não havia apenas um perigo de dano, consubstanciado na possível destruição das máquinas apreendidas, antes da conclusão do processo penal, mas um dano efetivo, porquanto a atividade das requerentes fora embaraçada pela apreensão de todas as máquinas, quando apenas a de algumas seria suficiente para detectar se as peças eram mesmo contrabandeadas, o que em consequência forçava o atraso no cumprimento de suas obrigações fiscais, e, sobretudo, trabalhistas, pondo em risco o emprego de mais de seiscentos empregados que viviam dessa atividade. Registrei, ainda, que não precisava ser adivinho para concluir que, sem a medida judicial postulada, provavelmente as máquinas viriam a ser prematuramente destruídas, como de fato foram quando a Polícia Federal resolveu arrombá-las com pé de cabra para recolher o dinheiro.

Por estes fundamentos foi por mim proferida a decisão liminar, mas tão somente para atribuir efeito suspensivo ao recurso que seria interposto, suprindo a omissão do desembargador Sergio Feltrin em apresentar o recurso das partes interessadas ao julgamento do órgão colegiado do Tribunal, e, até que isso acontecesse, determinei a imediata restituição das máquinas apreendidas às requerentes, ficando retida apenas uma unidade de cada modelo, de cada fabricante, para fins de verificação sobre se havia mesmo contrabando, como afirmava o Ministério Público Federal. E para que a decisão fosse cumprida, impus aos agentes federais incumbidos de cumpri-la a pena de multa diária de dez mil reais, sem prejuízo dos crimes de desobediência e de responsabilidade.

Foi essa multa de dez mil reais, por mim imposta aos policiais federais que se omitiam na liberação das máquinas programadas, que compôs os ventos do maldito furacão, e estimulou o tratamento que recebi quando da revista pessoal que sofri na minha transferência para a carceragem de Brasília; em que percebi que as pesadas mãos dos federais que me apalparam eram mais reais do que a força moral das minhas decisões como juiz. Mas, mesmo assim, não me arrependo de tê-las imposto, mesmo porque naquele momento eram mais que necessárias para evitar que a decisão deixasse de ser cumprida.

Eu não dei, como supôs a Polícia Federal, o chefe do Ministério Público Federal e o ministro Cezar Peluso, do Supremo Tribunal Federal, uma decisão para valer "por todos os séculos dos séculos", mas com eficácia apenas até que o recurso futuro das partes interessadas viesse a ser interposto para o Superior Tribunal de Justiça, porque a partir daí a responsabilidade pela liberação das máquinas deixava de ser minha e passava a ser deste Tribunal.

Este foi outro equívoco das instituições que se envolveram nessa maquinação contra mim, porque só um idiota pagaria por uma decisão que não depende somente do desembargador, mas também do Superior Tribunal de Justiça ao qual o Tribunal Federal está hierarquicamente subordinado; e tanto é assim que, apesar de terem lá obtido uma decisão provisória do ministro Paulo Medina, numa reclamação feita contra a turma do Tribunal que cassara a minha decisão, o próprio ministro acabou votando contra a sua decisão liminar.

Essa decisão precisa ser contada para que a história a registre, porquanto da forma como foi tratada pela Polícia Federal, entendida pelo chefe do Ministério Público Federal, e acolhida pelo Supremo Tribunal Federal, ela é o mais típico exemplo de um "delito de jurisprudência", tendo eu sido preso e denunciado porque pensei da forma como pensei, não porque pertencesse a qualquer quadrilha, porque nunca fui o bandido que supuseram que eu fosse, mas porque proferi uma decisão de acordo com a jurisprudência não só do Tribunal Federal a que eu pertencia, como também do Superior Tribunal de Justiça, que decidia no mesmo sentido. Para mim, isso é um delito de opinião ou delito de consciência, por mais que queiram negar os meus algozes, que se julgam acima do bem e do mal, como se fossem a última expressão do que seja e do que não seja o Direito.

Em nenhum momento, repito para a memória da Justiça, a decisão proferida no caso Betec teve o objetivo suposto pela Polícia Federal, acolhido pelo Ministério Público e acreditado pelo Supremo Tribunal Federal, "de autorizar o funcionamento de casas de bingo", que estavam realmente funcionando, mas com autorização de outros desembargadores, que nem por isso foram presos ou acusados de pertencer à máfia de caça-níqueis.

Essa decisão em favor da empresa Betec e outras foi proferida numa sexta-feira, 9 de junho de 2006, tendo o Ministério Público Federal, com fácil acesso ao desembargador federal Benedito Gonçalves, que já pertenceu aos quadros da Polícia Federal, e ao desembargador Messod Azulay Neto, conseguido, em regime de plantão, num sábado, que o primeiro suspendesse o cumprimento da minha ordem, e o segundo a mantivesse suspensa até que a vice-presidência do Tribunal deliberasse sobre a eventual concessão de prazo para o cumprimento da ordem. No particular, não fazia o menor sentido a concessão de prazo para cumprir a ordem, porque o prazo que a Polícia Federal estava vindicando era para concluir a "montagem" que estava fazendo contra mim, para inviabilizar a minha decisão.

Posteriormente, fiquei sabendo que a ordem que eu dera não fora imediatamente cumprida, não porque não pudesse ser, mas porque, em cumprimento da ordem do juiz federal de Niterói, a Polícia Federal havia simplesmente destruído algumas das máquinas para apreender o dinheiro; e, nessas condições, não tinham como restituí-las. Por isso, o Ministério Público Federal pedia sempre novo prazo e depois mais outro para o cumprimento da ordem que sabia que jamais seria cumprida.

A Polícia Federal e o Ministério Público Federal ficaram inconformados quando o Superior Tribunal de Justiça decidiu — e não foi por decisão do ministro Paulo Medina — que não poderia um desembargador suspender liminar concedida por outro desembargador, em mandado de segurança, por estar essa suspensão inserida nas atribuições dos tribunais superiores.

Por essa razão, na segunda-feira, 12 de junho de 2006, surpreendido com a procrastinação no cumprimento da ordem, que contava com o apoio de desembargadores do próprio Tribunal, disse em novo despacho que não via motivo para a concessão de novo prazo de cumprimento, mesmo porque as medidas judiciais e policiais tinham sido ultrarrápidas quando fora para apreender as máquinas, e estavam sendo excessivamente protelatórias para restituí-las. Nessa oportunidade, mantive a minha decisão anterior, determinando o seu imediato cumprimento, mas elevei o valor da multa diária para cinquenta mil reais, mandando que o juiz de Niterói zelasse para o cumprimento da ordem do Tribunal no prazo máximo de quarenta e oito horas.

Não é difícil supor o efeito que tais decisões provocaram na Polícia Federal, inconformada em ver os seus atos acoimados de ilegalidade e vendo-se obrigada a repor as coisas no estado anterior, sem ter condições de fazê-lo por ter destruído muitas das máquinas que deveriam ser restituídas.

Esse inconformismo me foi revelado pelo delegado federal Carlos Pereira, também preso na mesma Operação Furacão, que me disse na carceragem em Brasília que ficaram "putos da vida" comigo, e que me pegariam na primeira oportunidade que tivessem. Depois, a realidade mostrou que não eram apenas eles que estavam irritados comigo, mas também o Ministério Público Federal, que partiu no meu encalço.

Apenas quando mandei restituir as máquinas de bingo, que não era decisão para funcionamento de bingos, o desembargador Sergio Feltrin, para inviabilizá-la, apressou-se em fazer aquilo que deveria ter feito muito tempo antes, e que se tivesse feito não teria posto vento no maldito furacão, que foi levar o recurso das partes interessadas para ser julgado pelo órgão colegiado, cassando a minha decisão ao fundamento de que eu estava usurpando a sua competência; quando na verdade ele e sua turma é que estavam usurpando a competência do Superior Tribunal de Justiça.

O desembargador Sergio Feltrin não desconhecia a decisão do ministro Teori Zavascki, de que a competência para rever as minhas decisões era do Superior Tribunal de Justiça e não do Tribunal de Apelação, tanto que disse não crer ser possível invocar essa decisão, como eu fizera, na medida em que lhe pareceu apreciar situação integralmente diversa.

Por isso digo que "quando o juiz quer, quer; e quando não quer, não quer, e ponto final", pouco importando o que diz a Constituição e as leis.

Como o desembargador federal Sergio Feltrin não queria ver na decisão do ministro Teori Zavascki uma identidade de situação, acabou não vendo, e convencendo os seus demais pares a não ver também.

Na verdade, a situação apreciada pelo ministro Teori Zavascki não era a mesma, porque não se tratava de jogos, mas a tese era exatamente a mesma quanto à falta de competência do Tribunal para cassar as minhas decisões, tendo sido proferida no caso American Virginia, em que o mesmo Tribunal cassou uma decisão minha, que veio a ser restabelecida pelo Superior Tribunal de Justiça.

O que de diferente havia nessas duas decisões é que uma era sobre jogos de bingo, funcionando com autorização do Tribunal, e a outra era sobre uma fábrica de tabacos, que o Fisco havia fechado por falta de pagamento de tributos; mas ambas as decisões foram da minha lavra.

Naquela oportunidade, o ministro do Superior Tribunal de Justiça disse que o vice-presidente do Tribunal, que era eu, atuava como delegatário daquele tribunal superior, não estando as suas decisões sujeitas a controle por qualquer dos órgãos do Tribunal da 2ª Região, e que, à luz desse entendimento, evidenciava-se a impropriedade da reforma ou anulação das decisões do vice-presidente que, certa ou erradamente, tinha conferido efeito suspensivo ao recurso especial.

Essa decisão monocrática do Superior Tribunal de Justiça, proferida pelo ministro Teori Zavascki, veio a ser mantida por unanimidade pelo seu órgão colegiado, reconhecendo legítima a ordem judicial dada à

American Virginia, que tinha visto paralisadas as suas atividades empresariais, paralisação esta que eu havia suspenso por decisão cautelar.

Em ambas as hipóteses o Tribunal da 2ª Região neutralizara decisões da vice-presidência, quando de acordo com o Superior Tribunal de Justiça, somente ele poderia suspendê-la.

Com o seu jogo de empurra, o desembargador Sergio Feltrin não apenas neutralizou as minhas decisões como vice-presidente do Tribunal, como acabou também criando a oportunidade para que o ministro Cezar Peluso acabasse por neutralizar a mim próprio, quando me apeou do cargo de desembargador, determinando a minha prisão temporária, com base em montagens contra mim feitas pela Polícia Federal com o apoio do Ministério Público Federal.

O caso Betec foi um pretexto, um nimbo que contribuiu decisivamente para a formação do furacão que se abateu sobre mim no dia 13 de abril, pois em vez de o Ministério Público Federal buscar reformar as minhas decisões pelos recursos legais perante os tribunais superiores, preferiu buscar as vias penais, fazendo da ação penal o instrumento útil, embora inadequado para lograr os seus espúrios objetivos.

O que o denunciante não contou na sua denúncia é que essa decisão da Betec não era para valer indefinidamente, porque eu disse lá com todas as letras que a liminar perderia sua eficácia se não viesse a ser interposto o recurso futuro a que se refere; porque uma vez interposto a competência para decidir sobre a sua manutenção ou não passaria para o Superior Tribunal de Justiça.

Digo mais uma vez que apenas os tolos se disporiam a pagar um milhão de reais por uma decisão que não dependia somente de mim, mas que estava sujeita ao controle também do Superior Tribunal de Justiça, e os empresários do bingo podem ser tudo, mas não acredito, como pensam a Polícia Federal e o Ministério Público, que sejam *idiotas*.

Extensão da decisão da Betec à Abraplay e à Reel Token

Todos os que advogam neste país sabem que as decisões dos juízes são divulgadas pelo órgão oficial da Justiça e hoje também pela internet, pelo que, quando uma decisão é proferida em favor ou contra alguma tese, chega logo ao conhecimento de todos os operadores do Direito.

Como os bingos estavam em batalha judicial com a Polícia Federal e com o Ministério Público Federal nos estados do Rio de Janeiro e Espírito Santo, com a polícia apreendendo máquinas caça-níqueis a pedido do Ministério Público, não causa surpresa que uma decisão minha, mandando restituir máquinas de caça-níqueis às empresas —, muitas das quais funcionando com autorização judicial de desembargadores do Tribunal, que não eu e nem o desembargador Ricardo Regueira —, tenha chegado como um foguete aos ouvidos de empresas concorrentes.

Foi por isso que, tão logo proferi a decisão em favor da Betec, mandando a Polícia Federal lhes restituir as máquinas caça-níqueis que tinham sido apreendidas, chegaram às minhas mãos os pedidos de duas outras empresas, Reel Token e Abraplay, respectivamente, pedindo exatamente a mesma coisa.

O que eu sempre procurei evitar na Justiça é distinguir entre os postulantes, atendendo a uns e não atendendo a outros, pelo que, sempre que proferia uma decisão em favor de alguém, decidia da mesma forma em relação a todos que estivessem na mesma situação, e quando denegava para uma, denegava também para as demais, e nesses processos de liberação de máquinas caça-níqueis não foi diferente. Tendo eu mandado liberar as máquinas eletrônicas da Betec e outras empresas agrupadas na petição, não tinha motivos para não liberar as máquinas da Abraplay e da Reel Token.

Assim não procedia, por exemplo, o desembargador Guilherme Calmon, pois me lembro de ter ele negado a um candidato aprovado na primeira fase de um concurso público, com nota maior do que a que tinha obtido outro candidato que conseguira uma liminar para passar à segunda fase, de passar também para a segunda fase. Por isso, costumo dizer que na Justiça não existe um direito de se obter uma liminar, mas a sorte ou o azar de a petição cair nas mãos de um juiz com maior ou menor, ou até sem nenhuma, sensibilidade para julgar.

No que concerne ao processo da Reel Token, afirma o denunciante que, em conversa gravada entre Sérgio Luzio e o maquineiro Ailton são expressamente referidos os valores pagos pela liminar em favor da Reel Token como também discutidos os valores que seriam pagos pela liminar a ser requerida em favor da Abraplay.

Pude constatar, relendo as peças do processo, depois do furacão, que o advogado da Reel Token não era Sérgio Luzio, mas o advogado Frederico Felipe, pelo que considero inverídico que essa conversa entre Sérgio Luzio e o tal de Ailton tivesse alguma coisa a ver com a Reel Token, que era patrocinada por outro advogado.

Lembro-me bem que o assessor da vice-presidência, de nome Bruno, em quem eu tinha (e ainda tenho) toda confiança, pelo seu caráter e qualidade profissional — tanto que ele continua lá assessorando os vice-presidentes que assumiram depois de mim —, entrou no meu gabinete e me disse que havia entrado outro pedido de liminar, semelhante àquele que eu havia proferido em relação à Betec; ocasião em que eu lhe disse que se a situação jurídica fosse a mesma, que minutasse uma decisão igual à anterior, porque a minha decisão não poderia ser diferente.

Como juiz, eu nunca verifiquei quem estava postulando, e quem era o dono da empresa, ou quem era o advogado, mesmo porque, para mim, quem tem direito tem; e quem não tem não tem; pelo que nunca soube quem era o dono da Betec ou os advogados da Reel Token e Abraplay, o que só vim a saber quando fui denunciado e pude ler a denúncia, quando o denunciante foi atrás para descobrir que o dono da Betec era o tal José Renato, fazendo questão de identificar quem eram os advogados da Reel Token e da Abraplay.

No processo da Reel Token, defendida por Frederico Felipe, cuja decisão data de 13 de setembro de 2006, concedi o pedido *apenas em parte*, para que fossem liberadas as máquinas caça-níqueis de sua propriedade, com retenção de apenas uma máquina de cada modelo e origem, para eventual perícia, no que apenas apliquei um precedente do próprio Tribunal noutro caso semelhante que havia sido julgado no órgão colegiado pelos desembargadores Reis Friede, Julieta Lunz e Liliane Roriz, a meu ver corretamente; embora nenhum deles tenha sido acusado de vender decisão.

Também não percebeu o delegado federal Ézio Vicente da Silva e nem o chefe do Ministério Público Federal, porque não se deram sequer ao trabalho de ler a decisão que eu dera em favor da Reel Token, que a sua eficácia era temporária, pois só valeria até que eu viesse a apreciar o recebimento do recurso interposto pela empresa; quando, em tese, eu poderia até vir a entender que o recurso não prosperava, e aí cassaria a liminar da Reel Token. Só que não houve tempo para isso, porque o furacão me pegou antes, quando fui preso e encarcerado pela Polícia Federal a pedido do chefe do Ministério Público Federal, ordenada pelo ministro Cezar Peluso, do Supremo Tribunal Federal.

Outra coisa que nunca consegui entender é por que apenas o advogado Sérgio Luzio, que patrocinava interesses de bingos, fora atingido pelo furacão e não também o advogado Frederico Felipe, que patrocinava os interesses da Reel Token, pois ambos tinham o mesmo objetivo de obter na vice-presidência uma decisão que permitisse *liberar as máquinas caça-níqueis dos seus clientes*; e, não, permissão para o funcionamento de bingos, como entenderam a Polícia Federal e o Ministério Público Federal, coisa que eu jamais autorizei. Esse meu questionamento só pode ser respondido pelos que patrocinaram toda essa farsa, porque essa situação atenta contra a mais elementar lógica e bom senso.

E tanto atenta, que a liminar pedida pela Reel Token, patrocinada pelo advogado Frederico Felipe, era para liberar todas as máquinas caça-níqueis apreendidas pelos agentes federais, enquanto a liminar da Abraplay, patrocinada pelo advogado Ricardo Toyoda, era para liberar *apenas nove máquinas eletrônicas*, porque o juiz federal de Niterói já havia mandado liberar as outras, determinando que ficassem dez máquinas para serem periciadas. Nesse caso, o que fiz foi apenas *ampliar o pedido*, mandando devolver outras nove máquinas, ficando apenas uma de cada tipo para perícia, exatamente como eu havia decidido no caso da Betec.

Penso que a Ordem dos Advogados do Brasil deveria buscar saber por que um filiado seu, no caso Sérgio Luzio, foi acusado de comprar decisão, e não os outros advogados, na mesma situação.

No processo da Abraplay, o juiz federal de Niterói havia determinado a busca e apreensão de apenas dez máquinas caça-níqueis, videobingo e videopôquer para que fosse verificada a inclusão de componente importado, e, não, porque o jogo estivesse sendo explorado ilegalmente, porque muitas casas de jogos funcionavam com autorização do Tribunal Regional da 2ª Região dadas por diversos dos seus desembargadores, que não eu e nem o desembargador Ricardo Regueira. A esse propósito, remeto o leitor ao Capítulo 2 deste livro, "Decisões sobre o funcionamento de bingos no Tribunal" onde conto toda essa história.

Na decisão que o juiz federal de Niterói concedera à Abraplay, ele disse com todas as palavras que elas fossem identificadas pela autoridade policial, que deveria determinar ao responsável pelo estabelecimento *que as máquinas não deveriam ser retiradas do local, embora pudessem continuar funcionando.*

Não estou dizendo que essa não devesse ser a decisão, porque é semelhante à que proferi em todos esses casos, mesmo porque é o resultado do entendimento do juiz — embora o Conselho Nacional de Justiça venha tentando controlar a mente dos juízes —, mas o que não posso aceitar é que a Polícia Federal, o Ministério Público e o Supremo Tribunal Federal venham a me considerar responsável pelo funcionamento de jogos de bingo — pois nunca dei decisões nesse sentido — e nem que tenha eu liberado as máquinas da Abraplay, porque só liberei parte delas, pois as demais já tinham sido liberadas com o juiz permitindo que continuassem funcionando.

Tudo isso não deixa dúvida de que o Ministério Público Federal e nem o ministro Cezar Peluso, do Supremo Tribunal Federal leram a minha decisão sobre o caso Abraplay, porque se tivessem lido teriam visto que quem havia mandado liberar as máquinas eletrônicas e permitido que continuassem funcionando foi o juiz federal de Niterói e não eu, que no fim "acabei pagando o pato".

Teriam também visto o denunciante e o ministro que a minha decisão neste caso não tinha eficácia indefinida, valendo apenas até que viesse eu a apreciar o recebimento do recurso que seria interposto, caso em que, se entendesse não caber esse recurso, poderia cassar minha própria decisão, restabelecendo a do juiz federal de Niterói; o que não chegou a ser possível porque fui abatido pelo maldito furacão.

Não constataram também o denunciante e nem o ministro que relatou o recebimento da denúncia contra mim no Supremo Tribunal Federal que proferi uma segunda decisão a pedido da Abraplay, em que ela pretendia nova liminar porque a primeira que eu tinha proferido havia perdido a sua eficácia, tendo eu decidido nessa segunda oportunidade que em face disso deveria a Abraplay formular pedido perante o Superior Tribunal de Justiça ou perante o Supremo Tribunal Federal conforme fosse o fundamento.

E, nessa oportunidade, disse textualmente para quem quisesse enxergar, inclusive o Supremo Tribunal Federal, que fez inicialmente um juízo equivocado sobre minhas decisões, *que eu estava julgando prejudicada a ação cautelar ajuizada pela Abraplay.*

Como se vê, o que consta dessas minhas decisões conspira contra as suposições do Ministério Público, aceitas pelo ministro Cezar Peluso, do Supremo Tribunal Federal, porque é inteiramente contrária a quem tivesse sido pago para fazer o que fez, pois teria interesse em tudo fazer para que a decisão fosse mantida.

E felizmente não foi o que aconteceu, porque eu não decidia de acordo nem com o interesse da empresa de jogos e muito menos contra o do Ministério Público Federal, mas de acordo com a Justiça que eu encarnava naquele momento e de acordo com a minha liberdade de pensar, que é em tese uma garantia política dos juízes tutelada pela Constituição.

Afirma o denunciante que os áudios captados, além da escuta ambiental levada a efeito no meu gabinete, comprovam que eu tinha recebido a quantia de cento e cinquenta mil reais para proferir a liminar, o que é também uma deslavada mentira e fruto da imaginação do delegado da Polícia Federal e do então chefe do Ministério Público Federal, porque isso nunca existiu, e não existe nenhuma captação sobre esse assunto.

Aliás, a conversa captada atribuída a Sérgio Luzio dá conta de que ele "já tinha falado com o homem lá, que estava tudo pronto e só faltava assinar", e dessa conversa o Ministério Público *imaginou* que valores me tinham sido pagos como propina.

Se houvesse, porém, o denunciante lido com atenção a transcrição dos áudios captados pela Polícia Federal teria verificado que a *cronologia* da conversa atribuída a Sérgio Luzio *não corresponde ao que efetivamente aconteceu*, porque, pelo áudio, essa conversa teria ocorrido no dia **18 de setembro de 2006 às 15h14m30s durando até 15h17m31s**, quando o advogado teria dito que tinha falado com o homem lá, que estava tudo pronto e só faltava assinar, mas mentiu porque a petição da Abraplay só *dera entrada no serviço de protocolo* do Tribunal **às 18h9m** (no Tribunal não são registrados os segundos), e somente no dia seguinte, **19 de setembro de 2006** foram remetidos para o meu gabinete **às 13h33m**, sendo lá recebido no dia imediato, que era **20 de setembro de 2006**, quando então foi proferida a decisão, que era uma mera repetição daquela que já tinha sido concedida para a Betec, tendo o assessor da vice-presidência feito apenas o ajuste de nomes e datas; e o advogado sido intimado na própria seção de recursos pessoalmente.

Portanto, tendo a petição da Abraplay dado entrada no protocolo do Tribunal no dia **18 de setembro de 2006 às 18h9m,** como poderia a conversa atribuída ao advogado Sérgio Luzio retratar a verdade, com ele dizendo, **às 15h14m30 desse mesmo dia** que "já tinha falado com o homem lá, que estava tudo pronto e só faltava assinar", se apenas no dia **19 de setembro** o pedido fora encaminhado ao gabinete e somente no dia **20 de setembro,** proferida a decisão?

Essa história dos cento e cinquenta mil reais foi desmentida pelo advogado Sérgio Luzio em depoimento prestado no Rio de Janeiro, no procedimento administrativo do Conselho Nacional de Justiça, e lá ele diz que não me conhecia pessoalmente por ocasião da decisão no processo da Abraplay, tendo me conhecido apenas na carceragem em Brasília, e que os cento e cinquenta mil reais não eram para o desembargador, mas para ele próprio, que se valeu da oportunidade para aumentar seus honorários.

Esse advogado veio a falecer num acidente de trânsito entre o Rio de Janeiro e Angra dos Reis e, se não tivesse prestado o seu depoimento no procedimento do Conselho Nacional de Justiça, não teria tido a oportunidade de desmentir as suspeitas da Polícia Federal acolhidas pelo Ministério Público.

O maior absurdo dessa denúncia, principalmente partindo do chefe do Ministério Público Federal, cuja função é zelar pela segurança das pessoas neste país, foi ter *falseado a conversa que tive com o assessor Bruno na vice-presidência,* tendo o denunciante, ao transcrever o diálogo havido em 20 de setembro de 2006, das 15h05m49s até as 15h33m42s, dia em que fora proferida a decisão em favor da Abraplay, sabendo que eu estava conversando com meu assessor —, porque o inquérito dizia que a conversa era minha com meu assessor —, ter dito que a conversa era entre mim e *um homem não identificado* (HNI).

E sabe por que, leitor?

Porque tinha o indisfarçável propósito de fazer acreditar ao ministro Cezar Peluso, que acabou acreditando, que esse homem não identificado era o advogado Sérgio Luzio, porque *na imaginação do chefe do Ministério Público Federal* esse advogado teria negociado diretamente comigo o pagamento da decisão. E como ele precisava de uma conversa que tivesse alguma semelhança com essa enganadora suposição, não pensou duas vezes em transcrever minha conversa com o assessor Bruno, colocando em lugar deste o HNI (Homem Não Identificado).

Quando a verdade é verdadeira e está do lado de quem é injusta e falsamente acusado, é mais fácil desmontar a mentira do que camuflar a verdade, e essa verdade está lá nos autos do inquérito, que o denunciante só não viu porque o que lhe interessava naquele momento era a inverdade.

O que a opinião pública não ficou sabendo, porque isso não interessava à mídia divulgar, e nem à Polícia Federal e ao Ministério Público dizer, é que as três liminares que dei, inclusive as em favor da Abraplay e Reel Token, não eram por tempo ilimitado, contendo todas elas uma limitação temporal que fiz questão de deixar expresso; mesmo porque toda decisão de Tribunal inferior só vale até que a decisão chegue ao Tribunal superior. E tanto assim é que a decisão por mim proferida sobre a Betec, embora cassada pelo Tribunal e restabelecida pelo Superior Tribunal de Justiça, acabou sendo cassada pelo Supremo Tribunal Federal.

As coisas na Justiça se passam assim, com os juízes inferiores decidindo, e os hierarquicamente superiores reformando se tiverem um entendimento diverso. E teriam sido assim, se eu não tivesse sido apeado da minha função, para não ser o presidente do Tribunal, pois uma vez cassada a minha decisão sobre a devolução das máquinas caça-níqueis — e não para "funcionamento de bingos", como entendeu o

Ministério Público Federal e foi amplamente divulgado pela mídia — teria impedido a devolução e tudo acabaria como acontece com qualquer decisão que é cassada ou reformada.

Mas por detrás de tudo isso havia um motivo muito forte, que era não permitir que eu chegasse à presidência do Tribunal, e outro, que ficou nas reticências, que era "desestimular" os juízes, desembargadores e até ministros de tribunais superiores a não atender aos pedidos de casas de bingo, nem sequer quando fossem para liberar máquinas caça-níqueis de empresas que estavam funcionando com a autorização da própria Justiça.

Foi, sem dúvida, uma operação vitoriosa da Polícia Federal e do Ministério Público Federal, mas *da força contra o direito* e a justiça, quando a força deveria servir ao direito e à justiça.

Cronologia dos fatos corre contra o relógio

Se o procurador-geral da República Antônio Fernando de Souza tivesse lido atentamente o relatório da Polícia Federal, que foi o ventilador que abasteceu o furacão, antes de pedir a minha prisão, e o ministro Cezar Peluso feito a mesma coisa, antes de mandar me prender provisoriamente, teriam constatado que a *cronologia* dos fatos descritos no *relatório policial*, e depois repassado à denúncia, *não batia*; pois para os fatos terem ocorrido da forma como o chefe do Ministério Público entendeu, e convenceu o ministro a entender também, *o relógio do tempo tinha que ter corrido para trás*; o que tornava ainda mais que evidente tratar-se de uma farsa montada para me prejudicar.

Assim, a conversa em que alguém não identificado falava em "um milhão" e em "Carreira Alvim" foi captada em **12 de julho de 2006**; a frase "parte em dinheiro", montada pela Polícia Federal, teria sido captada em **25 de julho de 2006**; a decisão liminar mandando liberar máquinas caça-níqueis já tinha sido concedida em **9 de junho de 2006**, portanto mais de um mês **antes** de ter havido essas conversas captadas pela Polícia Federal; essa liminar foi suspensa pelo então desembargador Benedito Gonçalves, mantida essa suspensão pelo desembargador

Messod Azulay em **10 e 11 de junho de 2006**, respectivamente, em ambos os casos em plantão do Tribunal; a decisão foi restaurada **em 12 de junho de 2006**, uma segunda-feira, depois do plantão; a decisão foi novamente suspensa **em 13 de junho de 2006**, desta feita pelo presidente desembargador Frederico Gueiros, que suspendia tudo o que era contra o Poder Público; e finalmente cassada em **14 de junho de 2006**, pela 1ª Turma do Tribunal.

O que contribuiu para que os ministros do Supremo Tribunal Federal — por exemplo, o ministro Ricardo Levandowski citou expressamente isso — e depois os conselheiros do Conselho Nacional de Justiça admitissem que eu havia sido realmente corrompido pela quadrilha foi o tal almoço no restaurante Fratelli, perto da minha casa, que, pasme o leitor, só veio a ocorrer em **18 de janeiro de 2007**, como consta da denúncia, portanto *sete meses depois que as minhas decisões sobre a Betec, Reel Token e Abraplay tinham sido concedidas e cassadas*, inclusive pelo Supremo Tribunal Federal, o que ocorreu **em 23 de outubro de 2006**. E nem seria de supor que esse encontro se destinasse a qualquer objetivo que fosse, porque eu já estava deixando a vice-presidência pouco tempo depois.

Se este encontro tivesse ocorrido *sete meses antes* de eu proferir as decisões que beneficiaram as empresas de jogos, poderia ser até que houvesse suspeita de que se destinaria a me corromper, mas **sete meses depois** que as decisões haviam sido concedidas e cassadas, sem, portanto, validade alguma, é algo que só pode ocorrer na cabeça de quem não tenha um mínimo de consciência lógica.

Como o denunciante não leu como deveria ler a versão dos fatos para fazer a denúncia; o ministro não leu nem o inquérito e nem a denúncia para fazer o seu voto; e os demais ministros do Supremo Tribunal Federal acompanharam o relator, e quando fizeram algumas considerações foram baseadas no que se continha na denúncia, totalmente divorciada da prova, que, mesmo montada, demonstra que a versão dos fatos foi totalmente distorcida.

Exatamente o mesmo aconteceu no Conselho Nacional de Justiça, onde os recortes e colagens de textos que só contêm inverdades permitiram que os conselheiros chegassem ao resultado que o relator, ministro Gilson Dipp, queria que eles chegassem por unanimidade.

No entanto, diz a Polícia Federal, repete o procurador-geral da República e aceita o ministro Cezar Peluso, pelo menos para o fim de decretar a minha prisão temporária, que "**só depois de negociados os valores e a forma de pagamento, foi ajuizada a medida cautelar, sendo concedida a liminar**".

No entanto, a verdadeira verdade pode ser constatada nos autos do processo, bastando que alguém saiba ler e queira encontrá-la; porque, como costumo dizer, "quando o juiz quer, quer; e, quando não quer, não quer", pouco importando a verdade, as provas e as disposições legais ou constitucionais.

Portanto, pela *cronologia* do relatório da Polícia Federal e da denúncia, em **12 de julho de 2006**, teria havido acerto da quantia de um milhão para conceder a liminar, dizendo que eu queria receber a "minha parte em dinheiro" em **25 de julho de 2006**, por uma decisão que já havia proferido em **9 de junho de 2006**, um mês antes de todas essas datas, e que já estava suspensa em **13 de junho de 2006**, uma vez pelo presidente do Tribunal e outra pelo relator do processo na Turma. Isso sem falar no almoço no restaurante Fratelli em que eu teria me encontrado com Castelar Guimarães e seus convidados sete meses depois de tudo acontecido, porque o almoço se dera em **18 de janeiro de 2007**, no ano seguinte.

Essa matemática criada pela Polícia Federal e por todos os que têm participado do processo, inclusive o Supremo Tribunal Federal e até o Conselho Nacional de Justiça, no procedimento administrativo nem Malba Tahan, aquele que escreveu *O homem que calculava* seria capaz de construir.

Não me acovardo em dizer que apenas se os bicheiros fossem burros, seriam capazes de "negociar" uma decisão minha, que há muito já estava suspensa e sem a menor possibilidade de produzir mais qualquer eficácia, e que a essa altura não tinha sequer a utilidade de um papel higiênico.

Basta ter um pouquinho só de massa cinzenta na cabeça para se concluir que, se eu quisesse marcar algum encontro para tratar de qualquer assunto que não pudesse ser tratado em praça pública, eu marcaria na minha casa, onde teria a certeza de não estar sendo monitorado, mas não num restaurante, quando eu já sabia que todos os meus telefones estavam grampeados pela Polícia Federal; e por não ser nenhum bobo, que ela estaria provavelmente acompanhando meus passos.

Depois de tudo o que passei, se me fosse dado escolher, em ser preso por um policial ou por ordem de um ministro do Supremo Tribunal Federal, eu preferiria ser preso pelo policial, porque todos pensariam que ele estaria errado e eu certo, pois tendo sido preso por ordem de um ministro, todos pensam que ele está certo e eu errado; mas, na verdade, não estou.

As instituições, como a própria Polícia Federal e o Ministério Público, nada ganham com isso, fazendo montagens e suposições, e o Poder Judiciário menos ainda, pois é um equívoco supor que a mácula lançada infundadamente contra um dos seus membros seja uma mácula isolada, porque, no fundo, mancha o Poder Judiciário por inteiro.

Eu tenho certeza de que a minha inocência será reconhecida, pois como dizia o jurista Carlo Furno, "A verdade é como a água, ou é límpida ou não é água", e, na medida em que o Supremo Tribunal Federal, por seus ministros, se debruçar sobre as provas com base nas quais fui preso e denunciado, reconhecerá a trama urdida contra mim e contra o próprio Poder Judiciário a que pertenço; mas ninguém, nem a Corte Suprema do meu país, será capaz de fazer desaparecer da minha alma a lembrança do que passei e, sobretudo, do que a minha família e os meus amigos passaram, por uma obra sórdida e maquiavélica por parte de quem deveria zelar pela segurança dos nossos direitos.

Sempre que leio as peças que compõem os autos do processo, a denúncia, os votos dos ministros do Supremo Tribunal Federal, e depois a decisão do Conselho Nacional de Justiça, mais me convenço de que ninguém está checando nada, mas apenas um acreditando nas aleivosias ditas pelos outros, o que não deixa de me preocupar, porque se fazem assim no meu julgamento, sendo um juiz a quem conhecem, muitos deles de relacionamentos pessoais, fico pensando como fazem quando julgam os que eles não conhecem.

CAPÍTULO 4

OS MOVIMENTOS
DO FURACÃO

Rumo à carceragem no Rio de Janeiro

Ao entrar na viatura oficial do Tribunal, que me levaria à Superintendência da Polícia Federal no Rio de Janeiro, fiquei imaginando as contradições que a vida me proporcionava, pois eu, que no decurso da minha atividade judicante havia proferido inúmeras decisões, mormente em *habeas corpus*, impedindo a prática de atos truculentos de força pela Polícia Federal, ou em caráter repressivo, determinando a soltura de pessoas injustamente presas, sentia-me agora entregue à minha própria sorte, e justamente nos braços do meu algoz.

Imaginava que se a Polícia Federal havia convencido o então procurador-geral da República Antônio Fernando de Souza a pedir a minha prisão com base em fatos *inexistentes* — porque os fatos noticiados nunca existiram — e um ministro do Supremo Tribunal Federal, Cezar Peluso, a decretá-la, pouco ou nada podia eu fazer nem ninguém por mim pela minha própria liberdade.

O trajeto da minha casa até a Superintendência pareceu-me uma eternidade, e a minha cabeça girava a mil por hora, supondo o que teria acontecido por detrás dessa absurda prisão e quais os motivos em que se apoiava.

A minha passagem pela vida me ensinou uma coisa, que repasso constantemente aos que convivem comigo: a incompetência é irmã gêmea da prepotência, pois todo incompetente é um prepotente, e todo prepotente é um incompetente; independentemente da função que exerça.

Chegamos à Superintendência da Polícia Federal, no Rio de Janeiro, já na parte da tarde, por volta das 15h, quando lá já estava postada para as fotos a mídia, perversa, irracional, sedenta de notícias e disposta a expor a minha honra ao escárnio público, pelo mais indigno e infamante dos motivos, chamado lucro.

A mídia pela mídia não existe, porque quem faz a mídia são os profissionais da comunicação e do jornalismo policial de quinta categoria, particularmente em busca de furos de reportagem, reconhecido a quem consegue fazer o mais estrondoso dos escândalos, mesmo sacrificando a verdade em nome da "informação".

A forma como começou a diligência policial, como se desenvolveu e terminou seria inusitada, se não tivesse acontecido no Brasil, com uma polícia despreparada para o cumprimento da sua missão constitucional, que é garantir a segurança e a incolumidade das pessoas.

Logo que a Polícia Federal conseguiu por intermédio do procurador--geral da República autorização do ministro Cezar Peluso, para realizar as buscas e apreensões e fazer as prisões dos supostos envolvidos numa organização criminosa, eu inclusive, o sigilo acabou naufragando nos primórdios da operação batizada de Furacão, numa daquelas operações *pirotécnicas* que só a Polícia Federal associada à Rede Globo sabe preparar, com o repórter policial César Tralli sempre à frente.

Assim, enquanto a Polícia Federal de Santa Catarina cumpria a diligência, a mídia noticiava que eu havia sido preso, quando estava, ainda, na minha residência acompanhando os *trabalhos* e orientando os agentes federais na busca e apreensão; que segundo a decisão do ministro Cezar Peluso eu poderia atrapalhar.

No meu trajeto de casa para a Superintendência da Polícia Federal surpreendeu-me a preocupação do delegado federal e seus agentes, de que a imprensa não me visse, para não me fotografar, a fim de que *não fosse comprometido o sigilo*; sigilo, aliás, que ela própria se incumbira de vazar para um dos mais irresponsáveis *buracos sociais*, que é a mídia marrom, inconsequente e irresponsável.

Chegada à carceragem

Passava um pouco das 15h, quando chegamos ao prédio da Superintendência da Polícia Federal no Rio de Janeiro, onde estava um batalhão de fotógrafos, cinegrafistas e curiosos à minha espera, para ver um magistrado chegar num camburão, preso e algemado, com a Polícia Federal colhendo os louros dessa proeza; mais uma daquelas operações que fizeram muito estardalhaço.

As megaoperações da Polícia Federal, secundadas pelo Ministério Público sob os auspícios da Justiça, são estimuladas pela falta de punibilidade de quem as promove, assentadas em provas comprovadamente frágeis como os fogos de artifícios que espalham muita luz com muito barulho, esvaindo-se em poucos segundos, deixando para trás um rastro de fumaça fedorenta.

A mídia entende tão pouco de Justiça, que não sabe que as prisões são determinadas pela Justiça, pois a Polícia Federal só pode efetuar prisões quando o agente do crime esteja em flagrante delito, quer dizer, no momento em que está a praticar algum crime. No entanto, a mídia pouco inteligente sempre divulga que a Justiça manda soltar aqueles que a Polícia Federal prendeu, passando a impressão de que esta prende os bandidos e aquela manda soltar; quando na verdade quem manda prender e manda soltar é a própria Justiça, porque a Polícia Federal mais não faz do que cumprir as ordens que lhe são dadas pela Justiça.

Aliás, a imprensa fala do que não sabe, para quem não entende, sobre o que não lhe diz respeito, resultando daí o velho ditado de que "o jornal de hoje embrulha o peixe de amanhã".

A imprensa brasileira não sabe distinguir o parecer de um jurista da sentença de um juiz, e afirma com frequência que o juiz deu um parecer neste ou naquele sentido, quando o juiz não dá parecer algum.

Quando cheguei à carceragem no centro do Rio de Janeiro, escoltado pelos federais, armados de metralhadoras e fuzis até os dentes, como se estivessem no Afeganistão, fui conduzido para o segundo andar, onde, na entrada se amontoavam advogados e parentes dos presos em busca de notícias; oportunidade em que pude identificar alguns que lidam na área criminal, mas nenhum em especial envolvido com suspeitos de integrar a quadrilha imaginada pela Polícia Federal, da qual até os magistrados fariam parte.

Tão logo adentrei nesse recinto, conduziram-me a uma sala, na qual havia várias pessoas assentadas em diversas filas de cadeira, num espaço que mais me pareceu um teatro, e a minha ingenuidade foi tamanha, que ao entrar, cheguei a cumprimentar pessoas que nem conhecia, quando percebi que estavam algemadas, e então me dei conta de que estava, na verdade, cumprimentando alguns dos presos da Operação Furacão.

Nesse momento, parei os cumprimentos, constrangido com o fora que dera, pois não tinha me tocado de que o delegado federal havia me colocado na mesma sala em que estavam os bicheiros e todos os demais detidos pela famigerada operação.

A princípio, esse recinto pareceu-me uma sala de audiências, o que me demonstrou que o juiz, nas horas mais angustiantes da vida, como qualquer pessoa injustamente presa, também se equivoca.

Naquela sala estavam alguns famosos bicheiros, que eu conhecia apenas pela mídia, o que me intrigou mais ainda, tendo-me questionado em pensamento o que teriam aqueles bicheiros a ver com jogo de bingo.

Posteriormente, vim a tomar conhecimento de que esses bicheiros eram os reais proprietários ou sócios das casas de bingo, coisa que nunca soubera pela imprensa e nem me passara pela cabeça; e não fui só eu não, porque perguntei a muita gente bem informada se sabia que os bicheiros mexiam com jogos de bingo, e todos me responderam que não, mostrando-se surpresos com esse fato.

Permaneci naquela sala dos presos em geral pelo tempo suficiente para que a Polícia Federal fizesse ver a todos que entre os presos estava um desembargador federal; o que, no entanto, não produziu o resultado desejado, porque ninguém entendeu o motivo de eu estar ali.

Na prática, isso importava pouco ou nada à Polícia Federal e ao Ministério Público Federal, porque ambos sabiam as razões dessa injustificável prisão, mas o seu objetivo tinha sido alcançado, e era isso o que importava naquele momento.

Mais tarde, veio falar comigo um dos delegados da Polícia Federal que comandavam a operação, de nome Emmanuel, que me conhecia pelos meus livros, sentando-se ele ao meu lado num banco que ali estava, ocasião em que me fez uma surpreendente revelação, dizendo-me que havia um integrante do grupo, recolhendo dinheiro dos bicheiros para presentear juízes. Depois, tive a confirmação de que parte da sua suspeita era infundada, pois essa cobrança tinha sido a forma encontrada por um membro do grupo, que tirava dinheiro dos seus comparsas, dizendo que era para dar ao juiz; o que demonstra que até os bandidos são vítimas dos seus próprios parceiros.

Essa revelação surpreendeu-me porque esse fato não constava no relatório da Polícia Federal, elaborado pelo delegado Ézio, que servira de base para que o Ministério Público pedisse a minha prisão temporária; pelo que concluí que esse delegado, importante membro da instituição, sabia mais do que sabiam os próprios agentes envolvidos na Operação Furacão.

A essa altura já dera para eu perceber que havia alguma "armação" no ar, mas que o tempo se encarregaria de, mais cedo ou mais tarde, fazê-la pousar em solo firme.

Exame de corpo de delito

Assim que cheguei à sede da Polícia Federal, no centro do Rio de Janeiro, fui conduzido a uma sala onde se encontravam dois homens e uma mulher, e, assim que entrei, vi que Silvério Júnior estava a calçar os seus tênis; e um dos agentes presentes me deu uma ordem para que eu me despisse.

Confesso que nunca me senti tão constrangido em toda a minha vida, principalmente porque ali estavam também dois homens e uma mulher, não tendo eu sabido se essa mulher era médica ou policial; mas mesmo que fossem todos médicos, não eram necessários três médicos para avaliar as minhas condições de saúde naquele momento. Aliás, que eles disseram depois que era médica, disseram, mas acreditar que não fosse apenas uma policial, não dava para acreditar, porque aquilo fora dito a mim por uma instituição que àquela altura não merecia a minha confiança.

Quando soube que se tratava de um exame de corpo de delito, tentei argumentar que eu não havia sido molestado pela Polícia Federal, por ocasião da minha prisão, e que estava disposto a assinar *qualquer documento* nesse sentido, para não ser despido, mas nada adiantou, porque queriam realmente me ver pelado.

Nesse momento, ouvi pela primeira vez uma expressão que me acompanharia e constrangeria durante toda a minha passagem pelas mãos dos policiais federais, sempre que lhes lembrava que eu era um juiz com prerrogativas constitucionais, não por mim como pessoa, mas como membro do Poder Judiciário: "*Isso é operacional, Excelência; e não tem nada a ver com as prerrogativas de Vossa Excelência*".

Por determinação dos policiais acabei tirando a roupa e até as meias, ficando literalmente pelado; mandaram-me dar uma volta de trezentos e sessenta graus, não me lembro de me terem feito perguntas, e em seguida mandaram-me vestir.

Confesso que a minha indignação foi ter que tirar a cueca, porque me ficou a impressão de que, no fundo, o que os policiais queriam era *ver um desembargador pelado*; prazer mórbido para a maioria dos homens, mas prazeroso para quem queria me expor ao ridículo, por tudo que eu havia determinado à Polícia Federal por ocasião do cumprimento da decisão sobre a liberação de máquinas caça-níqueis, que ela se recusava a cumprir.

Eu estava tão envergonhado com a situação a que era submetido pelo único fato de ter prestado justiça, que nem me lembro se naquela ocasião assinei algum documento; e, se assinei, não me recordo do que assinei.

Esse episódio me fez compreender que nem a Polícia Federal confia nela própria, pois se eu saíra da minha casa, preso por agentes seus e conduzido imediatamente à carceragem, o fato de submeter-me a exame de corpo de delito fazia supor que eu pudesse ter sido molestado de alguma forma nesse trajeto; fazendo-se então necessário esse constrangedor exame.

Nessa ocasião, pude perceber que a Polícia Federal é treinada para lidar com marginais perigosos, partindo do pressuposto de que todos os presos são criminosos, não sabendo distinguir entre um bandido e um suspeito de crime, dando a ambos o mesmo e injustificável tratamento.

Talvez por isso não saibam os policiais federais o que seja uma *prerrogativa* do cargo, para reconhecê-la a quem a ela faça jus, e que, na cabeça dos seus agentes, soa como um injustificável privilégio, e para fugir dela batizaram-na de medida "operacional".

A Justiça criminal brasileira nunca se preocupou com isso, apesar de ter mandado prender diversos juízes, e nunca buscou também averiguar se essas medidas realmente operacionais acontecem, e elas realmente acontecem; e se não passam de mais uma estratégia para pôr as prerrogativas do cargo para escanteio.

Na carceragem da Polícia Federal no Rio de Janeiro havia um médico extremamente atencioso, cujo nome não me recordo, que se preocupava muito comigo, como se eu fosse seu paciente, permanecendo ali por um longo tempo, indagando-me a todo instante se eu estava passando bem. Esse médico, que deveria ser também um policial-médico federal, destoava no trato, com todos, de tudo o que eu vira até então no interior da carceragem.

Preocupado com o meu estado de saúde, refletido na tensão que era visível, esse médico me disse haver recomendado aos delegados que acompanhavam as diligências, para que eu fosse levado para o Departamento Médico lá mesmo, na Superintendência; mas, posteriormente, vim a saber que a sua recomendação não tinha sido aceita pelos delegados federais.

Constrangimento nada legal

Permaneci na antessala que dava acesso às salas dos delegados federais por algum tempo, até que me pediram se eu poderia sair por alguns momentos, porque haviam chegado alguns representantes da Ordem dos Advogados do Brasil no Rio de Janeiro, que precisavam conversar com os advogados presos, e não havia outro espaço disponível para essa entrevista.

Ninguém deve supor que a Ordem dos Advogados do Brasil tenha se feito presente na defesa das prerrogativas dos advogados presos, porque na verdade não se fez, tendo apenas passado por ali para *dar o ar da graça* e nunca mais apareceu, afugentada pelo furacão.

Saí dali e permaneci no corredor que dava acesso à sala onde se encontravam os demais presos na operação, onde permaneci por algum tempo.

Lembro-me de que pouco antes de adentrar nessa antessala, chegou o meu advogado, dizendo-me que havia sido contatado pela minha família para prestar-me a assistência necessária naquela ocasião; e estava eu conversando com ele, nesse corredor, quando um dos delegados federais, que circulava de um lado para outro, se aproximou de mim e me determinou que eu entrasse novamente na sala onde se encontravam os demais presos.

Nessa oportunidade, fiz ver a ele que não havia necessidade de ser posto naquela sala onde se encontravam os *bingueiros*, porque eu estava bem onde estava e invoquei de novo as prerrogativas da magistratura, mas ele se mostrou intransigente, dizendo-me que naquelas circunstâncias a medida era "operacional".

Eu nunca havia pensado que as prerrogativas do magistrado dependessem de "circunstâncias", e o que é pior, a critério de agentes policiais, a não ser que estivéssemos num estado de emergência, estado de sítio, guerra declarada ou coisa semelhante, mas não era esse o caso.

Tentei argumentar com esse delegado, mas o meu advogado aconselhou-me a não discutir, e eu engoli em seco a resistência que oferecia para não ver espezinhadas as garantias asseguradas à função de magistrado.

Confesso que fiquei indignado com o conselho recebido, porque se fosse eu o advogado, o meu cliente só entraria naquela sala se o delegado federal passasse por cima do meu cadáver; mas acabei entrando na maldita sala para não complicar ainda mais a situação.

Em certas circunstâncias pode ser até *aconselhável* que a Polícia Federal não seja *contrariada*, mas para quem, como eu, conhece a hierarquia da estrutura estatal, qualquer concessão desse gênero soa como uma *submissão* que em hipótese alguma deve ser tolerada.

Esse episódio me fez lembrar uma passagem da minha vida profissional, quando era ainda um recém-formado e acompanhei uma cliente do escritório-modelo onde estagiava a uma delegacia de polícia em Belo Horizonte, para prestar declarações, em virtude de uma queixa contra ela feita por alguém, quando me vi obrigado a *esfregar*, literalmente, a minha carteira de advogado na cara do delegado, para que me respeitasse e respeitasse a minha profissão. Pensei que eu iria sair de lá preso, mas ele acabou me pedindo desculpas pelo que fizera; o que, para mim, foi uma lição de vida.

Ao entrar na sala onde se encontravam os demais presos, mais constrangido ainda do que da primeira vez, fiquei em pé, recusando-me a sentar. Aliás, deveria ter-me sentado perto do Silvério Júnior, que lá estava sentado, algemado com uma das algemas clássicas, quando todos os demais, ou quase todos, estavam algemados com uma algema de plástico.

Esse fato me permitiu, assim que saí dali, pedir a um dos delegados que comandavam o espetáculo que substituísse as algemas tradicionais do meu genro por uma de plástico, no que fui prontamente atendido.

Hoje fico pensando que essa minha atitude não fez a menor diferença, porque, para quem está algemado, tanto faz uma algema tradicional como uma de plástico, dá na mesma, porque a injustiça não se torna justa pela mudança do tipo de algema.

Naquele momento, fiquei imaginando que eu, que fui preso por ter sido envolvido numa operação maquiavélica, mas que no fundo estava também o fato de haver dado ordens a policiais federais para restituírem máquinas eletrônicas indevidamente apreendidas, estava ali a *pedir* a um delegado que *me fizesse uma gentileza*.

Na prática, não era apenas eu, um juiz, que estava de cócoras, posição em que fui posto pelo ministro Cezar Peluso, do Supremo Tribunal Federal, mas todo o Poder Judiciário, inclusive a Corte da qual ele era o vice-presidente, estando eu subjugado por uma instituição que, enquanto polícia judiciária, deveria, constitucionalmente, estar sob as minhas ordens e não me dando ordens.

Permaneci por algum tempo naquela sala com os demais presos, quando ali entrou um senhor de terno, que não reconheci de imediato, aproximou-se de mim e lamentou a minha prisão, como uma injustiça contra mim, dizendo-me que conhecia bem a participação de cada um na quadrilha dos bingos.

Fiquei pensando quem seria, quando alguém o chamou do lado de fora, e pude constatar tratar-se do juiz do Tribunal Regional do Trabalho de Campinas, Ernesto Dória; e, como eu sabia que ele era um juiz trabalhista, fiquei sem entender por que ele estava metido no furacão.

Depois, fiquei sabendo que esse juiz havia se oferecido para prestar depoimento à Polícia Federal do Rio de Janeiro na esperança de que assim seria posto logo em liberdade, tendo, ao depor, descrito a participação de todos os seus *conhecidos*, eu inclusive, nos fatos investigados, com uma versão que além de mentirosa, fora dada por um homem assustado e medroso; mas o tiro lhe saiu pela culatra, ele não foi solto e acabou, como todos, mandado para a carceragem da Polícia Federal em Brasília.

Surpresa na carceragem

Na Superintendência da Polícia Federal do Rio de Janeiro, fiquei sabendo que seríamos transferidos para a carceragem de Brasília, mas ainda sem hora marcada; já passava das 18 horas e eu nem sequer havia tomado café da manhã na minha casa, porque a Polícia Federal a tinha invadido antes que tivesse me levantado.

Lembro-me de que, depois de certo tempo, da tal sala onde se encontravam todos os presos, fui parar de novo no corredor, tendo um dos delegados consentido que eu permanecesse numa sala que tinha uma placa escrita na porta com a sigla TST, que significava "Técnico em Segurança do Trabalho"; se bem que essa sigla, no mundo jurídico, signifique mesmo é Tribunal Superior do Trabalho.

Estava parado na porta desta sala, quando avistei pela primeira vez na carceragem o desembargador federal Ricardo Regueira, também preso na mesma operação, quando desembarcava no Aeroporto Internacional do Galeão, vindo da Espanha, onde tinha estado em férias, fazendo uma caminhada pelo místico Caminho de Santiago de Compostela.

Essa foi a grande surpresa que o furacão me proporcionou por não entender por que o desembargador Ricardo Regueira, que já havia sido acusado de venda de sentença, mas cujo processo fora arquivado pelo próprio Supremo Tribunal Federal, capitaneado pelo voto do mesmo ministro, Cezar Peluso, por absoluta falta de provas, estava de novo ali, desta feita preso por ordem do mesmo ministro que trancara o processo anterior.

Indaguei ao desembargador o motivo da sua prisão, mas nem ele mesmo sabia; e como eu também não sabia o motivo da minha, concluí que tanto ele quanto eu havíamos sido vítimas da mesma trama diabólica armada pela Polícia Federal, digna de um filme de Hitchcock.

Só voltei a ver o desembargador Ricardo Regueira na Base Aérea do Galeão, quando fomos desterrados para a carceragem da Polícia Federal em Brasília.

O desembargador Ricardo Regueira era uma pessoa que vivia em paz com o mundo, e mesmo depois que seu filho foi tragicamente assassinado, ou, como ele mesmo dizia, a mando de alguém que não gostava dele, nada conseguia abalar sua fé na crença de vir a reencontrar o filho no Paraíso.

Quando do seu retorno ao Rio de Janeiro, o desembargador Ricardo Regueira, assim que foi solto, declarou à imprensa, ainda no Aeroporto, que após a morte do seu filho, que a polícia não conseguira elucidar, a sua prisão "era café pequeno".

A religiosidade se apoderou de tal forma do desembargador Ricardo Regueira, que nos seus últimos dias de vida ele era mais um cristão do que um magistrado; conhecia a Bíblia de cor; e não dispensava o rosário da Virgem Maria, que rezava diuturnamente com o fervor dos verdadeiros santos.

Se os juízes tivessem um pouco da crença em Deus que tinha o desembargador Ricardo Regueira, talvez a Justiça fosse mais justa do que é, mas infelizmente a fé não faz parte do repertório dos juízes, e muito menos da cartilha onde reza o Ministério Público Federal.

Necessidades fisiológicas nada privadas

O fato que me causou grande constrangimento foram as *idas ao banheiro*, que de *necessidade fisiológica* das mais prazerosas, transformaram-se num tormento sem tamanho num mundo de seres que se dizem racionais.

Sempre que precisava *ir ao banheiro*, só podia fazê-lo acompanhado de um policial federal, além do que o prazer fisiológico não podia ser exercitado com a porta fechada. Como há quem, como eu, que não consegue fazer suas necessidades fisiológicas com alguém vigiando, mais não fiz do que fiz, embora tenha ido ao banheiro inúmeras vezes.

Ficava imaginando a razão desse procedimento dos policiais federais, e só conseguia entendê-lo porque na adolescência havia lido Saint--Exupéry, e lá há uma passagem em que um soldado tinha que fazer todo dia a mesma coisa, embora não houvesse mais razão alguma para continuar fazendo, e justificava: "*É o regulamento*".

Na Polícia Federal deve haver uma regra interna assim: "*Nenhum preso pode ir sozinho ao banheiro, mesmo que seja um magistrado*"; pelo que eu era "acompanhado" na viagem de ida e de retorno.

Os banheiros da Polícia Federal no Rio de Janeiro, quando lá estive, não eram exemplo de higiene, e estavam precisando urgente de reforma, porque além de alguns estarem interditados, outros estavam em lamentável estado de conservação, a ponto de eu ter que me sentar no vaso com os pés numa enorme poça-d'água existente em toda a extensão do banheiro, porque não havia outra forma.

A presença de tanta água malcheirosa no chão e a falta d'água potável mostravam as contradições nas entranhas da Polícia Federal, contaminando o seu próprio ambiente de trabalho, incompatível com uma instituição tão interessada em "limpar" a sociedade.

Outra coisa que eu não conseguia entender era por que pessoas sem qualquer periculosidade eram algemadas pelos policiais federais em locais de onde, nem armadas de canhão, conseguiriam safar-se; pelo que a única explicação possível era o prazer que sentiam pelo constrangimento que a algema impõe, no suposto de que sendo policiais jamais passarão por situação semelhante. Digo isso porque um dos presos na Operação Hurricane era o delegado da Polícia Federal Carlos Pereira, que me revelou toda a sua história e a sua passagem pela instituição, que conto num capítulo à parte.

Os dirigentes da Polícia Federal deveriam investir mais na infraestrutura de primeira necessidade, e menos na compra de algemas, que mais não se prestam do que sujeitar o preso não perigoso a vexames e constrangimentos.

No caso da Operação Furacão, algemar idosos, mulheres e todos os que não ofereciam nenhuma periculosidade só atende aos critérios da irracionalidade.

Mais recentemente, e por causa dos abusos cometidos inclusive pela Polícia Federal, o Supremo Tribunal Federal regulamentou o uso de algemas, para que elas cumpram realmente a sua finalidade, em vez de satisfazer o prazer mórbido dos policiais que delas se utilizam contra os presos não perigosos.

Alta temperatura na carceragem

A nossa chegada à carceragem da Polícia Federal, ainda no Rio de Janeiro, se deu pouco depois das 15 horas, e, como eu, penso que nenhum dos presos tivera tempo para tomar aquilo que seria um normal café da manhã, numa manhã de sexta-feira, antes de ir para o trabalho.

Chegando à sede da Polícia Federal, os transtornos foram de tal ordem, tamanho o número de presos, de encontros com seus advogados, e de preocupação dos próprios policiais em repassar informações à mídia, para alimentar o sucesso da sua operação, que os seus dirigentes se esqueceram de que o preso também é humano, alimenta-se como qualquer ser vivente, e que, estando encarcerado pelo Poder Público, deveriam providenciar-lhes um mínimo de alimentação. Se bem que chamar de "alimentação" aquilo que é servido aos presos, mesmo quando entre eles está um desembargador e um procurador da República, é preciso muita força de imaginação; imaginação esta que a julgar pelo relatório da Operação Hurricane, a Polícia Federal tem de sobra.

A temperatura ambiente no local onde estávamos presos era elevadíssima, pois não havia ar-condicionado e nem um bebedouro disponível, e eram tantos os federais vestidos de preto, circulando de um lado para outro, que cheguei a pensar que havia chegado na entrada do inferno.

O clima e a falta d'água sugeriam o cenário de um sertão nordestino, daqueles de *Deus e o Diabo na Terra do Sol*, de Glauber Rocha, em que havia muito *diabo* à vista, mas nenhum Deus visível.

Eu supunha, pelo que diziam os delegados federais, que a remoção para Brasília se daria ao entardecer, mas nenhum deles passava uma informação correta a esse respeito, dizendo que seria dentro de uma hora, depois de outra hora, que acabei saindo da sede da Polícia Federal, no Rio de Janeiro, depois das 4 horas da manhã do dia 14 de abril de 2007.

Entre os detidos, havia um grande número de mulheres e idosos, inclusive eu, então com meus sessenta e três anos, já com direito à proteção concedida pelo Estatuto do Idoso, que naquelas circunstâncias não passava de uma *folha de papel*.

Penso que o Congresso Nacional deveria se preocupar com o idoso suspeito de ter cometido infração, fazendo para ele uma cartilha com o tratamento que em circunstâncias especiais lhe deve ser proporcionado; porque o policial não tem a mínima noção do que seja um idoso, supondo talvez que nunca chegue lá; e realmente muitos não chegam porque morrem ou são mortos antes.

Próximo das 23 horas ainda do dia da prisão, estava eu sentado na sala dos Técnicos em Segurança do Trabalho, onde um dos delegados me havia permitido que ficasse, vendo passar garrafas de refrigerantes, sanduíches e *pizzas* para os policiais de plantão, sem que ninguém me perguntasse, sequer por educação, se eu tinha fome e se desejava comer alguma coisa; e eu tinha, e muita, fome.

A minha filha Luciana, que é advogada, estava juntamente com outros familiares de presos na porta da carceragem, mas nada podia fazer para saciar a minha fome, porque nada podia entrar na carceragem, nem mesmo com autorização dos delegados de polícia que comandavam a operação.

Já passava da meia-noite do dia 14 de abril de 2007, quando um dos delegados federais que lá estava me perguntou se eu queria comer uma *pizza*, o que fez com que o meu próprio estômago se encarregasse de responder, dando um grito de alegria. Transcorrera mais de uma hora, quando chegou o entregador de *pizzas*, entregando-a a um agente federal, que passou direto pela sala onde eu estava, dirigindo-se ao final do corredor, onde estava a maioria dos policiais.

Cheguei a pensar que aquela não era a minha pizza; mas era, pois algum tempo depois um policial chegou à sala onde eu estava e colocou sobre a mesa *o que restara da pizza*, já fria e que até um faminto como eu recusaria; e eu recusei, não tocando nela, mas fiquei impressionado com aquela demonstração de falta de civilidade humana.

Tempo depois, chegou à porta da sala onde eu estava o juiz trabalhista Ernesto Dória, com cara de mais faminto que eu, e lhe ofereci a *pizza*, não sem antes lhe dizer que já estava gelada; mas o juiz não só aceitou como comeu a *pizza* com o paladar de quem come uma iguaria, usando como garfo um pedaço de guardanapo que acompanhava os restos de *pizza*.

O juiz trabalhista Ernesto Dória conseguiu matar a sua fome, mas eu tive que me contentar com um desejo *insatisfeito* de comer um pedaço de *pizza*; justamente como acontecia nos meus tempos de estudante, em que passava fome em nome de um ideal em ser alguém na vida.

Essa experiência me fez refletir sobre a falta de solidariedade humana, e como o poder se comporta de forma tão irracional para com os seres humanos; solidariedade que sobrou em todos os presos, ao serem recolhidos na carceragem da Polícia Federal em Brasília.

Chegada de uma guerreira

Numa situação como a desencadeada pela Operação Hurricane, a família se revela o suporte indispensável para manter o preso de pé, mas na carceragem da Polícia Federal, esse apoio é muito difícil, para não dizer impossível mesmo, para quem não tenha um advogado ou advogada na família.

A Ordem dos Advogados do Brasil, enquanto instituição que congrega os advogados, vale pouco ou nada nessas horas, pois nenhum dos seus altos dirigentes se dispõe a fazer prevalecer a Constituição e as leis sobre o *contradireito*, respaldado pela força policial, fato que pude comprovar na minha passagem pela Polícia Federal; e não foi alguém que me contou não, tendo eu próprio constatado isso por mim mesmo.

Ao advogado são reconhecidas mais prerrogativas do que se reconhecem a um juiz, porque ao advogado é permitido avistar-se com o seu cliente sempre que necessário, e nesse ponto, salvo casos eventuais de incomunicabilidade temporária, o acesso do advogado ao cliente não encontra obstáculos.

A minha irmã Maria Helena, juíza federal em Minas, esteve na carceragem da Polícia Federal em Brasília, mas não pôde me ver porque não era dia de visita e ela não era advogada; tendo eu ficado sabendo que o mesmo aconteceu com a juíza Lana Regueira, mulher do desembargador Ricardo Regueira, que só conseguiu se avistar com o seu marido depois que deu o grito na porta do gabinete do ministro Cezar Peluso no Supremo Tribunal Federal.

Assim que Maria Helena soube da minha prisão, acionou a Associação dos Juízes Federais de Minas Gerais, e depois a Associação dos Juízes Federais do Brasil, para que se posicionassem a respeito da minha prisão, porque o que estava em jogo não era apenas a minha prisão, mas a prisão de um membro da Associação Nacional, e, antes disso, um membro atuante do Poder Judiciário. Essa história eu conto num capítulo próprio.

No meu caso, a minha filha Luciana, que teve o pai e o marido presos na malfadada operação, foi a ponte de ligação entre mim e a minha família e comportou-se como uma guerreira, que surpreendeu a mim próprio.

Nunca imaginei que a minha filha advogada, nas circunstâncias em que fora involuntariamente envolvida numa trama maquiavélica, com o pai e o marido presos, tivesse a garra que teve para suportar os sofrimentos impostos a pessoas que lhe eram extremamente caras.

Ela se tornara mãe havia exatos quatro meses antes da Operação Furacão, e o filho, João Silvério, ainda mamava no peito, quando se viu obrigada a deixá-lo para ir a Brasília a fim de dar apoio a mim e ao seu marido, apoio este que só o advogado que é membro da família pode dar.

O meu neto João Silvério tem hoje quatro anos, tal qual meu outro neto João Pedro, tendo a minha neta Maria Luíza cinco aninhos de vida, sendo esse trio o meu suporte para aguentar o que me restara depois do furacão.

A companhia constante dos meus netos me foi proporcionada, contraditoriamente, pelo maldito furacão, pois estando afastado do Tribunal, tenho mais tempo para conviver com eles; e chego até a ter pena dos demais desembargadores que se perdem, diuturnamente, nas pilhas de processos e morrerão um dia sem saber o que é conviver com os netos e ter o aconchego da família.

A garra dos Carreira Alvim se revelou em toda a sua extensão pelas mãos de Luciana, que armada de coragem e destemor, jamais se curvou à opressão da força policial, com medo de "desagradar" a Polícia Federal.

Foi essa garra que permitiu à minha filha, quando a sua casa foi tomada pela Polícia Federal, a pegar o telefone, ligar para o seu pai, quando o delegado encarregado da diligência a ameaçou de prisão por desacato à autoridade, mas a sua coragem em face da força acabou se impondo como se fosse uma regra de direito natural.

Considero a minha filha, não apenas por ser minha filha, uma das mais legítimas representantes da classe dos advogados brasileiros, porque sabe defender como ninguém as prerrogativas da classe, coisa que nós, magistrados, não sabemos fazer, defendendo a nossa.

Luciana permaneceu na sede da Polícia Federal no Rio de Janeiro durante todo o tempo em que estive lá, enquanto lhe foi permitido, só se retirando quando o expediente foi encerrado.

Todos os familiares dos presos ficaram aglomerados numa porta que dava para um corredor que conduzia às salas onde estavam, tendo eu a lembrança de ter visto ali alguns advogados conhecidos, além da juíza Lana Regueira, mulher do desembargador Ricardo Regueira, e sua filha Carol, também advogada, ambas em busca de notícias do marido e pai.

Desde a prisão do marido, Luciana passou a viver num regime de prisão semiaberta invertida, pois ela passava boa parte do dia na prisão, na companhia do marido, e ia para casa à noite para cuidar do filho de apenas quatro meses e dormir com ele.

Não conheço nenhuma pessoa mais vocacionada para a tutela dos direitos humanos do que a advogada Luciana, porque fica indignada quando vê que a integridade física ou a moral das pessoas não está sendo respeitada:

"Quando o ser humano perde a capacidade de se indignar, é porque se transformou num vegetal".

Desembargador vencido pelo cansaço

Com fome e sede, mas vencido pelo cansaço, encostei-me numa cadeira na parede do corredor, perto da porta da sala onde estava, reclinei a cabeça e cochilei, creio que por aproximadamente uma hora.

O sono era muito, mas a sala onde eu estava dava para outra sala onde havia uma máquina de contar dinheiro, e os policiais estavam contando os milhões apreendidos pela Polícia Federal na casa de um dos envolvidos na Operação Hurricane, o que fez a festa da própria Polícia Federal e da mídia, com as imagens dos policiais quebrando parede para apreender o dinheiro.

O barulho das máquinas de contar dinheiro era tanto, que dificilmente alguém conseguiria dormir ali, podendo, estando como eu estava, muito cansado, no máximo cochilar.

Ao achar o dinheiro escondido na parede daquela casa, a parte jovem da Polícia Federal, que se aglomerava num corredor comprido que se seguia àquele onde eu estava, fez uma algazarra só, parecendo jogo de final de copa do mundo.

Não me esqueço da frase dita por um deles, em alta voz, assim que a televisão divulgou o achado: "Caramba, meu! Achamos milhões de reais! Já pensaram se tivéssemos achado uma merreca? Como a gente iria explicar o que fizemos à opinião pública?".

A jovem guarda da Polícia Federal sabia o que era "opinião pública", e que a aprovação das megaoperações policiais dependia do que pensava a seu respeito essa opinião pública.

Essa gritaria me convenceu também do quanto a Polícia Federal precisa amadurecer seus jovens policiais, que não revelam a maturidade suficiente para o cumprimento da sua missão constitucional.

Constatei então que a imaturidade não era um problema apenas da jovem Justiça brasileira, mas igualmente da jovem polícia judiciária federal, que padecia do mesmo mal, que somente se adquire pela vivência.

Embora não tivesse a certeza da hora em que partiríamos para Brasília, percebi que isso não aconteceria sem que todo aquele dinheiro fosse contado, pois este era o grande "troféu" da Polícia Federal, com o qual pretendia coroar a estrondosa Operação Furacão, e que acabou sendo mesmo, porque ilustrou todas as notícias divulgadas pela televisão sobre uma operação que era "sigilosa", mas que fez a festa da polícia e da imprensa por um longo tempo.

O encontro do dinheiro na casa de um bingueiro acabou sendo diuturnamente usado contra mim, pois não tendo a Polícia Federal encontrado as grandes quantias de dinheiro que pretendia achar na minha residência, nem na do meu genro, a mídia irresponsável, sempre que divulgava a minha imagem, mostrava logo em seguida as imagens das marteladas e o monte de dinheiro apreendido, sugerindo que esse dinheiro tinha algo a ver comigo; mas sabendo que na realidade não tinha.

CAPÍTULO 5

OS DESLOCAMENTOS DO FURACÃO

Hora de deixar a carceragem no Rio de Janeiro

Era perto das 4 horas da manhã do dia 14 de abril, quando tive a atenção despertada de que iríamos partir para Brasília, pois os policiais federais começaram a se movimentar muito rápido para nos conduzir até a Base Aérea do Galeão, onde seriam todos embarcados num avião Brasília, da Polícia Federal, com capacidade para uns cem passageiros.

Quando deixamos a carceragem da Polícia Federal no Rio de Janeiro, a imprensa ainda se aglomerava no portão para obter novas imagens do que considerava ser uma das maiores megaoperações realizadas no país, para combater o crime organizado; além, evidentemente, de muitos curiosos, que queriam ver os desembargadores e o procurador da República presos; como se isso fosse algo inédito, esquecidos de outras megaoperações do gênero — Águia, Sucuri, Garça, Lince, Albatroz e Pardal, dentre outras — que acabaram dando em nada, afora fazer a festa da Polícia Federal e da Rede Globo de Televisão que sempre comandou, na pessoa do repórter César Tralli, esses pirotécnicos espetáculos.

O aparato usado na condução dos presos era de longe superior ao usado na transferência de perigosos traficantes, porque uma megaoperação só se notabiliza se apresentada ao público com a grandiosidade que só a televisão sabe preparar.

Da carceragem da Polícia Federal no Rio de Janeiro até a Base Aérea do Galeão, fomos transportados num ônibus que nos aguardava no pátio, seguido de um aparato policial, passando a impressão de que o país estava em guerra.

Àquela hora, em que nem veículos circulavam na cidade, as sirenes da Polícia Federal quebravam *desnecessariamente* o silêncio da noite, anunciando que a sua megaoperação Hurricane estava a caminho de Brasília.

Nesse trajeto, o frio era tanto dentro do ônibus, que o desembargador Ricardo Regueira pediu ao agente policial que diminuísse a temperatura ambiente; mas, mesmo tendo sido atendido, a temperatura dentro do veículo era *insuportável*, pelo que tomei a iniciativa de lhe emprestar o meu paletó, já que eu estava vestido com camisa de manga comprida.

Lembro-me de duas ocorrências que marcaram esse nosso trajeto: uma agradável, que foi a de ter meu genro, pela primeira vez, sentado ao meu lado, o que me deixou particularmente feliz; e outra, desagradável, que foi o festival de força demonstrada pela Polícia Federal, fazendo-me sentir realmente como um marginal da justiça.

Gastamos cerca de uma hora da carceragem da Polícia Federal, no centro do Rio de Janeiro, até a velha Base Aérea do Galeão, onde seríamos embarcados para o nosso desterro involuntário, que duraria cerca de nove dias antes de retornarmos às nossas casas.

As megaoperações da Polícia Federal só são rápidas quando mostradas pela mídia, porque na realidade são muito demoradas, dominadas pela burocracia e pela desorganização; pois para sair da carceragem no Rio de Janeiro em direção a Brasília foi uma via-sacra, com uma *interminável* espera dentro da viatura coletiva que nos conduziria ao calvário.

Na chegada à Base Aérea do Galeão, a interminável espera se prolongou, pois ficamos um tempo enorme dentro da viatura à espera de que os bens apreendidos na operação, ou seja, os "troféus" da Polícia Federal, fossem acondicionados no interior da aeronave que nos transportaria a todos.

Antes de embarcarmos, fomos avisados pelos agentes federais de que quem quisesse ir ao banheiro o fizesse logo em terra, porque o avião não tinha toalete a bordo.

Revista pessoal constrangedora

Quando pensava que seríamos levados ao avião, fomos conduzidos a uma sala da Base Aérea do Galeão, onde os agentes federais nos submeteram a novos constrangimentos, totalmente injustificáveis em face das circunstâncias, submetendo-nos a uma nova "revista pessoal".

A mim me pareceu que toda a Polícia Federal queria nos revistar; pois, apesar de ter sido despido, quando do exame de corpo de delito, e ter ficado durante todo o tempo sob as vistas dos agentes federais, inclusive para *ir ao banheiro*, supunham os *revistadores* que talvez houvesse alguma coisa em nosso corpo que pudesse comprometer a segurança do voo.

Nessa ocasião, todas as ordens que dei como juiz a agentes federais para que cumprissem as minhas decisões, que na verdade nem eram minhas, mas do Poder Judiciário, que eu encarnava, fixando-lhes multa para evitar recalcitrância, voltaram-se contra mim nessa revista.

O agente federal que me revistou fez questão de fazê-lo com um rigor *desnecessário*, com o indisfarçável propósito de me mostrar que o seu poder, naquele momento, era maior do que a força das minhas decisões, como desembargador.

Lembro-me de que, no momento da revista, alertei o agente das prerrogativas do meu cargo de magistrado, e novamente ouvi dele a enigmática resposta: "*Isso é operacional, Excelência; nada tendo a ver com suas prerrogativas*".

Passada essa revista, fomos colocados numa fila indiana, a partir da porta do avião que nos conduziria a Brasília, momento em que observei que os agentes federais traziam uma espécie de correia, distribuindo-as a todos os "passageiros da agonia", tendo inclusive eu e o desembargador Ricardo Regueira, que estava à minha frente, sido agraciados com uma delas.

Em seguida, verifiquei que os agentes federais vinham colocando algemas nos passageiros, prendendo-os à correia posta na sua barriga.

Quando chegou a minha vez, a minha revolta saía pela boca, e não me constrangi em lembrar, mais uma vez, ao agente policial, que as prerrogativas do meu cargo impediam a colocação das algemas, a uma, porque eu não era ainda um condenado; e, a outra, porque não oferecia nenhum perigo para a segurança do voo.

De novo, ouvi do agente federal a famigerada frase: "*Isso é uma exigência operacional, Excelência; nada tendo a ver com as prerrogativas do seu cargo*"; e fomos todos nós, assim algemados, postos dentro do avião.

A curiosidade que me assaltou naquele momento era saber se quando o ministro Cezar Peluso decretara a minha prisão temporária ele sabia da existência dessas exigências "operacionais", que se chocam com as prerrogativas do magistrado, indo desde ser despido para exame até a colocação de algemas, com uma prévia e constrangedora revista pessoal.

Partida para a carceragem de Brasília

Devidamente algemados e amarrados por uma correia ao próprio corpo, como naqueles filmes da idade de Cristo, que fazia lembrar, também, as filas indianas dos campos de concentração nazistas, começamos a ser postos um a um no avião com destino a Brasília, nada confortável para nós, mas prazeroso para a Polícia Federal, na condução dos seus "troféus".

Fui colocado numa das poltronas localizadas logo na frente, perto da janela, e poucos minutos depois de me sentar, percebi que em cima da minha cabeça havia uma goteira pingando intermitentemente, proveniente do ar-condicionado da aeronave.

Como eu estava com as mãos algemadas, sem poder levantar o braço, porque as algemas estavam presas à correia amarrada à minha cintura, chamei um dos agentes federais, mostrando-lhe que eu estava sendo vítima de uma tortura especial, que era a goteira em cima da minha cabeça.

Esse agente federal não se mostrou preocupado, limitando-se a dizer-me que aquela goteira cessaria assim que o avião decolasse; mas acontece que o avião decolou, a goteira não parou de pingar e vi-me na contingência de ter de desviar a cabeça dela, deixando-a cair sobre os meus ombros, tornando aquela tortura pelo menos suportável; e foi assim que adormeci, pois já passava das 4 horas da manhã do dia 14 de abril. Na verdade, nem adormeci, mas cochilei, porque era impossível adormecer naquela situação.

Eram aproximadamente 5h30m quando chegamos à capital da República, entrando o avião em procedimento de descida; quando olhei para fora e vi Brasília, pela primeira vez numa situação constrangedora, preso e algemado, lembrando-me das inúmeras vezes em que estivera ali como juiz e professor, livre para proferir palestras para ministros dos tribunais superiores, inclusive para ministros do Supremo Tribunal Federal.

Assim que o avião aterrissou, amargamos de novo uma longa espera, até que fôssemos desembarcados; e foi tanta, que simplesmente não me lembro do que aconteceu dali até a chegada à sede da Polícia Federal em Brasília, lembrando-me apenas de que já era dia claro e fazia muito calor.

Chegada ao purgatório

Em Brasília, o meu transporte do Aeroporto Internacional até a sede da Polícia Federal, pelo que me lembro, foi feito num automóvel da própria polícia, pois ainda tenho na mente a figura de dois *rambos estilizados*, armados até os dentes, empunhando pesadas metralhadoras, um na parte da frente do veículo, ao lado do motorista, e outro ao meu lado, na parte de trás, o que me fez sentir, de novo, um criminoso de altíssima periculosidade.

Como no Rio de Janeiro o transporte fora feito num ônibus, penso que em Brasília fora numa viatura menor, se bem que o meu cansaço pode ter embotado o meu raciocínio, porque a embriaguez pelo cansaço é a pior espécie de embriaguez que existe; mais do que a embriaguez pelo álcool.

Na chegada à carceragem da Polícia Federal em Brasília, juntamente com os demais presos, fui posicionado perto de uma porta que sugeria conduzir às celas prisionais propriamente ditas, e onde havia um banco comprido que dava apenas para alguns dos presos se sentarem.

Quando chegou a minha vez de entrar, fui conduzido a uma pequenina sala, onde se encontrava um agente federal, que, de novo, me mandou despir.

Confesso que fiquei estupefato com essa ordem, porque no dia anterior eu já havia sido despido pela mesma Polícia Federal no Rio de Janeiro; apalpado na Base Aérea do Galeão, e tirar a roupa de novo na presença de policiais me parecia uma aberração.

Como acontecera anteriormente, ponderei ao agente federal que eu já havia sido despido uma vez no Rio de Janeiro, pela própria Polícia Federal, e que estava tudo em ordem comigo, além do que eu era um magistrado, cujo cargo tinha certas prerrogativas; mas também ali recebi a mesma resposta de antes: "*Isto é operacional, Excelência; nada tem a ver com as suas prerrogativas*".

Essa resposta me deu a certeza de que a Polícia Federal, em qualquer parte do país, falava uma mesma linguagem, extraída por certo de algum manual que tinha a eficácia de neutralizar qualquer garantia constitucional do cidadão, mesmo que fosse um magistrado; e tinha sido ensinada aos agentes para recitá-la sempre que fosse necessário. E voltou à minha memória aquela passagem de Saint-Exupéry: "É o regulamento".

Eu estava sendo instado a despir-me pela segunda vez em menos de vinte e quatro horas, e nessa ocasião, do mesmo modo que acontecera antes, nem as meias foram poupadas, porque os agentes federais queriam me ver completamente nu. Particularmente, penso que existe este desejo *mórbido* de ver um desembargador pelado.

Feita a revista de praxe, o policial me mandou vestir apenas a calça e a camisa, pois o paletó e a gravata deveriam ser postos numa sacola marrom, dessas que se usa em lojas de departamento, bem assim, os cadarços dos meus sapatos, que ficariam retidos até a minha soltura.

Não entendi a razão daquela ordem, mas a essa altura o cansaço me impedia de buscar explicações mesmo para o inexplicável, além do que "contra a força não há argumento".

Antes de ser conduzido à cela que me caberia, ponderei ao agente federal que tinha que tomar alguns remédios, em virtude de um problema neurológico que me acometera, tendo ele me dito que os remédios me seriam repassados de conformidade com a receita médica.

Como eu não tinha a receita médica, ponderei ao policial que os meus remédios eram tomados duas vezes ao dia, geralmente pela manhã e à noite, advertência que ele ouviu, mas não disse mais nada.

Prisão nada "especial"

Superado o constrangimento do segundo *despimento*, fui então conduzido à cela, passando por um portão de ferro que conduzia também ao parlatório, ao qual se seguia um segundo portão e, por fim, um corredor comprido, onde se localizavam sete celas.

Para quem não sabe, o parlatório é o lugar onde o preso fica separado do seu visitante ou advogado por um vidro, sendo a conversa possível por meio de uma espécie de interfone.

Não me recordo a hora exata em que cheguei ali, devido ao cansaço da viagem e dos procedimentos excessivamente burocráticos da chegada.

Ao ser conduzido à cela dois, logo no início de um longo corredor, confesso que pensei que estava sonhando, pois supunha que um magistrado tivesse direito no mínimo a uma prisão especial, como tinha visto em inúmeras oportunidades políticos serem presos e recolhidos a salas do Alto-Comando das Forças Armadas.

A prisão especial é uma modalidade de prisão para pessoas que, pela relevância do cargo, não são recolhidas a uma cela comum; tendo direito a essa prisão todos os diplomados em curso superior e, evidentemente, magistrados e procuradores da República.

Devo reconhecer que naquelas circunstâncias aquela cela era realmente muito especial, não porque se distinguisse em conforto das celas comuns, mas porque a maioria dos presos ali era especial pela sua alma, pelo seu caráter e pela sua dignidade, qualidades que, infelizmente, não pude identificar em muitos "juízes" com os quais convivi ao longo de minha vida.

A cela dois, onde fôramos "custodiados", lembrava uma daquelas frequentemente vistas em filmes policiais: tinha uma mesa e um banco de concreto, duas camas de cimento, em que cabiam *hóspedes*, dependendo do seu tamanho; tudo num espaço de aproximadamente trinta metros quadrados, inclusive com aquele "buraquinho" por onde passam os alimentos servidos em quentinhas, se é que se pode chamar de alimento aquilo que nos era servido diariamente.

Nossa cela tinha ainda um banheiro, que era quase do tamanho da própria cela, com um vaso sanitário, uma pia e um chuveiro, o que era realmente um "conforto", porque nas demais nem havia um vaso sanitário mas um buraco, onde eram satisfeitas as necessidades fisiológicas.

Ainda não me havia restabelecido do *susto* de chegar ali, quando verifiquei que na cela já havia dois outros presos, sendo um o procurador da República João Sérgio, que eu já conhecia, porque atuamos juntos no mesmo Tribunal, e outro um desconhecido, que vim logo a saber ser Júlio César Guimarães, um empresário do jogo em Petrópolis e também advogado, com direito igualmente à "cela especial".

Pouco depois, chegou o desembargador Ricardo Regueira, em seguida, o juiz Ernesto Dória e, por último, o delegado federal Carlos Pereira, quando ficamos sabendo, então, que seríamos seis os *detidos* da cela dois, até que o ministro Cezar Peluso decidisse pela nossa soltura.

Companheirismo na cela

A cela dois era excessivamente pequena para comportar seis *presos*; como não tínhamos escolha, cuidamos, desde o início, de absorver o natural desconforto do pouco espaço; e devido à qualidade dos hóspedes, ninguém reclamou, apesar de algum incômodo, como os naturais roncos de pessoas da minha idade.

Eu, particularmente, nem sei se roncava, mesmo porque, quando se dorme não se ouve o próprio ronco; mas provavelmente devo ter roncado.

Como as condições da cela três, onde estava Silvério Júnior, não eram das melhores, pois não contava sequer com um vaso sanitário compatível com a dignidade do ser humano, animei-me a perguntar aos meus companheiros de cela se eles concordavam em que ele ficasse na nossa cela durante o dia, retornando à sua apenas para dormir.

A concordância foi unânime, e desde o primeiro dia, em vez de seis custodiados, a cela dois tinha sete, incluindo o meu genro como um agregado diurno.

Mas não bastava a concordância dos *custodiados* da cela dois para que meu genro passasse o dia na nossa companhia, porque, para tanto, era preciso que o carcereiro concordasse, pois do contrário ele não poderia passar de uma cela para outra, e já sabíamos que nem todos os carcereiros tinham o mesmo perfil nem eram sensíveis às nossas pretensões.

Aceito o meu pedido pelos companheiros de cela, chamei o agente de plantão do sábado e lhe disse que eu tinha problema de pressão alta, o que era verdade, e que o meu genro, que estava na cela três, percebia como ninguém o momento em que era preciso aferir a minha pressão, razão pela qual gostaria que ele passasse o dia conosco, na nossa cela, retornando à sua ao anoitecer. O agente federal foi muito compreensivo, aquiesceu ao meu pedido e em poucos minutos meu genro estava integrado ao grupo.

A presença de Júnior entre nós era para mim de fundamental importância, para que eu mantivesse a minha autoestima em nível suportável; se é que naquelas circunstâncias fosse possível ainda manter alguma autoestima.

O Júnior tornou-se a partir daquele momento o meu *anjo da guarda*, zelando para que a minha pressão comportasse bem, ainda que à custa de medicamento, não me deixando esquecer de que devia também tomar regularmente os meus remédios para manter comportada a neuropatia que me acompanha.

Confesso que quando sentia que a minha resistência estava "minando", uma conversa com Júnior era o bastante para me sentir fortalecido, pois estávamos no olho de um mesmo furacão, onde é preciso muita energia para não sucumbir à tempestade antes de ser inocentado.

Banheiro nada privado

A primeira notícia que recebemos dos parceiros de cela, que lá chegaram antes de nós, não foi das mais animadoras, pois nos disseram que a privada não poderia ser usada porque estava *entupida*, e desde o dia anterior estavam pedindo aos carcereiros para desentupi-la, sem que nenhuma providência tivesse sido tomada nesse sentido.

O fato não me preocupou de imediato, mesmo porque eu já havia feito as minhas necessidades fisiológicas do dia quando ainda estava no Rio de Janeiro, mas o entupimento mexeu com minha estrutura física, porque sabia que a qualquer momento o meu intestino, que também é humano, reclamaria uma descarga de emergência; isso, sem falar na bexiga, se bem que esta numa emergência como aquela poderia ser esvaziada até mesmo no ralo do banheiro, como realmente acabou sendo.

Coube ao desembargador Ricardo Regueira a iniciativa de buscar uma solução para o entupimento.

Sempre muito gentil com o carcereiro que atendia às diversas celas, o que naquelas circunstâncias era fundamental, o desembargador Ricardo Regueira o chamou e pediu-lhe providências para que fosse desentupido o vaso sanitário, em homenagem às necessidades fisiológicas do grupo.

O carcereiro, gentil da mesma forma, prometeu que o problema seria solucionado o mais rapidamente possível; e realmente foi, porque quando precisei usar o vaso, ele já estava desentupido e a descarga, funcionando.

O fato de termos encontrado a privada entupida e a maratona para desentupi-la despertou num dos companheiros uma sugestão, que, posta em votação, foi aprovada por unanimidade, de modo que, a partir de então, todo aquele que usasse o vaso sanitário para necessidades fisiológicas anais deveria aproveitar o embalo e ir direto para o chuveiro. Em outros termos, isto significava que a partir daquela decisão colegiada e unânime estava abolido o uso do papel higiênico, para evitar que a privada e a cela fossem infestadas de mosquitos.

Um banho de chuveiro na cela dois era uma exposição explícita de privacidade, pois ao se banhar o banhista se expunha literalmente pela frente e pelos fundos aos olhares dos demais companheiros de catástrofe, bastando olhar para o lado onde deveria estar uma porta.

Foto exposta na cela onde ficou preso o desembargador Carreira Alvim

Logo no meu primeiro banho, tive a atenção despertada para inúmeras fotos de mulheres peladas mostrando apenas as suas partes íntimas, estrategicamente pregadas na parede do banheiro, do lado esquerdo do chuveiro, a sugerir que ali era o lugar adequado onde os presos que nos antecederam *aliviavam* a sua tensão sexual; se bem que, naquelas circunstâncias, fosse difícil imaginar que alguém pudesse pensar no que as fotos estavam a sugerir.

Durante os nove dias em que permanecemos presos, nenhum servidor da Polícia Federal apareceu na cela para fazer a faxina de praxe, sendo a limpeza feita pelos próprios *custodiados*.

Particularmente, não cheguei a fazer limpeza, porque a *"falta do que fazer"* era tanta, que havia sempre um excesso de voluntários querendo fazer isso, mesmo quando se podia contar apenas com o auxílio de uma velha vassoura e um pedaço de pano de chão.

Pelo que me recordo, o desembargador Ricardo Regueira, o meu genro advogado Silvério Júnior e o procurador da República João Sérgio desempenharam bem e diuturnamente essa tarefa.

Posteriormente, o meu genro, que habitava oficialmente a cela do lado, mas oficiosamente passava o dia na cela dois, tornou-se, por vontade própria, o lavador oficial do banheiro, para que os desembargadores não tivessem que fazer isso.

A "privada" da cela dois era em si mesma uma *contradição no seu próprio termo*, pois a privacidade ali era zero, em razão da falta de porta, substituída mais tarde por uma velha toalha deixada por um dos presos que nos antecederam. Mas se comparada às privadas das demais celas, a da cela dois era "um luxo", pois o que lá havia era uma privada turca, daquelas que o usuário, para descarregar o intestino, tinha de fazê-lo de pé; ou no máximo meio que agachado, e o chuveiro é que servia de descarga.

Isso na carceragem da Polícia Federal, em pleno coração da capital da República, a poucos quilômetros do Palácio do Planalto e do Supremo Tribunal Federal, o que me pôs a pensar como seriam as condições de higiene nas demais carceragens espalhadas pelo interior deste país.

Aliás, o Brasil é realmente um *país de contrastes*, e isso eu mesmo tive a oportunidade de constatar. Certa feita, fui à carceragem da Polinter no Rio de Janeiro, onde fui muito bem recebido, mas constatei que os presos que lá estavam recolhidos viviam em condições subumanas, não permitidas nem para animais irracionais. O tempo passou, e tive vontade de ter aves exóticas na minha casa de Itaipava, então procurei saber as condições exigidas pelo Instituto Brasileiro do Meio Ambiente (IBAMA) para que eu pudesse satisfazer esse meu gosto. As condições exigidas para um viveiro para abrigar uma arara, papagaio ou tucano eram tão absurdas, que desisti do meu propósito de ter uma dessas aves em meu poder. A partir daí, constatei que no Brasil os homens que infringem a lei vivem como bichos, mas os bichos vivem melhor do que muito ser humano.

Problema de espaço na cela

A cela dois tinha uns trinta e poucos metros quadrados, se tanto, e estava longe de oferecer condições para dormir seis custodiados.

Como as camas de cimento eram apenas duas, havendo somente mais um colchão encostado numa das paredes, todos percebemos de imediato a necessidade de medidas urgentes na requisição de mais três colchões, antes que escurecesse, pois do contrário dormiriam dois na mesma cama.

Novamente, o desembargador Ricardo Regueira se incumbiu de pedir providências a respeito, mas quando a solicitação foi atendida, vieram faltando lençóis, travesseiros, fronhas e cobertor, o que nos fez correr de novo atrás do prejuízo que deveria ser providenciado pelos delegados que comandavam a operação.

Assim que cheguei, passei a utilizar a cama de alvenaria mais baixa, onde antes estava o procurador da República João Sérgio, que passou a utilizar a cama de cima, dando-me a preferência por ser eu mais idoso, sem condições de subir na cama de cima.

Como as camas de cimento já tinham seus colchões, apesar de velhos, bastante gastos e malcheirosos, eu e o procurador João Sérgio acabamos herdando-os dos presos que nos antecederam e que foram removidos para outro local para que pudesse a Polícia Federal nos alojar ali.

Antes do anoitecer, minha filha Luciana, que já estava em Brasília, fez chegar às minhas mãos um travesseiro, uma fronha, uma colcha e um forrador de colchões, com os quais me virei nos nove dias que se seguiram ao meu encarceramento, que a Justiça prefere apelidar de "custódia".

O tempo ajudou, porque Brasília é normalmente quente durante todo o ano e ninguém precisou de cobertores, mesmo porque se precisasse a única alternativa possível, que ninguém teria coragem de pôr em prática, seria cobrir-se com dois cobertores sujos colocados debaixo da mesa de concreto e que cheiravam a estrume.

Nenhuma das celas, nem a cela dois que representava a "prisão especial", tinha ventilador, pois havia apenas um ventilador no corredor comprido, servindo para aliviar o calor em cada *duas celas*, portanto nada mais do que quatro ventiladores no corredor inteiro.

Relógio havia também apenas um no corredor comprido para atender a *cada duas celas*.

Se um ventilador para cada cela fazia falta, o mesmo não se podia dizer do relógio, a não ser para quem quisesse acompanhar o passar das horas.

Para quem está preso, sem ter o que fazer, o tempo não passa nunca, com relógio ou sem ele.

O *tempo* é deveras contraditório, porque quando a gente quer que ele passe, ele não passa; mas quando a gente quer que ele não passe, ele voa. Sobretudo numa cela como a dois, o tempo andava a passos de tartaruga.

Assim também é a Justiça, pois quando se quer que seja rápida, ela é lerda; e quando se quer que seja lenta, ela é rápida.

Havia também uma única televisão para cada *duas celas*, num total de três ou quatro, o que permitiu a quem tinha estômago para isso assistir ao *show* pirotécnico feito pela Rede Globo de Televisão, burilando os vazamentos que lhe eram feitos pela Polícia Federal; apesar de a operação ter sido batizada como "sigilosa".

Por falar em lentidão da Justiça, em 13 de abril de 2011 fez *quatro anos* do desencadeamento da Operação Furacão, e até hoje o único passo que o Supremo Tribunal Federal deu no processo foi receber a denúncia contra mim, porque no mais o processo está literalmente parado.

Como magistrado e professor de Direito, vejo com ceticismo o Supremo Tribunal Federal, representado por seus ministros, falar em Justiça rápida, porque ele próprio não dá o exemplo.

Carcereiros

Permanecemos na carceragem da Polícia Federal em Brasília durante exatos nove dias, mas não consegui saber quem era a primeira autoridade na hierarquia daquela instituição, e nem se estava ali, porque *não deu o ar da graça*; tendo-lhe feito as vezes o número dois na hierarquia funcional, chamado Gioia, que algumas vezes esteve na nossa cela, pelo lado de fora, é claro.

Logo na chegada, fomos informados pelos *custodiados* mais antigos, procurador João Sérgio e empresário Júlio César, que não deveríamos chamar os carcereiros de "carcereiros", porque eles não gostavam, e o tratamento que nos davam poderia ser sacrificado.

A palavra mágica para despertar a simpatia dos carcereiros era "agente", o que me sugeriu um *agente da carceragem*, no que não estava totalmente errado; e assim passou a ser.

No dia a dia pude perceber que a observação era exata, pois quando alguém chamava o carcereiro do dia de "agente", ele atendia com um largo sorriso nos lábios, se bem que nem todos fossem dados a sorrisos.

Os agentes carcerários que atendiam às sete celas onde estavam os presos da Operação Furacão tinham um perfil variado.

No dia em que chegamos, um sábado, estava de plantão um agente muito *gente boa*, que massageou o nosso ego com as suas palavras de conforto, fazendo-nos supor ser ele um profeta.

Para quem está preso na carceragem, ouvir de um carcereiro coisas do tipo: "Não se preocupem, porque daqui a quatro ou cinco dias vocês estarão indo para casa; sempre foi assim", soava para nós como um colírio para a nossa alma.

Essa previsão, no entanto, não se confirmou, mas naquele momento era tudo o que todos queríamos ouvir, por nos ajudar a suportar aquele fatídico final de semana.

Naquele sábado, fomos informados por esse agente de plantão que no dia seguinte ele seria "rendido" — o que na linguagem da prisão significa "substituído" —, mas que o seu substituto não era tão liberal quanto ele; observação que soou no sentido oposto à anterior, pois na condição de presos, precisávamos da gentileza dos carcereiros, buscando e levando de uma cela para outra aquilo que sobrava a uns, mas faltava a outros.

Os objetos mais procurados numa cela para quem fuma eram cigarros e fósforos; e pelo que me lembro, à exceção do desembargador Ricardo Regueira, que fumava charutos, e do meu genro, que na época fumava cigarros, nenhum dos demais custodiados fumava.

Apesar da observação do agente de plantão, o carcereiro do domingo não se revelou tão durão quanto se supunha, pois embora fosse um domingo — circunstância por si só suficiente para mexer com o humor de qualquer servidor público em serviço —, todos os pedidos feitos por nós foram atendidos, embora nem sempre com a presteza necessária.

Na carceragem trabalhava uma detenta chamada Myra, mãe de dois filhos, que estava presa sem culpa formada, mas não liberada porque segundo ela a Polícia Federal precisava dos seus serviços, pelos quais ela não recebia nada. O crime por ela praticado foi o fato de ter sido pega na rodoviária passando menos de mil reais falsos.

Todos os demais agentes que se encarregaram da nossa *segurança* se mostraram adequados ao exercício daquela função, exceto um que se mostrou *intransigente* em excesso, quando lhe pedi para permitir a estada do meu genro durante o dia na cela dois, em razão do meu estado de saúde, e ele disse que não permitiria.

Nesse momento, disse-lhe mais ou menos o seguinte, chamando-o de "agente", embora fosse realmente um típico carcereiro: "Agente! Você não vai atender ao meu pedido, mas fique ciente de que, a partir de hoje, não permitirei mais que ninguém afira minha pressão; não tomarei mais remédio algum; não comerei e nem beberei nada; de modo que a minha eventual morte será da sua inteira responsabilidade".

Na verdade, ficar sem comer na prisão não era para mim sacrifício algum, porque as refeições que nos eram servidas não eram comidas, quando muito, engolidas; mas fato é que o meu protesto produziu efeito, pois transcorrido o tempo necessário para não parecer que esse agente tinha cedido à pressão, meu genro estava de novo na cela dois, onde permanecia até o momento de ir dormir na sua cela.

Isso me fez lembrar da advertência que faço sempre aos meus alunos da Faculdade Nacional de Direito, de que a Justiça, muitas vezes, só funciona no tranco; mas pude constatar que também a Polícia Federal às vezes precisa de um tranco para funcionar.

CAPÍTULO 6

NO OLHO
DO FURACÃO

Execrável julgamento pela mídia

O aparelho de televisão, na carceragem da Polícia Federal em Brasília, era colocado estrategicamente no corredor que dava para as celas, sendo um aparelho para cada duas celas; mas não permanecia ligado o tempo todo, por uma questão de economia, o mesmo acontecendo com a única lâmpada localizada no teto de cada cela, que tinha hora para ser ligada e desligada.

Por essa razão, todos os *custodiados* da carceragem, assim que chegaram, puderam assistir aos noticiários da televisão sobre a Operação Furacão, e assim que a televisão foi ligada, assistimos da cela ao mais flagrante exemplo de violação dos direitos constitucionais de cidadãos brasileiros, que foram simplesmente desconsiderados pela Polícia Federal, pelo Ministério Público e até pelo Supremo Tribunal Federal.

Mesmo assim, não sei por que motivo os agentes federais passaram, a certa altura do nosso encarceramento, a manter desligada a televisão na hora do Jornal Nacional, da Rede Globo, ligando-a apenas por ocasião da novela das oito, pelo que só vim a saber que havia gravações de conversas minhas com meu genro quando isso me foi dito pelo meu irmão, quando me visitou na carceragem.

Como a Operação Furacão havia sido autorizada em caráter "sigiloso", o que estava realmente carimbado nos autos do inquérito e em todas as peças subscritas pelo ministro Cezar Peluso, inclusive no mandado de busca e apreensão e de prisão temporária, aquilo que eu assistira desde a manhã do dia da minha prisão era uma demonstração de como os poderes envolvidos nessa operação, a Polícia Federal, o Ministério Público e o Poder Judiciário não demonstravam a menor preocupação em cumprir ou fazer cumprir a lei e a Constituição; e ao que assisti foi uma execração pública antecipada por meio da imprensa, antes mesmo que tivessem os objetos apreendidos sido verificados pelos policiais federais.

Quem queria assistir à execração pública a que era exposto diuturnamente pela mídia tinha que se acotovelar na pequena porta de ferro da cela dois que dava para o corredor; e até lamentei não ter ali, naquela hora, um telefone celular para me fotografar com os dois braços enfiados nos buracos da grade, como tinha visto tantas vezes nos filmes policiais.

Para quem, como eu, assistia sempre aos noticiários acomodado numa poltrona no gabinete do Tribunal ou na minha casa, assisti-los pela grade da porta de uma cela da carceragem foi uma experiência que não desejo para nenhum dos ministros do Supremo Tribunal Federal.

As operações realizadas pela Polícia Federal com a cumplicidade do Ministério Público não apenas os projetam na opinião pública, projetando também o Poder Judiciário, porque a todo instante é divulgado terem elas sido realizadas *com autorização judicial*; e para quem precisa de um viés de credibilidade perante a opinião pública, como a Justiça, que não vem cumprindo o seu dever, estas divulgações são *um prato cheio*.

As notícias irresponsável e ilegalmente divulgadas pela mídia não tinham o menor fundamento, porque amparadas numa "versão" que a Polícia Federal "imaginara", o chefe do Ministério Público Federal aceitara, e o ministro Cezar Peluso, do Supremo Tribunal Federal, acreditara; desde que assumiu as funções de ministro supervisor dos grampeamentos que acabaram formando os ventos do furacão.

A imprensa extraiu dessa operação todas as vantagens que poderia, para vender mais jornais e manter elevados os seus índices de audiência; tendo especialmente a Rede Globo liderado essa corrida pelas divulgações, noticiando intermitentemente e repetidamente os mesmos fatos todos os dias em todas as horas.

Eu estava estarrecido, porque os fatos noticiados pela televisão nada tinham a ver com a verdade verdadeira, pois falava em "venda de decisões" pelas quais eu teria recebido certa quantia em dinheiro, quando essas decisões mais não foram do que fruto do meu próprio *convencimento pessoal*, como juiz; convencimento esse que era conhecido de todos os advogados que atuam na Justiça Federal do Rio de Janeiro e até dos desembargadores do Tribunal, que nunca viram com bons olhos as minhas decisões concedidas em liminar, mormente quando eram contra o Poder Público.

A imprensa, com base numa gravação adrede "montada" pela Polícia Federal, colocava-me como integrante de uma quadrilha formada para permitir o funcionamento de casas de bingo e máquinas caça-níqueis no Rio de Janeiro e Espírito Santo; mas nada disso era verdade, porque eu nunca dera decisão alguma para funcionamento de casas de bingo, tendo decidido apenas e com base em precedente do próprio Tribunal sobre *a restituição de máquinas caça-níqueis* ilegalmente apreendidas pela Polícia Federal, em casas de bingo que funcionavam com autorização judicial dada por diversos desembargadores do Tribunal; apreensões estas que tinham como fundamento conterem as máquinas componentes contrabandeados. Portanto, o caso não era de ilegalidade de jogo, mas de importação de equipamento, ao fundamento de que estaria havendo contrabando de peças.

Na verdade, eu era réu num verdadeiro tribunal de exceção, que é um tribunal contrário à Constituição, em que a mídia me acusava e condenava sem me dar a menor chance de defesa, passando por cima da Constituição e das leis, atropelando o princípio da ampla defesa e da presunção de inocência, que perdiam assim toda importância, porque acima estava um sensacionalismo gerado por iniciativa de órgãos públicos que deveriam zelar pela segurança dos direitos das pessoas, independentemente de ser magistrado ou não.

A imprensa é tão mentirosa, que me lembro de que em certa ocasião, tendo a Rede Globo divulgado uma notícia envolvendo o meu nome, os repórteres tiveram o descaramento de dizer no ar que haviam tentado um contato comigo por telefone, mas que eu não havia respondido ao telefonema; mas eu estava em casa o tempo todo, e tais telefonemas simplesmente não foram dados. Tudo isso é feito para valorizar a sua notícia, que é falsa, e desacreditar quem é o alvo da notícia, apesar de ter a verdade ao seu lado.

Intimações penais pela televisão

Eu, como magistrado e também professor de Direito Processual Civil, sei que a intimação no processo é um ato formal, pelo qual se dá conhecimento de algo aos demandantes, pelo que fiquei perplexo quando constatei que no inquérito em curso no Supremo Tribunal Federal as intimações eram feitas pela mídia, pois somente depois que as decisões proferidas pelo ministro Cezar Peluso eram divulgadas pela televisão e pelos jornais *on-line*, os advogados tomavam efetivamente conhecimento delas.

Isso não obstante todos os escritórios de advocacia encarregados da defesa dos presos estarem de plantão na porta do gabinete do ministro Cezar Peluso, o que demonstra que as intimações saíam preferencialmente por outros meios que não aqueles previstos pela lei.

Eu cobrava insistentemente do meu advogado tanto uma decisão do ministro que me restituísse a liberdade, como, sobretudo, que evitasse as constantes execrações públicas a que eu vinha sendo exposto pela mídia, ao que ele me respondeu ter peticionado inúmeras vezes ao ministro nesse sentido, mas sem qualquer resposta nem positiva nem negativa.

Estando ainda eu na carceragem da Polícia Federal em Brasília, chegou ao meu conhecimento que o ministro Cezar Peluso recomendara aos seus assessores que todas as petições sobre o furacão, e eram inúmeras, fossem encaminhadas diretamente a ele; mas como o ministro era apenas um e inúmeras as petições, a consequência era que as petições entravam, mas as decisões não saíam.

Estávamos todos preocupados em saber se a prisão temporária seria ou não prorrogada, pois o procurador-geral da República, Antônio

Fernando de Souza, teria o maior interesse na sua prorrogação, como forma de manter acesa a chama do "escândalo" do qual era um dos principais personagens; mas o que queríamos saber era se o ministro estaria disposto a prorrogá-la ou não, mas isso não conseguimos saber.

Quem tem pouco trato com o processo penal, e sobretudo com a finalidade da prisão temporária, sabe que não havia fundamento algum para a prorrogação da prisão, porquanto tudo aquilo a que ela objetivava estava esgotado, pois as buscas e apreensões tinham se exaurido e nada mais havia a apreender, restando apenas o trabalho da Polícia Federal, de conferir tudo o que havia apreendido; o que ela não se mostrava muito disposta a fazer com a mesma rapidez com que fizera a nossa prisão.

Apesar da insistência do meu advogado, e provavelmente de todos os que atuavam na defesa dos demais presos, ninguém conseguiu tomar o pulso no gabinete do ministro Cezar Peluso sobre esse assunto; e já estávamos no quinto dia da prisão temporária, uma terça-feira, e se não houvesse prorrogação estaríamos livres no dia seguinte, uma quarta-feira.

No entanto, antes mesmo de ultimado o prazo da prisão temporária, a mídia, com a Rede Globo na *dianteira*, noticiava que a prorrogação da nossa prisão temporária havia sido pedida pelo procurador-geral da República, Antônio Fernando de Souza, e deferida pelo ministro Cezar Peluso, o que para mim não constituiu nenhuma novidade, pois essa vinha sendo a forma usual de intimação, e continuou sendo, porque somente depois que a televisão nos intimou da decisão os advogados foram também intimados dela.

A partir daí, ficamos sabendo que continuaríamos *custodiados* na carceragem da Polícia Federal de Brasília por mais cinco dias, previsão esta que não se confirmou, porque acabamos saindo antes, ao cabo de nove dias da nossa prisão, menos um apenas do fim da prorrogação.

Banhos de sol na carceragem

No dia em que chegamos à carceragem em Brasília, o tempo estava, literalmente, fechado; e nem poderia ser de outra forma, mesmo porque nenhum furacão surge num *céu de brigadeiro*, que é aquele céu sem nuvens, com excelentes condições para voar.

Alguém na cela fez um comentário de que provavelmente no dia seguinte não teríamos o "banho de sol"; e como eu estava debutando como preso, não me liguei no que fosse o *banho de sol*; e nem estava disposto a sair da cela com essa finalidade.

No dia em que o carcereiro noticiou que haveria banho de sol, deixou os custodiados eufóricos, não pelo sol em si, porque uma hora de sol não faz muita diferença na vida de ninguém, mas pelo prazer de sair da cela e dar umas *passeadinhas* lá fora, sentindo um pouco o gosto da liberdade repentina e desnecessariamente perdida.

Pensamos que sairíamos todos numa fila indiana, mas o agente federal determinou que cada um saísse isoladamente, caminhasse até o final do corredor que dava saída para um pequeno pátio, onde haveria o banho de sol; e só depois que o primeiro custodiado chegava ao pátio, saía o segundo, depois o terceiro, o quarto etc., burocratizando uma saída que poderia ser conjunta.

Não consegui entender o porquê desse procedimento, a não ser o prazer do carcereiro em dar ordens a autoridades para se ver obedecido, prazer que era mórbido, mas não deixava de ser para ele um prazer.

Ao chegar ao pátio para o banho de sol, deparei-me com alguns presos de outra cela a quem jamais vira pessoalmente, identificando-os por conhecê-los pela mídia, a exemplo de Anísio Abraão David, o Turcão, o Capitão Guimarães e alguns outros, que eram um policial civil, o presidente da Associação de Bingos e dois advogados, um dos quais o Sérgio Luzio, que a Polícia Federal e o Ministério Público disseram ter conversado comigo no gabinete, comprando decisão sobre liberação de máquinas caça-níqueis, mas com quem eu nunca estivera e estava conhecendo naquele exato momento.

No pátio, exceto o desembargador Ricardo Regueira, que ficava literalmente de cócoras, ninguém ficava parado, caminhando em círculo para ativar os músculos, coisa que eu vira apenas nos filmes que retratavam os campos de concentração.

Enquanto um grupo caminhava para a esquerda, o outro caminhava para a direita; enquanto eu, particularmente, caminhava ora para a esquerda, ora para a direita, conversava com os que davam atenção, para intuir por que estavam realmente presos.

É claro que eu não iria perguntar aos integrantes da alta cúpula do jogo do bicho o motivo da sua prisão, o que seria uma demonstração de insensatez, embora eu tivesse ficado surpreso ao encontrá-los ainda na carceragem da Polícia Federal no Rio de Janeiro; mesmo porque eu nunca soube que bicheiros fossem donos de casas de bingo e de máquinas eletrônicas programadas.

O que pude concluir da conversa que tive com muitos desses presos é que a maioria deles não tinha uma relação estável uns com os outros que os pudesse qualificar como "quadrilheiros", pelo que se aquilo era uma "quadrilha" os que montaram a Operação Furacão não entendiam nada do assunto, ou então esta era a mais *desorganizada* quadrilha que existia.

Terminado o banho de sol, o procedimento burocrático do retorno foi exatamente o mesmo, saindo um de cada vez e apenas quando ele entrava na cela, saía o segundo, o terceiro, o quarto e assim sucessivamente, até que todos estivessem de novo encarcerados.

Tomamos mais dois ou três banhos de sol na carceragem, mas nada de excepcional aconteceu que minha memória tivesse registrado.

Nesse ritual, que me fazia lembrar dos campos de concentração nazistas, não existe diferença entre desembargadores, bicheiros, donos de bingos ou representantes de associações, pois a todos foi dado o mesmíssimo tratamento; mas pelo menos sob este aspecto, a Polícia Federal é mais coerente do que a Justiça, que tratou de forma diferente os iguais.

Espiritualidade em alta

Embora a cela dois da carceragem da Polícia Federal nada tivesse de diferente, além de várias fotos de mulheres peladas no banheiro, pondo suas partes pudicas à mostra, tinha realmente de especial a unanimidade dos *custodiados*.

O tamanho da alma das pessoas que habitavam aquele pequeno universo fazia a diferença, e todos conviviam como verdadeiros cristãos, mesmo porque o desembargador Ricardo Regueira não deixava ninguém esquecer de que a salvação de todos estava na Bíblia.

Conhecendo Ricardo Regueira, desde quando tomamos posse no cargo de juiz federal no Rio de Janeiro, nunca pensei que ele pudesse evoluir tanto espiritualmente como evoluiu, fruto do seu sofrimento físico e moral, o que me fazia sentir o mais fervoroso materialista perto dele.

O desembargador Ricardo Regueira não passava um dia sequer sem convocar o grupo para as orações matinais, vespertinas e noturnas, e ninguém recusava a sua convocação. Ele então pedia a cada um de nós que abrisse o livro dos Salmos de forma aleatória, e aberto o livro numa determinada página, passava a ler o Salmo correspondente, buscando mostrar como o Salmo era adequado à situação em que nos encontrávamos.

Eu, particularmente, abri aquele livro todos os dias em que estivemos presos, mas não me lembrei de anotar o número dos Salmos que escolhi de modo aleatório, embora reconheça que aquela leitura era um lenitivo para as nossas almas encarceradas.

Além dos Salmos, o desembargador Ricardo Regueira não largava um rosário *simplificado*, daqueles que só têm o essencial para rezar dez ave-marias e um pai-nosso, fazendo diuturnamente nele as suas orações.

Se realmente existir paraíso, que não é o lugar predestinado a juízes, o desembargador Ricardo Regueira como exceção por certo estará lá junto com o seu filho assassinado numa emboscada no Rio de Janeiro.

Certo dia disse ao meu grupo encarcerado que eu não queria ser enterrado, mas cremado para que minhas cinzas fossem jogadas no mar, mas o desembargador Ricardo Regueira retrucou dizendo que não deixaria que isso acontecesse, porque queria me encontrar no paraíso, e lá não entrava cremado.

Mal sabia o desembargador Ricardo Regueira, mais novo que eu, que ele é que seria enterrado primeiro, tendo sido a primeira vítima do maldito furacão pelos estragos que sofreu na carreira e na sua autoestima.

Desventura como essa por que passamos nos faz pensar melhor presos do que em liberdade, pelo que, durante todos os dias em que passei na carceragem, pude compreender como deve ficar indignado aquele que é condenado pela Justiça pela prática de um crime que não cometeu; como, aliás, acontece com frequência, em que um inocente é condenado em lugar do criminoso.

Solidariedade no cárcere

A perda da liberdade faz com que as pessoas se tornem mais solidárias, razão por que o preso sempre se mostra mais disposto a ceder seus bens materiais do que se estivesse livre, tendo esse espírito de solidariedade sido uma constante na cela dois, desde que nos tornamos *custodiados*.

Assim que chegamos à carceragem, ficamos sabendo que membros das famílias dos presos estavam em Brasília e que os veríamos nos dias de visita, e os advogados poderiam estar com seus clientes a qualquer hora; evidentemente, dependendo do humor dos que coordenavam a visita do dia.

Eu, que tenho a ventura de ter uma filha advogada, tive o privilégio de estar com ela praticamente todos os dias em que estive preso na carceragem de Brasília; ela do lado de fora do parlatório e eu do lado de dentro, falando pelo interfone, exatamente como acontece nos filmes policiais.

Quem tinha o apoio da família não teve problema em obter *o mínimo* para sobreviver na prisão, mas nem todos tinham, ficando à mercê da solidariedade dos companheiros de cela.

Na cela dois, estava também Júlio Guimarães, advogado e empresário do bingo, que não bebia e nem comia nada sem antes oferecer a cada um dos companheiros de cela, tendo essa atitude me chamado a atenção nesse jovem dotado de uma alma extremamente generosa, maior do que a de muitos juízes, desembargadores e ministros de Tribunal com quem convivi; mas que, para as instituições que se uniram para nos destruir, era um marginal.

A solidariedade que mais falta numa prisão é, em primeiro lugar, a *espiritual*, porque ninguém pode fazer nada a não ser pensar; e em segundo, a *material*, porque o preso precisa de um mínimo necessário para se manter vivo.

Ao contrário do que se poderia supor, a entrada de alimentos e material de higiene sofre as restrições impostas pelo regulamento da Polícia Federal, pois os familiares dos presos por ocasião das visitas recebem uma listinha do que é permitido levar, o que significa que tudo o que não estiver ali está proibido.

Quanto aos alimentos, só era permitida a entrada de quatro maçãs, quatro bananas, quatro goiabas, quatro peras, quatro litros de suco em embalagem plástica transparente do tipo *pet*, um quilo de biscoito *sem recheio* em pacote plástico transparente, ficando limitado o ingresso de uma sacola por custodiado.

Nunca entendi o porquê do biscoito "sem recheio"; a não ser que a Polícia Federal tivesse algum acordo com os fornecedores desses biscoitos para estimular as vendas.

A embalagem de garrafa tipo *pet* afastava a possibilidade de embalagens de vidro, para evitar possíveis *tentativas de suicídio*; pois no caso das grandes penas, a prisão não passa de uma *morte a conta-gotas*, e o preso pode se sentir estimulado a libertar-se do sofrimento e do corpo de um momento para outro usando um caco de vidro. Se bem que, embora desconheçam aqueles que cuidam da segurança dos presos, uma lasca de garrafa *pet* funciona muito melhor como uma lâmina do que um pedaço de vidro.

Essa limitação imposta pela Polícia Federal não levava em conta o fato de o custodiado não comer frutas, nem sucos e nem biscoitos, como acontecia, por exemplo, com o meu genro que não comia nada disso; mas esse problema só poderia ser resolvido pelo delegado federal número um, que nunca estava disponível para os presos, seus familiares e advogados; e, portanto, o que prevalecia era mesmo a lista.

O mesmo acontecia com os materiais de higiene, só sendo permitido um desodorante tipo *roll-on*, em embalagem plástica transparente, um creme hidratante em embalagem plástica transparente, uma escova de dentes, um pente de plástico pequeno e um condicionador em embalagem plástica transparente.

Eu, que não podia usar desodorante do tipo *roll-on* por causa de uma alergia, tive que pedir para que minha alergia entrasse em férias, para que eu não tivesse que passar aquele desodorante, o único permitido para os presos na carceragem.

Uma interpretação literal dessa lista deixava de fora dois dos mais importantes produtos de higiene, que são o sabonete e o dentifrício.

Nesse particular, o bom senso acabou prevalecendo sobre a relação, e todos os custodiados receberam o sabonete e o dentifrício, embora não constassem da lista oficial.

Certa vez, vi um filme policial chamado *Fábrica de Animais*, em que o pai de um preso, ainda jovem, levou para ele uma foto sua ainda criança ao lado da mãe, para que a tivesse consigo e matasse as saudades; mas o policial não deixou a foto entrar porque o regulamento carcerário não permitia a entrada de fotos. Pode até parecer piada, mas não é.

Os alimentos e artigos de higiene permitidos pelos policiais federais só poderiam entrar *no dia de visita de familiares*, geralmente às quartas-feiras, mas os que tinham a assistência de advogado conseguiam obtê-los fora da data de visita; os que não tinham viam-se na contingência de valer-se de um empréstimo temporário de outro preso para atender às suas necessidades. Na verdade, muitas vezes não havia empréstimo, mas doação, porque ninguém iria emprestar um sabonete para ser usado e devolvido.

Todas as falhas no controle dessas necessidades eram suficientemente supridas pela solidariedade entre os presos, pois ninguém negava nada a ninguém, no que se referisse a alimentos e artigos de higiene; pois os alimentos, fossem de quem fossem, eram colocados em cima da mesa de concreto existente na cela, e deles se servia quem tivesse fome. Era como se fosse uma despensa coletiva, mas alimentada pelos próprios presos, porque se dependesse do Estado os presos passariam fome.

Recordo-me de que certa feita as "morninhas" não continham nada que o meu genro comesse, exceto o arroz que é uma comida universal, tendo eu pedido aos demais presos se poderiam ceder para ele a sua sobremesa de gelatina de uva, pois era a única coisa de que ele gostava.

Todos atenderam ao meu pedido e naquele dia o meu genro passou literalmente à gelatina, embora ele não fosse dado a doces.

Uma das alternativas que me ocorreu, e que acabei repassando ao meu genro, porque muitos do grupo conseguiam comer o que era servido, foi fazer um sanduíche de carne com pão; pão este que era servido no almoço e no jantar ou, quando não servido, encontrado em cima da mesa de cimento.

Não me lembro de ter visto nenhum dos custodiados servir-se de um alimento, sem perguntar aos demais se aceitavam, e assisti o Júlio Guimarães, considerado criminoso pelas instituições envolvidas no furacão, deixar de comer muita coisa em proveito de algum dos companheiros de cela.

Se a *humanidade* nascesse numa prisão, tenho a certeza de que ela seria mais solidária, porque este sentimento só se adquire nas situações mais adversas da vida.

Volto a repetir o que a vida nos ensina: "A prosperidade faz os amigos; a adversidade os testa".

Nenhum preso, mesmo depois de ter cumprido a pena, jamais conseguirá ser um juiz de Direito, porque será barrado em razão dos seus *antecedentes* criminais; mas se conseguisse, tenho a certeza de que as suas sentenças penais seriam mais justas e humanas.

Ao sermos presos temporariamente, como fomos eu e o desembargador Ricardo Regueira, a prisão pode nos ter feito padecer o que padecemos, mas por outro lado nos fez mais humanos, porque apenas uma minoria de juízes conhece como conhecemos uma prisão por dentro.

Conheço muitos juízes criminais, desembargadores e até ministros de tribunais superiores que nunca visitaram uma carceragem, não sabendo sequer como é uma prisão por dentro.

Porta-voz dos presos

Um problema que incomodava a todos, mas em especial ao juiz trabalhista Ernesto Dória, era a comunicação com os carcereiros; mas não porque fosse um preso indisciplinado, porque não era, mas por causa de sua mania de tomar remédios, que ficavam em poder dos policiais, pelo que chamava com frequência um deles para lhe trazer algum remédio.

Nenhum dos custodiados pôde levar consigo os seus remédios, que para os idosos fazem parte da alimentação diária.

O idoso pode até ficar sem comer ou beber, mas nunca sem os seus remédios, porque corre o risco de não ver o sol do dia seguinte.

Tudo o que o juiz trabalhista Ernesto Dória fazia fora da prisão continuou fazendo encarcerado, mas ali o incômodo era maior, porque havia um único carcereiro para atender sete celas, cada uma com seis presos, muitos dos quais um típico ancião, como o Turcão que tinha então oitenta e três anos, a exigir atenção redobrada dos carcereiros para não passar da hora de tomar os remédios.

Partiu do próprio delegado federal Carlos Pereira a solução para essa questão, que, posta em votação, foi aprovada, tendo o desembargador Ricardo Regueira feito algumas considerações a respeito, reforçando os argumentos alinhados pelo delegado.

A partir desse momento, passamos a ter um "porta-voz", que seria o próprio delegado Carlos Pereira, profundo conhecedor do humor dos carcereiros e da própria carceragem, que tinha o seu humor especial; mesmo porque ele já havia feito com outros presos o que estava agora a sua própria Polícia Federal fazendo com ele.

Quem pensa que o problema estava de todo solucionado equivoca-se, pois o juiz trabalhista Ernesto Dória não se curvava à decisão do grupo, e esquecido de que naquelas circunstâncias ele não era mais juiz, mas *custodiado*, insistia em fazer as suas próprias reivindicações, o que levou o porta-voz a renunciar ao cargo em caráter irrevogável.

O desembargador Ricardo Regueira ainda tentou salvar a situação, dispondo-se a ser o porta-voz da cela dois, mas nova renúncia ocorreu, por causa da indisciplina carcerária do juiz trabalhista Ernesto Dória, fazendo com que as coisas voltassem a ser como antes, na base do "*Cada um por si e Deus para todo mundo*".

No final, descobriu-se que, na verdade, quem levava melhor jeito na comunicação com os carcereiros eram os advogados Júlio Guimarães e Silvério Júnior, que não sendo nem delegado e nem juiz, aprenderam a compreender bem o humor da polícia e da Justiça.

Isso mostrou que carceragem não era coisa de delegado e nem de juiz, o que me levou a concluir que na dinâmica da carceragem e do relacionamento com os presos o vocábulo "Excelência" vale pouco ou nada quando o problema é de diálogo com carcereiros.

Alarme falso na carceragem

Não me lembro de que algum servidor da Polícia Federal tenha feito regularmente a limpeza na cela dois, limitando-se o "faxineiro" a passar por lá de quando em vez, mas apenas para recolher os papéis jogados num balde para levar para o lixo; mesmo porque uma das primeiras medidas tornadas obrigatórias na cela, pelo próprio grupo, foi que as necessidades fisiológicas fossem acompanhadas de um banho imediato, para que fosse eliminado o papel higiênico.

Os que faziam a limpeza e conservação da cela e do banheiro eram o desembargador Ricardo Regueira e o procurador da República João Sérgio, não só pelo prazer de servir ao grupo, como também porque fazia com que o tempo passasse na prisão, onde custa realmente a passar. Nessas horas, uma atividade física como a de fazer limpeza se revela uma atividade altamente prazerosa.

Como o meu genro estava sempre lá, como convidado da cela dois, participava também da limpeza do banheiro, onde podia pelo menos tomar um banho decente, banho este que era quente, porque nas demais celas era frio. Aliás, o banho deveria ser frio, mas não era, porque o clima de Brasília se encarregava de fazer a sua parte, mornando a água dos chuveiros.

Lembro-me de que a detenta Myra, que vez por outra ajudava na limpeza, era uma pessoa imprescindível para nós porque nos atendia sempre com a maior boa vontade, quando um agente federal, daqueles que adoram *ver o circo pegar fogo*, disse que ela seria devolvida à sua prisão de origem, uma penitenciária feminina, e que alguém deveria assumir o seu lugar, dando a entender que poderia ser um dos desembargadores.

Entendendo a ironia da mensagem, fiz ver a ele que para mim fazer a limpeza da cela naquelas circunstâncias seria tão digno quanto a justiça que eu fazia no Tribunal, e que me valera um furacão; além de não correr o risco de que a minha atividade fosse deturpada, como tinham sido as minhas decisões, consideradas pela Polícia Federal, pelo Ministério Público e pelo Supremo Tribunal Federal como mercadoria de troca.

A ameaça da devolução de Myra não se concretizou, tendo ela continuado a prestar serviços na carceragem, servindo aos custodiados com a simpatia e atenção que a fazia merecedora da estima de todos, fazendo o possível e o impossível para que fôssemos atendidos da melhor forma, se é que isso era possível.

Rábula da carceragem

Quando chegamos à carceragem da Polícia Federal em Brasília, já estavam lá o procurador da República João Sérgio e o empresário e advogado Júlio Guimarães, que nos falaram dos nossos antecessores na cela dois, sendo um deles conhecido como Joãozinho, a quem, aliás, pertenciam alguns dos objetos deixados na cela, na esperança de que a nossa estada ali seria curta e que ele e seu companheiro retornariam em seguida.

Certo dia, apareceu na porta da nossa cela dois um homem de constituição física franzina, fala leve, jeito de nordestino, não tendo sido preciso que dissesse o seu nome para saber que se tratava de Joãozinho.

A partir daquele momento, Joãozinho passou a conviver praticamente conosco, só que ele do lado de fora da cela e nós do lado de dentro; mas um relacionamento regado a muita camaradagem.

Quando alguém como ele é um preso, sabe prezar mais a própria liberdade e valorar mais ainda a liberdade dos outros.

Numa conversa com o desembargador Ricardo Regueira, Joãozinho lhe disse que ele já deveria ter sido beneficiado com a prisão semiaberta, em que preso trabalha fora da prisão durante o dia, recolhendo-se à penitenciária durante a noite para dormir, mas que a Polícia Federal vinha utilizando *gratuitamente* os seus serviços na carceragem, por não dispor de pessoal para isso.

Joãozinho, um brasileiro com segundo grau completo, disse ao grupo que o seu desejo era ser advogado, e que queria trabalhar em favor de presos que não tinham o seu direito respeitado pela Justiça, e tinha a certeza de que um dia concretizaria esse sonho.

Recordo-me de que o desembargador Ricardo Regueira conversava muito com ele, tendo-lhe dito que assumia com ele o compromisso de pagar os seus estudos numa Faculdade de Direito, para que ele pudesse se formar e pudesse iniciar uma luta em favor dos injustiçados pela Justiça.

Penso que esse desejo do desembargador Ricardo Regueira não se concretizou, pelo menos na sua inteireza, porque ele veio a falecer em consequência do maldito furacão que o atingiu.

Certa feita, Joãozinho trouxe para conhecermos as fotos de sua família composta de quatro filhos, sendo um deles já adolescente e outro com dois anos, nascido três meses depois que ele fora preso.

Embora ainda pretendesse formar-se em advocacia, fato é que Joãozinho já tinha alguma familiaridade com o Direito e com a Justiça, falando com muita desenvoltura em crime *doloso* e crime *culposo*, em *habeas corpus*, em prisão preventiva, entre outros temas.

Vendo o desembargador Ricardo Regueira que estava diante de um rábula — que era aquele que sem ser advogado podia advogar — apressou-se em checar os seus conhecimentos indagando-lhe a diferença entre mandado, com "d" e mandato com "t", tendo ele respondido sem pestanejar que o mandado, com "d" era o instrumento usado pelo oficial de justiça para comunicar alguma coisa ao preso, enquanto o mandato, com "t" era a procuração que o preso dá ao advogado. E estava literalmente correto nas suas definições.

A distinção pode parecer fácil, mas não é, pois como professor de Direito e juiz já vi muito advogado escrevendo "mandato" de citação e "mandado" referindo-se à procuração.

Joãozinho mostrava-se inconformado com a condenação da Justiça a uma pena de quatro anos e seis meses de prisão por "falsificação de moeda", pois, segundo ele, o correto seria a sua condenação por "estelionato".

Para afirmar isso, nos mostrou julgamentos do Superior Tribunal de Justiça, dispondo que a utilização de papel moeda grosseiramente falsificado configura em tese o crime de estelionato, da competência da Justiça estadual, e não da federal, e ele tinha sido condenado pela Justiça Federal.

Sem descer a detalhes do caso concreto, se realmente ele fora condenado por tentar passar dinheiro grosseiramente falsificado, o crime era realmente de estelionato e não de falsificação de moeda, pelo que ele estava certo e a sentença condenatória estava errada.

Gostaria muito que o destino me permitisse um dia ver esse jovem sonhador como advogado de sucesso, ajudando a combater as arbitrariedades cometidas pelas instituições que deveriam ser as guardiãs dos nossos direitos.

Visita inesperada à nossa cela

Tendo eu sido preso no Rio de Janeiro em 13 de abril e no dia seguinte removido para a carceragem da Polícia Federal, em Brasília, já haviam decorridos praticamente cinco dias sem que a Associação dos Juízes Federais, em nível estadual ou nacional, tivesse dado o ar da graça.

Já na prisão em Brasília, tive notícia por intermédio do meu advogado que a minha irmã Maria Helena, juíza federal em Minas Gerais, estava empenhada em fazer com que a nossa Associação se sensibilizasse com a minha situação e tomasse posicionamento a respeito, pois em jogo não estava apenas a prisão de um desembargador federal, mas sobretudo, de um membro da Justiça, que havia sido retirado à força de sua casa por uma prisão descabida e desnecessária.

Eu já fui membro ativo da nossa Associação, na gestão do desembargador Tourinho Neto, quando ocupei o cargo de Diretor da Revista, tendo contribuído muito para o sucesso das suas realizações; mas nas circunstância em que eu me encontrava, acusado de ser um corrupto, era como que uma carta fora do baralho.

Conheci o então presidente da Associação, Walter Nunes, assim que ingressei na magistratura federal, na década de noventa, quando, após as primeiras reformas do Código de Processo Civil, recebi dele um convite para proferir na cidade de Natal, no Rio Grande do Norte, uma palestra sobre um dos temas ligados à reforma.

Assim que se candidatou à presidência da Associação, Walter Nunes me pediu para recebê-lo em meu gabinete, na vice-presidência do Tribunal, o que fiz com o maior prazer do mundo, ocasião em que conversamos sobre diversos temas, envolvendo interesses do país, da Justiça e dos juízes federais.

Quando recebi a notícia de que esse presidente queria falar comigo no parlatório, onde os presos conversam com visitantes, meu coração deu um pulo, pois pensei que alguma coisa pudesse mudar na minha vida depois dessa visita.

O então presidente Walter Nunes, que se fazia acompanhar de outro juiz federal, cujo nome não memorizei, foi até a cela dois, onde me encontrava, para fazer uma verificação sobre as condições da nossa "prisão especial", a que tinha direito pela Constituição.

Ao saber da presença na carceragem do presidente Walter Nunes, o desembargador Ricardo Regueira observou que deveria ser por minha causa, porque ele não era mais um associado, pois desligara-se da Associação desde o seu primeiro calvário, conhecido como "balcão de sentenças", em que a Associação nada fez para ajudá-lo, processo este que veio mais tarde a ser trancado pelo Supremo Tribunal Federal, tendo como relator o ministro Cezar Peluso, o mesmo que o havia posto no seu segundo calvário.

Quando Walter Nunes adentrou a cela dois, mostrei-lhe o banheiro e suas precárias condições, bem como a pequena cela onde dormiam os seis custodiados, sendo que apenas eu e o procurador da República João Sérgio dormíamos em camas de cimento, porque os demais não tinham alternativa, senão dormir em colchões no chão, um encostado no outro.

Nessa ocasião, dei a Walter Nunes uma cópia da decisão do ministro Cezar Peluso, com a qual havia determinado a nossa prisão temporária, uma decisão globalizada sem qualquer fundamentação razoável, apenas reportando-se ao que afirmava o chefe do Ministério Público Federal, Antônio Fernando de Souza, que, por sua vez, repetia a farsa montada pela Polícia Federal; que de verdadeiro mesmo só tinha as "suposições" que faziam do que pudesse ter acontecido, numa exegese policial de quem deveria realmente investigar e não tirar conclusões das suas próprias investigações.

Quando o presidente Walter Nunes terminou a rápida leitura que fez da decisão sobre a prisão temporária, fez uma cara de misto de surpresa e incredulidade no que lia, e dizendo para finalizar "*Mama mia*"; passando em seguida a decisão ao juiz federal que o acompanhava que se limitou a olhar para ela.

Quando vi a reação do então presidente da Associação de Juízes, confesso que uma chama de esperança acendeu no meu peito, certo de que aquela atitude pudesse ser traduzida em medidas efetivas para pôr um basta a uma situação que era um acinte à própria Justiça que eu integrava.

Após essa inesperada visita à carceragem, a Associação encaminhou ofício ao ministro Cezar Peluso, do Supremo Tribunal Federal, ao que suponho também um associado, manifestando-lhe as suas preocupações com as condições *insalubres* do local onde nos encontrávamos.

Nesse ofício, solicitava o então presidente da Associação que me fosse assegurado o direito de ser ouvido por ele, condutor do inquérito, e que ele determinasse a minha transferência para local mais compatível com a urgência do caso, sem prejuízo de prévia visita ao local para constatar o que estava sendo relatado.

Essa petição soou para mim mais como um protesto do que como uma denúncia, porque nada mudou na minha vida depois dela, continuei detido na carceragem tal como estava e ninguém apareceu lá para se inteirar da situação em que me encontrava, nem se teve mais conhecimento do destino daquele pedido no Supremo Tribunal Federal.

Quem conhecia como eu supunha conhecer Walter Nunes, não entende a sua sensibilidade judicante, porque, ao mesmo tempo em que dava declarações na CPI do Grampo, na Câmara dos Deputados, pondo em dúvida os critérios usados pela Polícia Federal para extrair das conversas as ilações que extraía, pensou diferente quando, na qualidade de integrante do Conselho Nacional de Justiça, seguiu o voto do conselheiro Gilson Dipp, votando pela minha condenação, louvando-se justamente nas conversas grampeadas de cuja autenticidade ele próprio duvidava.

Aliás, essa Associação, por intermédio do então presidente Walter Nunes, pelo menos *deu o ar da graça*, como que para me dar satisfação como associado, ao contrário da Associação dos Magistrados Brasileiros, da qual eu era também associado, e da Associação Nacional de Desembargadores, de cuja diretoria eu fazia parte, que nem isso fizeram.

Já fora da prisão, conversei com Maria Helena, minha irmã, a respeito dessa atitude da nossa Associação, quando ela me contou as dificuldades que tivera em falar com o então presidente Walter Nunes, porque os seus assessores diziam que ele estava numa permanente reunião, e que não podia ser interrompido, apesar de todos saberem de que assunto se tratava e da sua gravidade; e foi graças à sua raça mineira que conseguiu que ele viesse ao telefone, quando ela lhe disse que a entidade precisava tomar uma posição em respeito às prerrogativas dos juízes.

A Associação dirigida então por Walter Nunes só veio a denunciar a existência de um Estado policial depois que o ministro Gilmar Mendes, então vice-presidente do Supremo Tribunal Federal, e depois seu presidente, chamou de "canalhice" o envolvimento do seu nome na Operação Navalha, no que foi secundado pelos ministros Marco Aurélio, Joaquim Barbosa e Ricardo Lewandowski, que saíram em defesa do colega.

Aí percebi que as dores da Associação então dirigida por Walter Nunes eram proporcionais à importância do ofendido, porque, quando a suposição de estar envolvido na Operação Navalha foi direcionada a um ministro do Supremo Tribunal Federal, ela botou a boca no trombone, mas quando era como eu um desembargador, suspeito na Operação Furacão, limitara-se a oficiar a essa Corte, denunciando a situação em que me encontrava e pedindo providências; e não foi para a imprensa denunciar os absurdos cometidos pela Polícia Federal sob a orientação do relator ministro Cezar Peluso que fizera *ouvidos de mercador* ao seu ofício.

Com a mudança da presidência da Associação dos Juízes Federais, que passou a ser dirigida pelo juiz federal Fernando Mattos, aconteceu a mesma coisa, pois ele *não moveu uma palha* em defesa das prerrogativas da magistratura em que eu e o desembargador Ricardo Regueira éramos suas vítimas.

Somente depois que o juiz federal Gabriel Wedy assumiu a presidência da Associação dos Juízes Federais, as coisas mudaram, tendo sido uma das primeiras atitudes da nova diretoria a criação de uma comissão para cuidar das prerrogativas dos magistrados envolvidos nas megaoperações da Polícia Federal, oferecendo o apoio da entidade para patrocinar as defesas e constituir advogados para esse fim. Confesso que essa nova postura da Associação me deu um alívio, pois eu já pensava em me desfiliar da entidade, que até então nada fizera em prol das prerrogativas da classe.

Fico pensando que os juízes morrem de medo de investigar as práticas da Polícia Federal, do Ministério Público e da Justiça com um medo enorme de descobrir que a primeira atenta contra a segurança do cidadão; o segundo se mostra um perseguidor, e a terceira, em vez de ser justa, comete injustiças.

Solidariedade que conforta

Causou-me um conforto enorme um *e-mail* que recebi de um juiz federal de Minas Gerais, manifestando a sua preocupação com o que aconteceu comigo, mostrando-se revoltado mesmo com a irresponsabilidade que campeia nas nossas instituições.

Nessa mensagem, disse ele que a nota da Associação sobre o assunto deveria incluir que ela acompanharia as investigações, não só para garantir a condenação dos culpados, mas também para cumprir o seu papel de assegurar a ampla defesa e os direitos dos juízes envolvidos.

Dizia também que, até aquela data, não se sabia exatamente os motivos da minha prisão, e eles que conviveram comigo e me conheciam pessoalmente durante o treinamento dos Juizados Especiais Federais patrocinado pelo Conselho da Justiça Federal e em eventos posteriores sempre tiveram de mim a melhor das impressões.

Acrescentou ainda que, apesar de ser eu um magistrado federal, já tinha lamentavelmente sido condenado pela opinião pública em virtude da grande repercussão que a mídia tinha dado ao episódio, antes mesmo de se saber o que tinha exatamente acontecido.

Dizia mais o missivista que, longe de querer questionar o mandado expedido por outro magistrado — referia-se ao ministro Cezar Peluso — não sabia até que ponto tais medidas configuram, muito mais que cortar na carne, um verdadeiro suicídio institucional, talvez desnecessário, porque em momento algum fora demonstrado pela imprensa ou pela Polícia Federal que se tratava de uma medida judicial, porque anunciavam sempre que "A Polícia Federal prendeu (...)".

Registrou esse juiz também que os juízes de varas criminais sempre defenderam o cumprimento do ordenamento em favor dos réus, e no meu caso a Associação, por um dos seus diretores da Segunda Região, deveria acompanhar o caso e contribuir para assegurar-me o Estado Democrático de Direito.

E concluiu dizendo que estávamos vivendo uma exposição terrível, e logo teríamos vergonha de dizer que somos juízes federais.

Recebi também um *e-mail* indignado de outro juiz federal, indagando se o ministro Cezar Peluso, quando deferiu as ordens de escuta no meu gabinete, também concedeu as ordens de busca a qualquer hora como uma carta em branco?

E respondia a si mesmo que tais ações, à noite e na clandestinidade, e por meio de ações ilícitas nos labirintos do edifício-sede do Partido Democrata, nos Estados Unidos, levaram o presidente Richard Nixon à renúncia, senão cairia no *impeachment*.

Via o missivista que a ofensa da Polícia Federal é contra as decisões dos magistrados que deferiam liminares no caso dos caça-níqueis, ficando preocupado com o Departamento de Polícia Federal pretender passar à condição análoga de ministério ou secretaria de Estado.

Por isso, eu disse alhures que preferiria ter sido preso por um policial, porque o meu drama foi ter sido preso a mando de um ministro do Supremo Tribunal Federal, que se julga infalível nos seus julgamentos; porque se eu tivesse sido preso por um policial, por certo todas as Associações de Juízes teriam saído na minha defesa.

Quando um juiz é preso por determinação de um ministro do Supremo Tribunal Federal, todos pensam que o ministro está certo e o juiz errado, mas quando a prisão é feita por um policial, inverte-se a suposição, pois o policial é quem está errado e o juiz está certo.

Infelizmente, é assim que a mente humana funciona.

Dia de visitas

O dia 19 de abril, uma quinta-feira, foi para mim um dia particularmente agradável, pois recebi a visita do meu irmão Bonifácio, médico em Brasília, pois até então eu me avistava diariamente apenas com a minha filha Luciana, ora na qualidade de familiar, ora na de advogada; sempre no parlatório com um vidro nos separando.

Num desses dias em que fui falar com minha filha no parlatório vi chegar uma advogada, nova ainda, dizendo que queria falar com seu cliente, em particular, como lhe garantia a lei; mas quando ouviu do agente federal que a conversa só poderia ser no parlatório, agradeceu e retirou-se indignada, preferindo não conversar com seu cliente, a fazê-lo em desrespeito aos princípios legais e constitucionais.

Não sei se esse fato foi levado ao conhecimento da Ordem dos Advogados do Brasil, mas se foi, nenhum resultado concreto produziu, porque todos os advogados continuaram falando com seus clientes no parlatório, sem nenhuma privacidade.

Chegou-se a cogitar de levar ao conhecimento do Supremo Tribunal Federal, por intermédio do ministro Cezar Peluso, que os custodiados estavam sendo restringidos no seu direito de falar a sós com seus advogados, até porque, no parlatório, geralmente falavam até três ao mesmo tempo; mas depois essa ideia foi abandonada porque se o ministro não conseguira com todo o seu poder evitar que a Operação Furacão, que ele dizia sigilosa, ficasse vinte e quatro horas na mídia, por certo não teria força também para fazer com que nossos outros direitos fossem respeitados pela Polícia Federal.

Lembro-me de que o delegado federal Gioia, logo que tomou conhecimento dessa nossa pretensão de serem as visitas pessoais realizadas fora do parlatório, respondeu que se fosse intimado, cumpriria à risca o mandado, mas que todos os advogados e advogadas teriam de ser devidamente revistados, o que provocaria uma fila enorme na entrada, atrasando o nosso encontro com eles.

Essa observação soou para nós como uma "desrecomendação", principalmente quando feita por um delegado federal, pelo que nos sentimos desestimulados da nossa ideia; e alguns presos tiveram de convencer os seus advogados de que era melhor continuar a falar no parlatório mesmo.

Quando entrei no parlatório, o meu irmão Bonifácio lá estava, de cabeça baixa, evitando olhar-me nos olhos, mas no decorrer da conversa, passou a falar comigo, olhando-me de frente com a certeza de que tudo não passava, como realmente não passava, de uma tremenda armação.

Foi esse meu irmão o primeiro a me dar a notícia de que a mídia havia divulgado uma conversa minha com meu genro, em que eu falara "minha parte em dinheiro", pois até então eu não tinha tido conhecimento desse fato; e nem me lembrava de nenhuma conversa nossa envolvendo dinheiro; mesmo porque eu sabia que meus telefones e o meu gabinete estavam grampeados, e jamais iria tratar por telefone de nenhum assunto que não pudesse ser tratado publicamente.

O meu irmão me disse, nessa ocasião, que a voz captada na escuta e divulgada pela Rede Globo era realmente minha, e não duvidei dele, porque a minha voz é inconfundível; mas a minha consciência estava tão tranquila, que eu disse a ele: "Bonifácio! Pode até ser a minha voz; mas não tem nada a ver com 'propina', porque isso nunca existiu".

A partir dessa conversa com meu irmão, passei a desconfiar que a parte malsã da Polícia Federal tivesse realmente me "aprontado alguma", embora eu não soubesse o que era; pois para me certificar tinha, antes, de ouvir o disco com a gravação.

Mas aquilo ficou martelando na minha cabeça em busca de uma resposta que não vinha, pois eu não tinha a mínima lembrança de haver conversado com o meu genro sobre dinheiro; ou que conversa teria sido essa; e em que circunstâncias teria ocorrido; o que só seria desvendado depois que fui posto em liberdade.

Além do meu irmão Bonifácio, recebi algumas visitas que me deixaram muito emocionado, desde meus ex-alunos do tempo em que lecionei numa faculdade de Direito em Brasília, até altas personalidades do mundo jurídico; mas nenhum em nome da Ordem dos Advogados do Brasil ou da Associação dos Magistrados Brasileiros ou da Associação Nacional de Desembargadores.

A minha irmã Maria Helena, juíza federal em Minas Gerais, esteve em Brasília, mas não pôde me visitar porque não era dia de visitas, e os agentes federais eram irredutíveis na aplicação do seu "regulamento", e o que valia para um familiar valia também para uma juíza.

Nesse particular, um advogado tem mais regalias do que um juiz, porque ele se avista com o seu cliente no dia e hora que quiser, o que não acontece com um magistrado, que para esse fim é considerado como se fosse visita.

Para quem está *custodiado*, a visita de um parente ou amigo é algo que alivia o sofrimento, reforçando a nossa crença de que não estamos sozinhos na adversidade; principalmente, considerando que nas circunstâncias em que fui preso com o *show* pirotécnico armado pela

Rede Globo, o efeito colateral foi fazer desaparecer a maioria dos que eu supunha amigos.

Aliás, fenômenos como este têm o efeito profilático de nos afastar dos falsos amigos, aqueles que nos cortejam por amor ao próprio interesse, mantendo ao nosso lado apenas os amigos verdadeiros.

O amigo mesmo é aquele que está do nosso lado, para, depois, saber o porquê, porque os demais são interesseiros.

Arrependimento de um delegado federal

Conheci o delegado federal Carlos Pereira, preso também pela Operação Furacão, assim que chegamos à Base Aérea do Galeão, quando estava eu conversando com o desembargador Ricardo Regueira. Tendo ele se aproximado de nós, identificou-se e me disse que era o delegado que havia determinado a apreensão das máquinas caça-níqueis em Niterói, cuja devolução eu determinara, sob pena de pesadas multas, e por conta das quais tinha sido vítima do furacão.

Confesso que aquele não foi para mim um encontro dos mais agradáveis, se bem que anteriormente tivesse tido vontade de saber quem era o delegado federal de Niterói que mostrava tanta resistência no cumprimento das minhas decisões.

O meu desejo acabou se realizando por obra do acaso, porque até Carlos Pereira se mostrava surpreso com a sua própria prisão, pois se sentia injustiçado por ter sido ele quem fizera a apreensão das máquinas caça-níqueis, que eu mandara restituir, sendo contraditório que viesse a ser acusado de repassar informações privilegiadas aos donos das máquinas por ele apreendidas.

Até a nossa chegada à carceragem em Brasília, não me recordo de ter visto mais o delegado Carlos Pereira, mas apesar de ser ele um delegado especial como era, recebeu da Polícia Federal o mesmo tratamento proporcionado aos demais presos, sendo revistado e algemado como todos os demais, inclusive os desembargadores e o procurador da República.

Assim que chegamos à Superintendência da Polícia Federal em Brasília, fomos colocados na mesma cela, e foi ali que Carlos Pereira pôde passar a limpo a sua trajetória funcional, percebendo que ninguém, nem mesmo um delegado federal, classe especial, como ele, poderia se sentir acima do bem e do mal, fazendo a seus custodiados tudo o que agora a sua instituição estava fazendo com ele.

Na cela dois, o delegado Carlos Pereira dormia do lado da minha cama, mesmo porque o espaço era muito pequeno para seis presos, e ali pernoitou durante todo o tempo em que permanecemos presos.

Assim que a realidade vivida por cada um foi mostrada aos demais, todos sentiram a necessidade de abrir o seu coração, mesmo porque se sentiam injustiçados pelo sistema, e estavam, sem exceção, indignados com as armações de que se consideravam vítimas.

Foi nesse clima que o delegado Carlos Pereira abriu-me a sua alma, relatando tudo o que havia acontecido com a operação por ele deflagrada em Niterói, que veio a determinar a minha decisão para que fossem as máquinas caça-níqueis restituídas aos seus donos, e a partir daí toda essa confusão em que fomos metidos até o pescoço.

"Desembargador", disse ele, "eu não o conhecia pessoalmente quando recebi a intimação das suas decisões, determinando-me a restituição das máquinas apreendidas por ordem minha, e lhe confesso agora que ficava indignado com elas, xinguei o senhor de tudo que é nome, de 'filho da puta' para baixo; mas, conhecendo-o agora como o conheço, e vendo quem o senhor é realmente, e a pessoa humana que o senhor é, confesso-lhe que me arrependo profundamente do que fiz e do que disse, pois jamais faria isso novamente."

E acrescentou que as gravações das suas conversas com seus interlocutores comprovaram que ele repassava toda essa sua indignação com as minhas decisões, mas os seus colegas federais, da contrainteligência da Polícia Federal, na sua interpretação dos fatos, entenderam que o xingamento que ele me fazia era para dissimular a sua participação na quadrilha de caça-níqueis, razão por que foi igualmente preso, juntamente com outros colegas delegados, referindo-se a outros delegados federais também presos pela operação.

Nunca pensei que o destino me permitisse um dia consolar aquele jovem delegado federal, que querendo ser eficiente na sua atividade policial, inclusive resistindo ao cumprimento de ordem judicial por entendê-la contrária ao interesse público, via a sua carreira desmoronar como um castelo de cartas, pois mesmo se absolvido da acusação, o fato de ter respondido a um processo punha a perder todo o seu futuro.

A grande preocupação do delegado federal Carlos Pereira, quando pensava na sua carreira e na família, era o seu filho, ainda de tenra idade, de quem era ele o ídolo e o grande herói; e só de pensar no que deveria dizer ao filho, quando retornasse para casa, o apavorava; e o durão delegado federal *chorou copiosamente*.

O destino revelou nesse momento a sua face contraditoriamente irônica, pois eu, que havia proferido decisões para a liberação de máquinas caça-níqueis, buscava consolar justo o delegado federal que as apreendera, e fizera surgir os primeiros ventos do furacão que viria atingir a todos nós de forma tão impiedosa e cruel.

Eu, que pensava saber odiar, como penso que ainda sei, mais não fiz naquele momento do que consolar aquele que pensava ter sido a causa do meu calvário; mas que tinha ele próprio sido vítima do próprio veneno ministrado pela sua própria instituição.

Certa feita, vi um senhor idoso e negro passar em frente à cela dois, onde estávamos, e perguntei ao delegado Carlos Pereira quem era, tendo-me dito ele que era o *seu motorista*, que havia sido também preso pelo fato de ser da sua confiança.

O delegado Carlos Pereira pode aposentar-se, mas a sua indignação é tanta e maior o seu arrependimento em ter feito o que fez como delegado federal, que ele me disse que não se aposentará sem antes retornar aos quadros da Polícia Federal, para ser *um novo delegado*, mais humano e mais sensível, para nunca mais expor eventuais investigados a situações de constrangimento e vexame, como as em que havia ele próprio sido desnecessariamente exposto.

Ninguém mais do que eu torce para que esse delegado federal tenha sucesso na sua nova vida, após a passagem do furacão, e possa refazer a sua vida, com vistas postas na frase de Chico Xavier: "Embora ninguém possa voltar atrás para fazer um novo começo, qualquer um pode começar agora para fazer um novo fim".

Não houve quem não demonstrasse certa fraqueza em algum momento da sua passagem pela carceragem da Polícia Federal, e até quem sentisse nas lágrimas o leito natural para tanta agonia, e um delegado federal não foi exceção nesse universo de sofrimento.

Terrorismo na carceragem

Logo que chegamos à carceragem da Polícia Federal em Brasília, e pelo modo como fomos tratados, percebemos que quanto menos reclamações fizéssemos, melhor, porque uma coisa é a lei em tese e outra a lei em concreto; e naquelas circunstâncias, estávamos em face de leis, cuja única exegese possível era a que se afinava com o entendimento dos tiras-hermeneutas, capaz de neutralizar até mesmo a jurisprudência do Supremo Tribunal Federal.

Por isso, quando da minha transferência para Brasília, senti todas as minhas prerrogativas de magistrado *virarem pó*, pois embora a Lei dispusesse num sentido, a "tiro-hermenêutica" orientava-se no sentido contrário; e de forma tão contundente, que nem o Supremo Tribunal Federal foi capaz de evitar os excessos que a mídia mostrava diuturnamente.

A tiro-hermenêutica é a conclusão que o policial federal tira das gravações, segundo as suas próprias suposições, sendo a expressão "ao que parece" a mais citada no relatório da Polícia Federal.

Por isso, embora o juiz não devesse ser algemado, as algemas eram uma questão "operacional"; embora a lei não permitisse exame corporal constrangedor, fui despido por questão "operacional"; embora a lei não permitisse revistas degradantes, fui revistado como qualquer marginal, por questão "operacional" e assim por diante.

Na prisão, mesmo na companhia do grupo que ocupava a cela dois, o corpo e o espírito ficam bastante fragilizados, pelo que as más notícias são estímulos à angústia e à depressão.

Os advogados, embora se mantivessem de plantão na porta do gabinete do ministro Cezar Peluso, quase nunca tinham as notícias desejadas, porque o ministro determinara aos seus assessores que todo e qualquer requerimento da Operação Furacão lhe fossem diretamente encaminhados para despacho, pelo que as petições entravam, mas as decisões não saíam.

Nesse clima, que lembrava o limbo, surgiu a primeira notícia, que bem poderia ter sido "vazada" por agentes federais, de que a denúncia contra nós seria recebida por decisão singular do ministro Cezar Peluso, para depois ser buscada a aprovação do Plenário do Supremo Tribunal Federal.

O limbo era um lugar para onde iam as almas que, sem terem cometido pecados mortais, estavam para sempre privadas da presença de Deus, pois seu pecado original não fora submetido ao perdão por meio do batismo, como as crianças não-batizadas. Tendo o papa Bento XVI reconhecido que o limbo era uma hipótese e não um dogma, acabou por extingui-lo, de modo que agora a Igreja reconhece apenas o céu e o inferno, passando pelo purgatório.

Confesso que essa notícia não me tirou a tranquilidade, por conta da minha experiência de Tribunal, certo de que, sendo a competência para receber a denúncia do Plenário daquela Corte, não se animaria o ministro a recebê-la por decisão monocrática, desafiando os seus próprios colegas, e provocando mais um recurso. Mas, embora tentasse tranquilizar os demais custodiados, aquela notícia não deixou de me causar um *mal-estar*, mesmo porque, tendo acontecido tanta coisa que não deveria acontecer, o fato de vir a acontecer mais uma, como o eventual recebimento da denúncia por decisão isolada do ministro, não devia ser descartada.

Os dias se passaram, e como nada aconteceu, ficou evidente que aquela notícia fora vazada com o deliberado propósito de fazer terrorismo no espírito dos desembargadores e do representante do Ministério Público, únicos que foram denunciados perante o Supremo Tribunal Federal em razão da prerrogativa funcional.

A poeira daquela notícia ainda não havia baixado, quando chega a segunda, dando conta de que os *custodiados* seriam transferidos para a penitenciária de Catanduva, construída pelo Governo Federal, destinada a presos de alta periculosidade.

Embora nenhum de nós se enquadrasse nesse perfil, nem mesmo os bicheiros e bingueiros cuja periculosidade era visivelmente zero, muitos dos quais idosos e um até ancião, ficamos preocupados, porque para quem queria mostrar-se eficiente, como a Polícia Federal; muito atuante como o Ministério Público; e muito rápida como a Justiça; e o Governo

Federal interessado em inaugurar uma penitenciária federal; tudo conspirava contra qualquer desejo *de não acreditar*.

Confesso que até eu fiquei preocupado, mas me esforçava para não acreditar em que isso pudesse acontecer antes do recebimento da denúncia.

Como a nossa prisão temporária, já prorrogada uma vez, terminaria no dia 23 de abril, veio a terceira e última notícia aterradora, de que o procurador-geral da República, Antônio Fernando de Souza, iria requerer a prisão preventiva dos denunciados perante o Supremo Tribunal Federal, para impedir que fôssemos libertados e pudéssemos interferir na prova colhida contra nós.

Confesso que a essa altura do campeonato eu me recusava a acreditar em qualquer coisa, até mesmo que um dia seríamos soltos.

Mercadinho na carceragem

Um dos sérios problemas na prisão não é a alimentação em si, mas a forma pela qual ela é adquirida, que é a licitação pública, e como na licitação vence quem oferece o menor preço, e menor preço nunca foi sinônimo de qualidade, a administração acaba comprando o que de pior existe.

As empresas especializadas no fornecimento de serviço de alimentação ao Poder Público, como em todo sistema capitalista, pensa mais no lucros do que na qualidade da "quentinha", que no fundo é mesmo uma verdadeira "morninha".

Essa foi a razão do sucesso do mercadinho da cela dois, uma miniatura de supermercado, montada na mesa de cimento, onde se encontrava de tudo um pouco daquilo que a Polícia Federal permitia que fosse levado aos encarcerados.

Ao contrário da "morninha" que nem sempre continha aquilo que o estômago aceitava, no mercadinho sempre havia alguma coisa que ele desejava.

A alimentação fornecida na carceragem, além de ruim, era pouca, enquanto os alimentos do mercadinho eram excelentes, pois os familiares que estavam em Brasília não deixavam de mandar para a nossa cela um provimento diário de saudáveis alimentos.

Embora o prazer de comer devesse ser uma constante na cela, mesmo porque não se tinha outra coisa a fazer a não ser comer, a fome nunca era uma constante nos estômagos de plantão.

Havia também aqueles que encontravam forma igualmente agradável para passar o tempo, principalmente num clima como o de Brasília, como fazia o procurador da República João Sérgio, que tomava no mínimo três banhos diários.

Enquanto era um custodiado, aproveitei para fazer uma dieta, dando sempre preferência às frutas, que não me obrigavam a interromper a minha leitura na cela que era a minha preferência para não ficar vendo o tempo passar.

Depoimentos dos indiciados

Certa manhã, alguém noticiou que seríamos ouvidos pelos delegados federais sobre os fatos constantes do inquérito, que servia de suporte à denúncia.

Como tínhamos entrevistas diárias com os advogados, eles tomaram também conhecimento de que todos os encarcerados das celas um a sete começariam a ser ouvidos.

A recomendação da defesa era para que ninguém falasse nada a respeito da Operação Furacão, exercitando o direito de "ficar calado".

Não entendi o sentido dessa recomendação, mas como eu era um encarcerado e não um juiz tratei de segui-la à risca.

Confesso que essa recomendação não me agradou muito, pois eu estava louco para falar, fosse para quem fosse, sobre o que havia acontecido comigo a partir da minha prisão, porque a respeito do resto eu nem poderia falar, pois não sabia realmente de nada.

A única coisa que eu supunha, e nisso estava certo, era que eu tinha sido preso por um "delito de opinião" ou "delito de jurisprudência", por conta das decisões que havia proferido como vice-presidente do Tribunal, mas com as quais não concordavam alguns policiais federais e membros do Ministério Público Federal.

Eu queria muito falar, mas como "*em boca fechada não entra mosquito*", preferi naquelas circunstâncias seguir a recomendação do advogado e exercitar o meu direito de ficar calado.

Quando chegou a minha vez de ser interrogado, fui conduzido a um andar superior da carceragem, onde mais de um delegado federal se ocupava do ofício de ouvir os custodiados, adentrando uma sala preparada para essa finalidade, acompanhado do meu advogado.

Logo que entrei, vi que lá estava sentada uma senhora, à direita da cadeira onde sentaria o delegado, que supus devesse ser um membro do Ministério Público Federal, e realmente era uma subprocuradora-geral da República.

Quando chegou o delegado que não fiquei sabendo quem era, ele sentou-se, fez a minha identificação de praxe, e algumas perguntas sobre o meu patrimônio, que respondi prontamente, e quando deveria passar aos fatos objeto da investigação, ele mesmo se encarregou de me dizer: "Sobre os fatos, o senhor vai ficar calado, não é? Porque foi isso que fizeram os seus colegas".

Respondi afirmativamente, sem saber a que colegas se referia, porque não perguntei, mas acredito que devesse ser ao desembargador Ricardo Regueira, pois o juiz trabalhista Ernesto Dória já tinha sido ouvido na carceragem do Rio de Janeiro, supondo que com isso seria imediatamente liberado, embora não tenha sido.

O meu advogado fez algumas intervenções técnicas durante o meu depoimento, que o delegado federal atendeu, fazendo constar, mas também não me lembro sobre o que foi.

A subprocuradora-geral da República, presente à inquirição, passou-me a impressão de que iria formular perguntas, mas quando o delegado federal lhe perguntou se tinha alguma pergunta a fazer ela disse que não.

Dali fui encaminhado a uma sala ao lado para ser "fichado", para que fossem feitos alguns registros sobre a minha pessoa, tendo eu respondido, nessa oportunidade, a todas as perguntas que me foram feitas pelo meu inquisidor. O desembargador Ricardo Regueira foi "ouvido", quase concomitantemente, pois, assim que saí, ele entrou.

Quando retornamos dos depoimentos, já passava das 23h, e o desembargador Ricardo Regueira estava indignado por haver sido indiciado por formação de quadrilha.

Como todos sabiam em que preceitos penais estavam enquadrados, estranhei que eu não soubesse, e foi aí que lhes perguntei como souberam desse enquadramento, pois até então não tínhamos tido acesso à denúncia.

O desembargador Regueira me disse, então, que estava mencionado lá, na tal ficha de identificação, que eu também preenchi sem me dar conta que crimes me eram atribuídos. Posteriormente fiquei sabendo que eu tinha sido enquadrado na formação de quadrilha e corrupção passiva, que é exigir vantagem no exercício da judicatura.

Nesse dia eu estava tão fora de prumo, que posteriormente fiquei sabendo pela advogada Concita Cernicchiaro, que fora minha colega de magistério em Brasília e amiga da família, que ela estava sentada na mesma sala, acompanhando seu constituinte, e que eu não a havia sequer cumprimentado.

Por essa minha falha pedi desculpas, mas realmente não me lembrava de ninguém naquela sala além dos servidores da própria Polícia Federal.

Como tudo o que constava daquele relatório não batia com os registros da minha consciência, sendo mais produto da imaginação da parte malsã da Polícia Federal e do Ministério Público Federal, aceitas como verdade pelo Supremo Tribunal Federal, para mandar me prender, fui dormir sem me preocupar muito com os crimes que me eram atribuídos.

Noite maldormida

A noite do dia 20 de abril não foi para mim das mais agradáveis, pois senti muita dor no corpo e não tinha nenhum remédio à mão para aliviá-la, sem ânimo bastante para incomodar os meus companheiros de cela, que já dormiam, para perguntar-lhes se podiam me socorrer naquela emergência.

Virando de um lado para outro e tentando concentrar-me para pegar no sono, o máximo que consegui foi alguns cochilos, quando o dia amanheceu, e a dor tornou-se uma sensação quase imperceptível.

No dia seguinte, o desembargador Regueira me disse que tinha o comprimido adequado para a minha dor, e que eu deveria tê-lo acordado, mas para quem sabe o que é dormir na prisão não se animaria a perturbar o sono de outro encarcerado.

Após o café da manhã, o desembargador Regueira começou a fazer a sua leitura matinal dos Salmos em voz alta, pedindo a atenção de todos para o seu sentido, sempre condizente com a situação em que nos encontrávamos no momento.

Embora eu tenha participado dessas orações, confesso que estava mais para criar uma "Igreja dos Indignados", para fazer dela o altar das minhas pregações contra as injustiças, a truculência e a irresponsabilidade das instituições públicas, do que tomar naquele momento os rumos indicados pela Bíblia.

Nesse dia, porém, tive uma agradável surpresa, pois o meu genro chegara bem cedo à cela dois, a tempo de ouvir as orações do desembargador Regueira, tendo podido orar com o grupo e pedir pelo fim das injustiças cometidas contra nós.

O dia seguinte, 21 de abril, foi dos mais *significativos* da minha vida, porque nesse mesmo dia, séculos antes, Tiradentes fora enforcado por causa de uma trama semelhante, armada, sem nenhum constrangimento pelo poder instituído, com o único propósito de incriminá-lo e enforcá-lo. Não que eu quisesse equiparar-me ao herói da Inconfidência Mineira; se bem que ter nascido mineiro como ele era para mim motivo de orgulho.

Como os inconfidentes mineiros, fui preso, exposto à execração pública pela mídia e *condenado por antecipação*, sem qualquer direito de defesa, por uma farsa "montada" pelos meus grampeadores, antes que uma perícia séria fosse prova incontestável da minha culpabilidade.

Saída da carceragem

Era ainda a tarde do dia 21 de abril, quando o procurador da República João Sérgio foi chamado pelo carcereiro para avistar-se com o seu advogado no parlatório.

Estávamos de espírito preparado para passar mais um final de semana na carceragem, quando ele retornou com a notícia de que o ministro Cezar Peluso havia determinado a nossa soltura.

Para quem estava encarcerado havia nove dias, uma notícia dessas soou como um presente de Natal.

Esse dia 21 de abril nos devolvia a liberdade, ao contrário do que ocorrera no longínquo ano de 1792, em que o inconfidente Tiradentes tinha sido condenado à forca e em seguida esquartejado para servir de exemplo para os que professavam idênticos ideais.

A decretação da minha prisão e do desembargador Ricardo Regueira também foi para servir de exemplo para os demais juízes e desembargadores, e realmente serviu, porque houve um desembargador que havia concedido liminar para a importação de componentes eletrônicos de bingo, e cuidou logo de reformar a sua própria decisão e arquivar o processo com medo do furacão.

A notícia da nossa soltura se espalhou rapidamente pelo corredor da carceragem, chegando em pouco tempo a todas as celas, ouvindo-se conversas que expressavam uma sensação de alívio e de alegria. Alguns dos companheiros se apressavam em tomar rapidamente um banho, para saírem limpos.

Um agente da Polícia Federal abriu a porta da cela para sairmos, sendo eu encaminhado ao mesmo lugar em que chegara para pegar os meus pertences, e lá encontrei um oficial de justiça do Supremo Tribunal Federal pedindo-me que assinasse alguns documentos.

Essa medida me fez recobrar um pouco a minha autoestima, pois até então eu vinha sendo tratado como culpado, mas no alvará de soltura, subscrito pelo ministro Cezar Peluso, onde constava o carimbo "Segredo de Justiça" eu era tratado por Excelência, com "E" maiúsculo.

No mandado de notificação, repetiu-se o tratamento de "Excelência", também carimbado com o "Segredo de Justiça".

Particularmente, considerei essa cautela de apor nos documentos a mim dirigidos a expressão "Segredo de Justiça" uma indignidade, porque a mídia já estava mais bem informada dos ventos do furacão do que a maioria dos próprios ministros do Supremo Tribunal Federal; e se eles estavam de alguma maneira informados, essa informação lhes fora repassada pela mídia.

Por tudo o que eu e minha família passamos, eu preferiria não ter sido tratado por "Excelência", mas que as provas contra mim "montadas" pelos interceptores da Polícia Federal, com o apoio do Ministério Público Federal tivessem sido mais bem analisadas pelo Supremo Tribunal Federal, mediante uma avaliação prévia da sua consistência, antes de ser decretada a minha prisão temporária, para que eu não fosse exposto à execração pública.

Constou também desse mandado que ele "estaria" acompanhado de cópia integral do inquérito, de apensos em meio magnético, de cópia reprográfica da denúncia da decisão na qual determina a notificação, todas extraídas do inquérito. Na verdade, não havia nada disso, porque *nada recebi além do próprio mandado*, em seco e sem documento algum. Esse fato demonstra que nem sempre o que o Supremo Tribunal Federal faz é verdadeiro; e nesse caso realmente não era.

Fico pensando que se o Supremo Tribunal Federal afirma fazer uma coisa que não faz, dizendo que estava me entregando uma intimação com peças e cópias do inquérito e não estava, o que não estarão fazendo os demais tribunais e juízes espalhados por este país?

Estes relatos são importantes para que a sociedade saiba que nem sempre o que contém num mandado, mesmo que expedido por um ministro do Supremo Tribunal Federal, corresponde à verdade, pois se isso aconteceu com um magistrado, como eu, o que não acontecerá com o cidadão comum que se veja na mesma situação?

Quando perguntei ao oficial de justiça do Supremo Tribunal Federal se todos seriam soltos, a sua resposta reticente me fez sentir uma *dor no coração*, pois pela sua resposta percebi que o meu genro não seria libertado naquela oportunidade.

Nesse momento, a minha vontade foi de não sair da carceragem, e quando perguntei ao delegado federal o que aconteceria se eu não aceitasse ser solto sem que também o fosse o meu genro, ele foi *curto e grosso*: "Colocaremos Vossa Excelência lá fora à força".

Como eu já tinha ouvido esse argumento do delegado federal de Santa Catarina, quando me "convidou" para acompanhá-lo até a sede da Polícia Federal no Rio, sob pena de ser levado à força, não pensei em desobedecer à ordem que me era dada agora pelo delegado federal de Brasília.

Não me lembro quem estava ali me assistindo em nome do escritório de advocacia, mas este alguém me disse algo assim: "Desembargador, pelo amor de Deus, não é hora de criar caso. O senhor terá melhor condição de ajudar o seu genro saindo daqui".

Como o clima não era nada favorável, resolvi atender ao "conselho", e lá fui eu receber meus pertences, não sem antes perguntar ao agente se poderia falar com meu genro antes de sair, tendo ele me respondido com outro curto e grosso "não".

Na minha chegada à carceragem, nove dias antes, o agente federal me determinara que eu tirasse os cadarços dos meus sapatos, que seriam restituídos na saída, o que fiquei sem entender, mas já dentro da cela dois vim a saber que era para evitar um eventual suicídio, coisa que eu jamais faria antes de contar a minha verdade e ser inocentado pelo que eu não fizera; mesmo porque, com a minha morte, seria extinta a minha punibilidade e o Supremo Tribunal Federal se sentiria aliviado em não ter que me julgar, como não teve que julgar o desembargador Ricardo Regueira, prematuramente morto em consequência do furacão.

Essa explicação para tirar os cadarços dos sapatos não procedia por outro motivo, pois dentro da cela havia barbantes esticados para pendurar roupas, e se alguém quisesse se matar, seria mais fácil matar-se com barbantes do que com diminutos cadarços de sapatos.

Fato é que os meus cadarços não foram encontrados, apesar de eu mesmo os ter colocado dentro de um saco marrom, juntamente com minha camisa, meu paletó e meus sapatos; mas fiquei irredutível em não sair dali sem eles, o que levou o agente policial a conseguir com um colega seu, com sapatos com cadarços, a doação dos cadarços para me repassar; e com um pedido de desculpas por não serem os cadarços originais.

Recolhidos os meus pertences e já devidamente vestido de terno para sair, fui conduzido a uma sala localizada perto da saída, onde estava uma agente federal, muito simpática, tendo eu lhe pedido para fazer uma ligação "a cobrar" para minha casa, dando a notícia de que eu havia sido libertado. Ela consentiu, e telefonei para a casa da minha filha Bianca, e quando ela me atendeu, e eu lhe disse que estava livre e indo para casa; a emoção dela e minha quase tornou impossível a nossa conversa. Nesse momento, todos os telefones da minha casa estavam permanentemente ocupados.

Nos instantes em que estive naquela sala, a agente federal me perguntou quem eu era, e quando eu falei meu nome, ela me disse que tinha um filho estudante de Direito, que estudava nos meus livros e que apesar das circunstâncias ela estava muito feliz em me conhecer. Nessa ocasião, pedi a ela que me desse o nome do seu filho que eu lhe mandaria um livro com uma dedicatória, mas infelizmente acabei perdendo o endereço e não pude cumprir a promessa.

Pouco depois, fui alertado pelos seguranças de que o carro me esperava na frente da sede da Polícia Federal, tendo eu saído e entrado no carro para um hotel em Brasília, onde me esperava o meu advogado.

Na saída, fiz questão de não esconder o rosto, porque afinal eu não era nenhum criminoso, embora tivesse sido tratado como tal, e nada tinha do que me envergonhar, o que possibilitou uma foto minha posteriormente divulgada pela mídia ainda empolgada com os seus lucros.

Aliás, se dependesse de mim, teria dado uma entrevista à imprensa ali mesmo na saída, mas fui desaconselhado pelo meu advogado a não falar a quem só publica o que é do seu interesse e deixei de vez para trás essa parte do meu passado, sem tempo de ver os demais encarcerados que saíram na mesma ocasião.

Lembranças do cárcere

Foram longos os nove dias que passei na carceragem da Polícia Federal em Brasília, e tão longos, que me pareceram uma eternidade.

Quando se perde a liberdade, o tempo adquire uma dimensão que desafia a nossa capacidade de absorvê-lo.

O tempo é uma contradição em si mesmo, pois quando *queremos* que ele passe, ele não passa, e quando *queremos* que ele não passe, ele voa.

A minha melhor distração na cela, quando eu estava acordado, era ler sobre o que eu mais gostava, isto é, sobre Direito, e depois dormir, porque dormindo a gente sonha que está livre e o pesadelo retorna quando a gente acorda.

Eu não sou muito de dormir não, a uma, porque gosto de escrever, e a noite é a melhor companheira para um escritor; e, a outra, porque tenho consciência de que *terei a morte inteira para dormir*, pelo que procuro dormir entre quatro e cinco horas por noite, passando o restante dela escrevendo. Na cela era diferente, e eu dormia muito, porque não tinha nada para fazer.

Também o delegado federal Carlos Pereira dormia muito, e só acordava quando o cheiro das "quentinhas" invadia a cela, trazendo a nossa refeição do dia.

As *quentinhas* servidas na carceragem parecem com o queijo coalho vendido nas praias, em que o cheiro é convidativo e mexe com o estômago, mas quando nos dispomos a comê-lo, adquire a textura de uma borracha, pois não tem sabor de nada. Eu curto o queijo coalho a distância, só pelo cheiro que ele exala.

O que não consegui perceber na cela era quem dormia mais, mesmo porque o carcereiro passava duas vezes por dia pela cela para fazer a "chamada" dos custodiados, aliás uma revelação que merece ser feita pelo seu caráter inusitado.

As celas ficavam num espaço cercado de muros e grades por todos os lados, sendo tanta a segurança que nem um fantasma conseguiria sair dali sem ser notado, mas mesmo assim o carcereiro passava duas vezes por dia pelas celas para fazer a "chamada" dos presentes.

Isso me fez lembrar do meu tempo de escola primária, quando a professora dizia o meu nome e eu respondia "presente", pois na carceragem era a mesma coisa, com o carcereiro passando com uma lista nas mãos, contendo os nomes dos custodiados e chamando um por um pelo nome, devendo o chamado responder "presente".

Achei engraçado que levantar o braço não valia, pois um dia ele gritou meu nome, e estando eu deitado lendo, levantei o braço, tendo ele repetido meu nome até que eu respondesse "presente" para ele anotar a minha presença.

As orações eram outra constante na cela, pois o desembargador Ricardo Regueira não se descuidava da parte espiritual, da mesma forma que o Júlio Guimarães não se descuidava da parte material; de modo que a alma e o estômago eram as duas partes nossas mais cuidadas na cela.

Os Salmos passaram a ser uma constante na minha vida, pois mesmo estando em liberdade, aceitava sempre a convocação da minha filha Luciana para uma leitura da Bíblia. É mesmo interessante, como quando a gente abre o livro dos Salmos aleatoriamente e a cada abertura o texto se revela adequado às situações que estamos vivenciando.

A curiosidade não me permitiu saber o *hobby* de cada um dos detidos, exceto o do desembargador Ricardo Regueira, que curtia criar galinhas no quintal de casa, e o do meu genro, que é fazer churrasco.

O meu *hobby* é escrever, e a minha distração, jogar vôlei de praia nos finais de semana, distração que me impôs pesados ônus pelo furacão, pois a Polícia Federal escreveu no seu "relatório" que eu costumava passear na praia com alguns dos meus *comparsas* para tratar de assuntos de propina, o que é uma das mais deslavadas mentiras que poderia o delegado supor.

Quando li isso, me lembrei da advertência de Ariano Suassuna: "*Onde falta a memória, a imaginação preenche*".

Se eu pretendesse me encontrar com quem a Polícia Federal e o Ministério Público supõem que eu tenha encontrado, o último lugar que eu escolheria para isso seria uma praia, que sabia ser pública, pois teria recebido essa pessoa no meu apartamento onde nenhum policial federal teria acesso. Só quem não tem um mínimo de massa cinzenta na cabeça não entende isso.

CAPÍTULO 7

DE VOLTA À VIDA

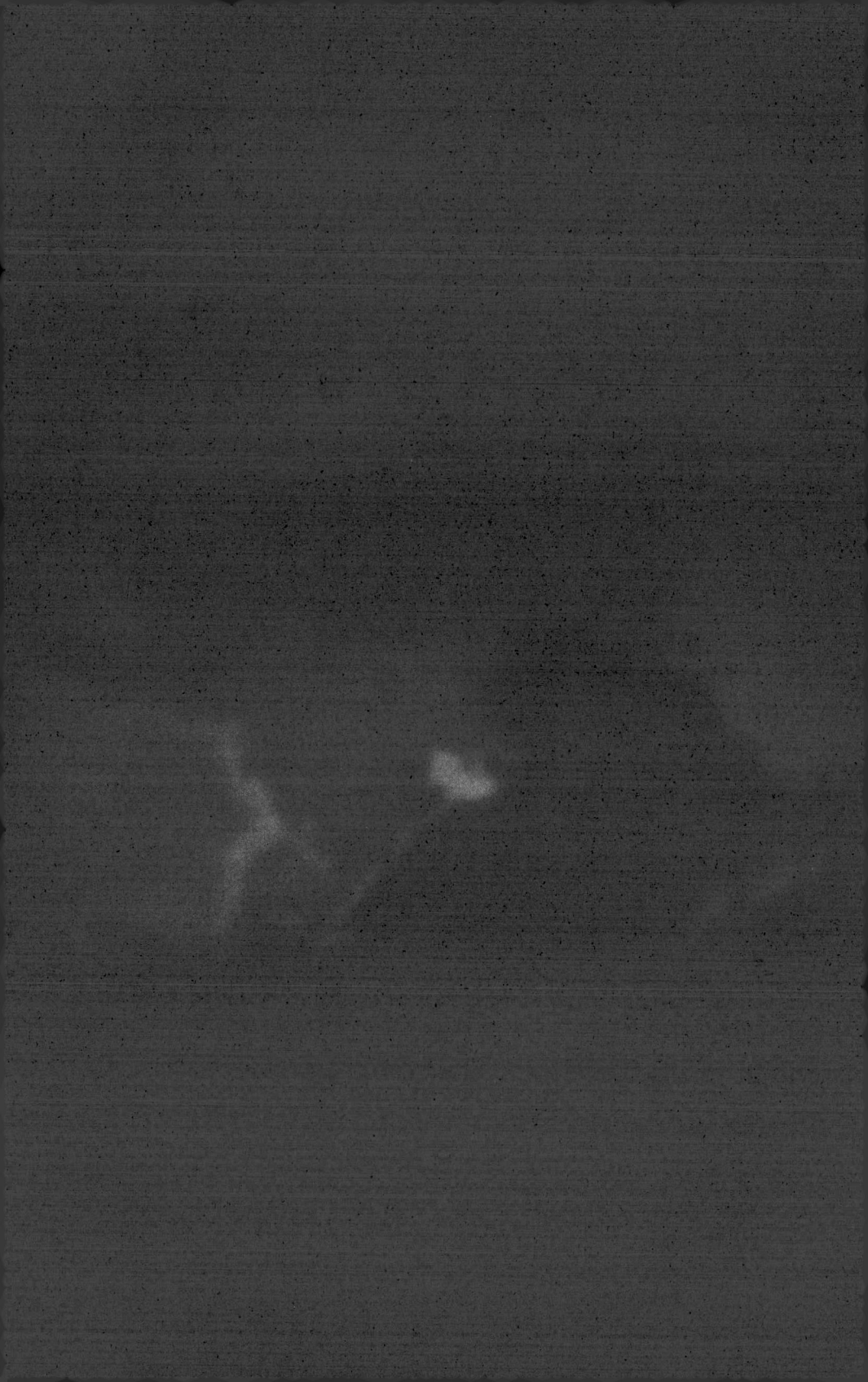

Retorno ao Rio de Janeiro

Quando fomos presos no Rio de Janeiro, fomos transportados para Brasília num avião da Polícia Federal, que tinha todo interesse na exibição dos seus "troféus" para a imprensa da Capital da República, sedenta também das imagens dos encarcerados.

No entanto, quando fomos soltos a Polícia Federal não cuidou de providenciar o nosso retorno, mesmo porque o seu *show* já não despertava tanto interesse, pelo que nos pôs literalmente no "olho da rua", na base do "cada um por si e Deus para todo mundo", e tivemos que nos virar sozinhos para retornar à origem.

Com os que tiveram seus bens sequestrados e levados para Brasília aconteceu a mesma coisa, pois a Polícia Federal encheu vários caminhões "cegonha" para transportar os carros, de luxo ou não, dos presos, para exibir como troféus, mas quando esses carros foram liberados, cada um teve que se virar para pagar o transporte de volta.

Essa foi mais uma das trapalhadas da Polícia Federal, secundada pelo Ministério Público Federal e autorizada pelo Supremo Tribunal Federal, porque não havia nenhuma necessidade de esses veículos serem transferidos para Brasília, para quase em seguida retornarem ao Rio de Janeiro, mesmo porque qualquer diligência a seu respeito poderia ser feita no Rio.

Como o meu advogado estava em Brasília, cuidou ele próprio de providenciar o meu retorno, comprando passagens para duas rotas, sendo uma Brasília-Rio e outra Brasília-Guarulhos-Rio, pois se a imprensa estivesse nos monitorando, como certamente estava, imaginaria que estaríamos descendo no Rio de Janeiro ainda naquela noite.

Na hora aprazada, fomos para o Aeroporto Internacional de Brasília e tomamos um avião para São Paulo, descendo em Guarulhos, onde um táxi adrede contratado já nos esperava; entramos no veículo e partimos para o nosso destino, eu, o advogado e o motorista.

A viagem foi tranquila, e nas poucas vezes em que paramos, eu tinha a impressão de que todos estavam me olhando, não sendo esta uma sensação agradável para quem era um magistrado.

Antes de chegarmos à Linha Amarela, saindo da via Dutra, o meu advogado ligou para o meu genro Rafael, para que ele se encontrasse conosco no Mercado dos Produtores, na Avenida Ayrton Senna, a fim de nos entregar um *transponder*, para que entrássemos no condomínio pela entrada dos "moradores", sem maiores incômodos, evitando a entrada de "visitantes", onde sempre havia jornalistas; dado o receio do meu advogado de que eles estivessem ainda à minha procura para dar entrevista.

Para quem não sabe, o *transponder* é aquela peça preta e redonda que se coloca no para-brisa do veículo para abrir automaticamente a cancela de entrada do condomínio.

Confesso que essa cautela de o táxi parar num determinado ponto do trajeto e o meu genro Rafael parar o seu carro um pouco à frente, vindo encontrar-se conosco para nos entregar o *transponder*, fez-me sentir um James Bond tupiniquim num filme brasileiro do tipo *O espião que entrou numa fria*, pois eu estava começando a sair dela.

Quando saímos de Guarulhos, em São Paulo, já estava anoitecendo, e a nossa chegada ao Rio de Janeiro se deu com a noite já alta, tendo eu chegado à minha casa quando já passava da meia-noite, onde a minha família me esperava ansiosamente.

Finalmente em casa

Era 22 de abril. Pela primeira vez tive a oportunidade de tomar um banho decente e dormir numa cama confortável, mas não sem antes conversar com a minha mulher sobre o cativeiro e ser informado de tudo o que acontecera durante a minha prisão.

Quando fui ao escritório matar a saudade das minhas coisas, na caixa de mensagens do meu correio eletrônico havia mais de seiscentas mensagens, quando percebi que havia também uma pilha de contas vencidas a pagar.

Como tenho o hábito de pagar as minhas contas pela internet e não mediante débito automático, a minha prisão provocou uma avalanche de atrasos, e eu tinha que estar fisicamente preparado para arcar com os prejuízos decorrentes de juros, multas e correção monetária, pois os prestadores de serviços não perdoam nunca, nem a quem comprove ter estado no olho de um furacão.

A vida foi, aos poucos, voltando ao normal, quando assumi de novo as funções de chefe da casa, inclusive no Instituto de Pesquisa e Estudos Jurídicos do qual era o orientador acadêmico, e na nossa casa de Itaipava, que com a minha prisão ficara entregue à própria sorte.

Pensei que no Rio de Janeiro a minha vida entraria rapidamente nos eixos e que eu iria à praia para matar a saudade dos amigos da rede Mackenzie, mas infelizmente a realidade foi bem outra.

Foi então que percebi que tinha de reunir todas as minhas forças para fazer as coisas acontecerem, e o que me animou foi a presença na minha casa da minha filha Luciana e do meu neto João Silvério. Com a prisão do seu marido e a minha eles voltaram temporariamente ao nosso convívio.

Quem olha para o meu neto João Silvério percebe de pronto que ele é uma criança iluminada, pois possui uma aura que tem um poder mais forte que vários relaxantes musculares, e quando eu sentia que minhas forças minavam, pegava esse meu neto no colo, abraçava-o com força e estava de novo recarregado e fortalecido para a luta.

O modo de ser do meu neto João Silvério, que com quatro meses não chorava nunca, limitando-se a espreitar com seus olhinhos de jabuticaba, passava-me a impressão de ser a reencarnação de Buda, embora eu não acredite muito em reencarnação.

Ao matar a saudade da minha mulher, das minhas filhas e dos meus netos, tendo na época dois outros, Maria Luiza e João Pedro, filhos de Bianca, nesse primeiro dia que passei em casa aproveitei para eliminar do meu peito o sentimento de ausência que me acompanhou durante os nove dias de carceragem.

O primeiro almoço no meu primeiro dia em casa foi também inesquecível, pois comi um frango com quiabo, que depois de nove dias de "quentinhas" na carceragem da Polícia Federal, era tudo o que o meu estômago poderia desejar.

Nesse meu primeiro dia de liberdade, minhas filhas, meus netos e meu genro Rafael passaram praticamente todo o dia comigo, ouvindo os meus relatos sobre os antecedentes da Operação Hurricane e uma apertada síntese do que viria a ser este livro.

O meu genro, preso juntamente comigo na Operação Furacão, continuava na carceragem de Brasília, aguardando a sua remoção para o Rio de Janeiro, pois não fora beneficiado pelo *habeas corpus* concedido pelo ministro Cezar Peluso, do Supremo Tribunal Federal, que me tirou do olho do furacão e me pôs no olho da rua.

Profecia de Coimbra

Num dos dias que se seguiram à minha soltura, acordei pela manhã e perguntei à minha mulher se ela se lembrava de uma visita que fizera a um indiano que lia a sorte, quando estivemos na cidade de Coimbra, em Portugal, ainda na época do escudo, e ela me disse que sim.

Fazia mais de cinco anos, e só então me dei conta de que o furacão que varrera nossas vidas havia sido previsto por esse indiano, exatamente da forma como tinha acontecido.

Havia uns cinco anos, eu e minha mulher fomos convidados a participar juntamente com outros juristas de um ciclo de estudos jurídicos na cidade de Coimbra, onde permanecemos cerca de uma semana.

Certa vez, fomos passear pelas ladeiras de Coimbra em companhia de alguns congressistas, quando minha mulher viu uma placa indicativa de que ali atendia um indiano que lia o futuro e me convidou para irmos juntos ler o nosso.

Eu nunca curti, diferentemente de minha mulher, os mistérios do além, pelo que declinei do convite, e segui em frente com o grupo, deixando-a ao pé da porta da casa do vidente, porque ela decidira que iria ler a sua sorte.

Recordo-me de que naquela hora perguntei à desembargadora Tânia Heine, então minha colega do Tribunal e que também participava juntamente com o marido desse congresso, se ela também não queria ler o seu futuro, mas ela declinou gentilmente do convite, dizendo-me que não acreditava nessas coisas.

Não me lembro do que aconteceu no trajeto do passeio até o hotel onde estávamos, mas fato é que acabei me perdendo do grupo, que se dirigira para o lado da estação de trem, que lá se chama comboio, e quando lá cheguei não encontrei mais ninguém, pelo que tomei um táxi e retornei ao hotel.

Quando a minha mulher chegou, ela me falou desse indiano e me disse que eu deveria ir lá.

A minha mulher curte videntes de qualquer natureza, qualquer que seja a sua especialidade, mas no caso específico desse indiano, ela não gostou nada do que ouvira, pois voltou visivelmente impressionada e me disse que ele fizera uma previsão aterradora.

Para não dar o braço a torcer, fingi que não estava muito interessado no meu futuro, mas na verdade estava, e torcia para que ela insistisse em me contar, e ela contou.

Disse-me que o indiano lhe dissera que teríamos "um grande furacão nas nossas vidas" e que a destruição seria tão grande, que "teríamos que ter forças para juntar os cacos".

Sabedor dessa previsão catastrófica feita pelo indiano, disse à minha mulher que eu não via como poderíamos ser atingidos por tal furacão, mesmo porque a minha atividade judicante não me colocava em "situação de risco"; mas no fundo eu estava ansioso para ir lá e conferir essa previsão, pois ele não saberia que eu era o marido de Tetê.

No dia seguinte, dei um jeito de dar uma fugidinha da Universidade de Coimbra e fui ter com esse indiano, para que ele lesse também o meu futuro.

Lá chegando, me lembro que o indiano atendia sentado numa pequena mesa, perto de uma janela, mas não tenho a menor lembrança de como ele era, mas tinha realmente um tipo de indiano.

Esse vidente lia a sorte pelas cartas do tarô, e quando leu o meu futuro e me disse que um furacão varreria a minha vida e que eu *"teria que ter forças para juntar os cacos"*; e só não caí da cadeira porque estava sentado, senão teria me esborrachado no chão.

A previsão me impressionou, porque ele não sabia que eu era marido da Tetê, para quem fizera a mesma previsão, e em ambos os casos as suas previsões eram catastróficas, com potencial para fazer das nossas vidas um inferno.

Naquela oportunidade tentei argumentar com esse vidente que a minha atividade profissional não oferecia nenhum risco, indagando-lhe se seria possível fazer alguma coisa para evitar essa catástrofe, mas ele me disse que não e repetiu que eu deveria estar preparado para, quando acontecesse, saber enfrentá-la.

Constatei que o indiano não era nenhum charlatão, porque, se fosse, teria me enrolado de algum modo, para me tomar dinheiro, dispondo-se a fazer o trabalho que eu lhe pedia para amenizar esse cataclismo.

Dali eu retornei à Universidade de Coimbra, e quando cheguei de noite ao hotel, contei à minha mulher que eu estivera no vidente indiano, que, sem saber quem eu era, fizera a mesma catastrófica previsão sobre o nosso futuro.

Depois que me lembrei desse fato, conversei com um amigo a respeito do assunto, pois tinha uma lembrança de ter contado a ele esse fato, tendo ele confirmado que, havia muito tempo, quando eu retornara dessa viagem a Portugal, eu havia contado a ele sobre essa sombria previsão.

Para quem não acredita em profecias, fica aqui o conselho de quem não acreditava: se algum dia, algum vidente, em alguma circunstância previr alguma catástrofe na sua vida, é melhor que acredite, para não ser pego de surpresa.

Contas bancárias bloqueadas

Estando já em casa, em 22 de abril, fui conferir meu saldo bancário e verifiquei que estava negativo, mas como nosso pagamento ocorria entre os dias 22 e 23 de cada mês, no dia seguinte estariam creditados os meus vencimentos, pondo-me em condições de saldar os meus débitos, inclusive os do mês anterior, e foi realmente o que aconteceu.

Em princípio, pareceu-me que as coisas estavam voltando ao normal, pois eu consegui entrar na internet, verificar meu saldo bancário e fazer os meus pagamentos, liquidando assim boa parte das minhas dívidas vencidas e não pagas a contragosto, por estar eu no olho de um furacão.

Foi assim até o dia 11 de maio, quando me devolveram um cheque com o qual eu tinha pago a taxa de condomínio, o que me fez levar um susto, porque sabia que ainda havia dinheiro na minha conta-corrente.

Na mesma hora, entrei no *site* da Caixa Econômica Federal por onde recebo os vencimentos de desembargador, quando recebi uma mensagem *on-line*, informando-me que a minha conta estava bloqueada por determinação do ministro Cezar Peluso, do Supremo Tribunal Federal.

Sem acesso à conta da Caixa, tentei entrar no *site* do Banco do Brasil, por onde recebo meus vencimentos de professor da Universidade Federal do Rio de Janeiro, recebendo idêntica mensagem, e nessa conta haviam sido creditados os meus vencimentos do mês de abril.

Aproveitei para conferir o meu saldo no Banco Real, cuja conta até então não estava bloqueada, mas constatei que ele estava negativo em mil e poucos reais, embora, posteriormente, também essa conta viesse a ser bloqueada.

Eu tivera conhecimento de que as contas do desembargador Ricardo Regueira, do juiz trabalhista Ernesto Dória e do procurador da República João Sérgio também haviam sido bloqueadas, e tinha sido uma via-sacra para desbloqueá-las, tendo em vista que o ministro Cezar Peluso, segundo informações da sua assessoria, chamara para si todos os despachos de todos os requerimentos que entravam no processo, proibindo seus assessores de minutar qualquer decisão a respeito.

Quando vi a imprensa noticiar que os vencimentos dos desembargadores haviam sido desbloqueados, tranquilizei-me porque a minha situação era exatamente igual à dos três, e aguardei o dia seguinte para tentar movimentar de novo as minhas contas; mas estava equivocado, pois quando falei com os gerentes dos bancos eles me disseram que as minhas contas em particular continuavam bloqueadas.

Nessa situação, liguei para o meu advogado, dando-lhe conta do que estava acontecendo e pedindo-lhe que tomasse as providências para que fossem desbloqueadas as contas-correntes para que eu pudesse sobreviver e pagar as minhas dívidas.

Passado algum tempo, e depois de muita insistência no gabinete do ministro, ele autorizou o desbloqueio das minhas contas-correntes, mas para minha surpresa eu só podia emitir cheques da Caixa, tendo perdido o direito de emitir cheques do Banco do Brasil, pois a partir de então o saque nesse banco deveria ser feito de uma única vez na boca do caixa de toda a quantia depositada.

Nunca entendi bem essa decisão, se bem que a cabeça de um juiz, mesmo quando ele é um ministro, nem sempre é entendível, porque pela sua decisão eu podia emitir cheques da Caixa, por onde eu recebia os vencimentos de desembargador, mas não podia emitir cheques do Banco do Brasil, por onde eu recebia os meus vencimentos de professor; a não ser que o ministro tivesse alguma picuinha com o Banco do Brasil.

Nessa ocasião, tomei também conhecimento de que não haviam sido desbloqueados os meus vencimentos do mês de abril, porque a determinação do ministro se referia apenas aos vencimentos a partir da data da intimação, e os vencimentos de abril haviam sido bloqueados antes.

Para resolver mais rapidamente esse impasse, pedi à gerente da minha conta que indagasse à consultoria do Banco a respeito, e obtive a confirmação de que realmente o desbloqueio só valia de maio em diante.

O pior não foi o bloqueio dos meus vencimentos, que depois vieram a ser desbloqueados, mas o fato de eu não poder fazer nenhum depósito nas minhas contas, nem de um centavo que fosse, porque era imediatamente bloqueado. Apenas o que viesse a ser depositado pelo Tribunal e pela Universidade estava liberado pelo Supremo Tribunal Federal.

Como eu tinha emitido cheques pré-datados, em razão da construção da nossa casa de Itaipava, acabei punido por mais uma falta de razoabilidade da Justiça, pois quando a minha conta-corrente baixava do limite azul e eu entrava no vermelho, eu não podia nem fazer depósito para cobrir meu débito, porque era imediatamente bloqueado.

Nunca vi tanto dinheiro jogado fora, pois o Banco do Brasil me enviava mensalmente desde a minha prisão, por escrito, uma "comunicação de bloqueio judicial em conta"; só parou de fazer isso há pouco tempo, porque deve ter cansado de cumprir essa injustificável e desnecessária determinação do Supremo Tribunal Federal.

Antes mesmo de vir a ser oferecida denúncia contra mim pelo chefe do Ministério Público Federal, Antônio Fernando de Souza, eu já estava sendo punido também na esfera cível, pois estava sem condições de fazer empréstimo em banco, mesmo em consignação, e condenado a ficar "no vermelho" sempre que o meu débito superasse o meu crédito, sem condições de cobrir a diferença negativa, que só era coberta quando feito novo crédito na minha conta pelo Tribunal.

No Banco do Brasil, foram bloqueados dezesseis mil reais dos meus vencimentos, e como eu tinha que fazer um exame de colonoscopia por recomendação médica e nenhum hospital confiável dentre os conveniados com o Tribunal fazia esse tipo de exame, fiz um pedido fundamentado ao novo ministro que assumiu a relatoria do meu processo, juntando o atestado médico e pedindo-lhe a liberação, porque eu não queria ser mais uma vítima do furacão, morrendo extemporaneamente, como acontecera com o desembargador Ricardo Regueira. Essa petição foi subscrita pela minha filha advogada Luciana, mas até hoje não tive resposta nem positiva nem negativa sobre esse pedido.

Até hoje, não posso emitir cheques do Banco do Brasil para movimentar a minha conta-corrente, onde recebo os meus vencimentos da Universidade, tendo que fazer mensalmente uma retirada total de uma vez só.

Chuva de manás

Segundo a Bíblia, o maná é um alimento que Deus mandou, em forma de chuva, aos israelitas no deserto, ou seja, uma espécie de pequenino pão para matar a fome do seu povo e que não podia ser guardado.

O bloqueio das minhas contas bancárias me deixou sem alternativa, porque eu tinha em casa um bebê de apenas quatro meses, filho da minha filha Luciana, e que ainda dependia de alimentação especial, e apenas na cabeça da Polícia Federal, do Ministério Público Federal e do Supremo Tribunal Federal eu tinha recebido a quantia de um milhão de reais por uma decisão para funcionamento de bingo; e cuja decisão nem era para isso, senão apenas para restituir aos proprietários das máquinas caça-níqueis aquelas que tinham sido ilegalmente apreendidas, porque as casas de jogo funcionavam com liminares concedidas por diversos desembargadores do Tribunal Regional Federal da 2ª Região, e nenhuma era da minha autoria.

Mas mesmo estando sem dinheiro, me dei conta de que continuávamos almoçando e jantando, e que nada faltava ao meu neto João Silvério, que tendo sido desmamado pelo maldito furacão, dependia de alimentação especial.

Eu evitava repassar à minha filha Bianca as nossas dificuldades, porque ela requerera ao INSS o auxílio-maternidade decorrente do nascimento do meu neto João Pedro, e até aquele momento ainda não havia recebido o que tinha direito.

Procurando saber de onde vinha a ajuda, descobri que vinha de Raimunda de Cássia, nosso anjo da guarda, na nossa companhia havia mais de trinta anos, que vinha fazendo compras da casa com o seu próprio cartão de crédito, e quando não podia pagar com o cartão, pagava com as suas próprias economias da sua caderneta de poupança.

Assim que recebi os meus proventos, a primeira coisa que fiz foi recompor o patrimônio dessa missionária, agradecido pela sua consideração moldada ao longo da nossa convivência e regada de muito afeto e respeito mútuo.

Saída de casa após o furacão

Na primeira semana da minha chegada ao Rio de Janeiro, recebi um telefonema do meu advogado que queria falar comigo e perguntou se eu poderia dar um pulo ao seu escritório, que funciona no centro da cidade, sem adiantar o assunto, que eu sabia ser relacionado com a minha defesa no furacão.

Quem me acompanhou nessa minha primeira incursão pela cidade foi também a minha filha Luciana.

Ainda cauteloso quanto à suspeita de jornalistas no meu encalço, o advogado nos pediu para entrarmos pela rua da garagem do prédio, pois lá estaria um servidor seu à nossa espera para nos conduzir ao escritório.

A sensação que tive, ao descer do carro, entrar pela garagem e caminhar pelos corredores do prédio até o nosso destino era realmente a sensação de um criminoso, de quem seria reconhecido a qualquer momento e fotografado para sair na primeira página dos jornais do dia seguinte.

Sendo eu desembargador e também professor universitário, e tendo proferido palestras e ministrado aulas em tantas instituições de ensino, era normal que tivesse o receio de encontrar alguém conhecido, pois estávamos num prédio com muitos escritórios de advocacia e próximo de uma Faculdade de Direito.

Nessa tarde, permanecemos no escritório do meu advogado até as 21 horas, aproximadamente, conversando sobre tudo, especialmente sobre os fatos que determinaram a minha prisão e infernizavam a minha vida e a da minha família.

Confesso que eu estava muito preocupado com a parte financeira da nossa conversa, porque o advogado vinha bancando todas as despesas feitas em Brasília, quando lá esteve, tentando livrar-me da carceragem, e com as minhas contas-correntes no vermelho, eu ficava imaginando como poderia reembolsá-lo.

Essa é outra realidade que não costuma passar pela cabeça de um ministro quando manda prender e afastar um magistrado, porque o preso precisa de um advogado para defendê-lo e que defesa custa dinheiro.

CAPÍTULO 8

PROVAS MONTADAS PELA POLÍCIA FEDERAL

Poder para prender sem força para controlar

O furacão Hurricane só aconteceu na minha vida porque fui levado a julgamento pelo Supremo Tribunal Federal, em virtude de estar um ministro de um tribunal superior envolvido pelos mesmos ventos, que tem como órgão julgador aquela Corte; porque se eu tivesse sido mantido no meu juízo natural, que é o Superior Tribunal de Justiça, nada disso teria acontecido, como não aconteceu na Operação Têmis, que varreu o Tribunal Federal de São Paulo, em que o ministro Félix Fischer autorizou buscas e apreensões, mas não mandou prender ninguém.

Aliás, se tivesse eu podido escolher, teria preferido ser preso por um policial, porque o meu infortúnio resultou justo do fato de ter sido eu preso por determinação de um ministro do Supremo Tribunal Federal que todos consideram infalível; mas que o Criador sabe que não é; e ele próprio também sabe.

A partir daí, pouco importa que eu seja absolvido, porque os estragos, que essa maldita prisão temporária tinha que fazer na minha vida, já fez;

tendo eu me mantido de pé, porque preciso continuar vivo para provar toda essa maquinação contra mim, para não morrer como culpado, com o Supremo Tribunal Federal declarando extinta a punibilidade pela morte, com o arquivamento do meu processo.

Certa vez, li uma carta de um juiz federal, solidarizando-se com um colega preso por agentes do CORE — Coordenadoria de Recursos Especiais do Rio de Janeiro, dizendo não concordar com a omissão da Associação dos Juízes Federais, na época presidida pelo juiz federal Fernando Mattos, da seção judiciária do Rio de Janeiro.

Nessa carta, dizia o juiz que não conhecia as provas em que eu, Carreira Alvim, era réu, nem as do processo em que o juiz preso pelo CORE foi vítima, e que nem lhe cabia tecer comentários sobre o mérito das duas causas, restringindo-se a sua manifestação sobre o comportamento da Associação na defesa das prerrogativas da magistratura. Disse o missivista que sabia que eu era uma pessoa educada e que não era violento, mas mesmo assim fui algemado pela Polícia Federal após deixar o cargo de vice-presidente do Tribunal, que ocupei por dois anos. Diz ainda ter assistido pela televisão eu algemado, como se fosse uma pessoa extremamente violenta, pelo que a Associação deveria se manifestar com a mesma veemência na defesa de todos os associados nas questões ligadas às prerrogativas da magistratura. Disse também que sendo eu um associado da Associação e ainda não condenado, merecia também o direito ao mesmo tratamento dos demais associados, esperando o missivista que, caso seja humilhado algum dia em decorrência da profissão de juiz, a Associação não fique omissa e use todos os meios para a defesa da magistratura federal.

Na época, a Associação dos Juízes Federais era presidida pelo juiz federal Fernando Mattos, do Rio de Janeiro, que, sendo um juiz, deveria conhecer como ninguém o princípio da presunção de inocência, pois reza a Constituição que *"ninguém será considerado culpado até o trânsito em julgado de sentença penal condenatória"*.

O então presidente, Fernando Mattos, acabou fazendo uma comparação das mais infelizes entre a minha prisão e a do juiz substituto referido na precitada carta, dizendo que a Associação teve o comportamento que teve porque eu havia sido preso por determinação do ministro Cezar Peluso, do Supremo Tribunal Federal, enquanto o juiz fora preso por policiais civis do CORE; como se ser preso por decisão de um ministro do Supremo Tribunal Federal fosse um atestado prévio para ser considerado culpado; e como se o ministro fosse infalível e estivesse acima da verdade e do bem e do mal.

O fato de ter eu sido preso por determinação de um ministro do Supremo Tribunal Federal gerou no espírito do então presidente da Associação, Fernando Mattos, que convivia comigo no Conselho de Administração do Tribunal, como representante dos juízes, uma *presunção de culpa*, passando a impressão de que a seu ver o ministro Cezar Peluso estava certo e eu, errado; mesmo antes de eu ser julgado.

Se isso acontece na cabeça de um juiz federal, que foi presidente da Associação de Juízes Federais, fico imaginando o que não terá passado na cabeça de tantas pessoas leigas, quando a mídia divulgou que eu estava sendo preso por decisão daquele ministro.

Depois de ter sido preso sem estar ainda condenado, quando muitos condenados nem são presos, e ter passado tudo o que passei, e ainda estou passando juntamente com a minha família, me lembro da "Oração de Natal de um órfão de guerra", quando lamenta: "*Se os tais de heróis não voltam para casa, será que vale a pena ser herói?*"

Montagem de uma farsa

Nos meses que antecederam a realização do Congresso Jurídico de Buenos Aires, recebi um telefonema da empresa organizadora do evento *Happy Hour Viagens e Turismo*, tendo o seu diretor, Almir Costa, me dito que o IPEJ não tinha condições de patrocinar integralmente todos os convidados porque estava faltando recurso, uma vez que alguns patrocinadores, que haviam prometido colaborar, acabaram *roendo a corda*.

Nessa contingência, não vi alternativa senão ligar para alguns participantes, e que seriam inclusive palestrantes, para lhes dizer que os recursos financeiros estavam escassos e que a organização do evento só poderia arcar com a sua estada e a de um acompanhante, em Buenos Aires, mas não poderia pagar a passagem aérea. No particular, tivemos a compreensão da maioria deles, que se dispuseram a participar assim mesmo, comprando do próprio bolso a passagem de ida e volta, recebendo de patrocínio apenas a estada na capital portenha. Mas houve também quem desistisse, quando eu disse que o patrocínio não poderia ser integral.

A maior dificuldade que enfrentamos foi quando fomos avisados pela agência de turismo que também não dava para *patrocinar integralmente* todos os ministros convidados, e que um deles teria que arcar com o preço da passagem de ida e volta, tendo apenas a sua estada e a do acompanhante pagas pela organização.

Aqui, delineava-se o que seria o meu calvário e da minha família e onde a mente doentia do delegado Ézio Vicente da Silva, da Polícia Federal, entrou em cena, vendo todos os ingredientes para fazer a "montagem" que fez, construindo uma frase para me incriminar; mas felizmente sem se dar conta de que uma perícia poderia facilmente comprovar a fraude, como realmente aconteceu, com o perito e professor Ricardo Molina pondo abaixo a farsa.

Nessa ocasião, conversando *pessoalmente* com Silvério Júnior, disse-lhe que teríamos de "desconvidar" um dos ministros, porque não tínhamos dinheiro para pagar a sua passagem, embora tivéssemos para pagar a sua estada em Buenos Aires, ou vice-versa, pagar a passagem, mas não a estada.

Silvério Júnior me ouviu calado, e no dia seguinte em conversa comigo — já que moramos bem próximos na mesma avenida, e com muita frequência passo em sua casa — perguntou se ele poderia conseguir o patrocínio para o ministro, para evitar o meu constrangimento de "desconvidá-lo". Foi aí que eu disse a ele que poderia tentar, e se conseguisse, o convite seria mantido; e me lembro de que ele disse também que iria ver se o próprio IPEJ tinha condições de arcar com esse patrocínio.

Como havíamos convidado dois ministros do Superior Tribunal de Justiça, Gilson Dipp e Peçanha Martins, o desconvidado seria, infelizmente, este último, apesar de ser, então, o vice-presidente daquela Corte, porque o ministro Gilson Dipp, por indicação do próprio ministro Peçanha Martins havia sido convidado para falar sobre "Lavagem de dinheiro", assunto no qual era um especialista.

O ministro Gilson Dipp, além de ministro do Superior Tribunal de Justiça, foi também conselheiro do Conselho Nacional de Justiça, e na qualidade de corregedor, foi o relator do processo que me aposentou compulsoriamente, apesar de este Conselho ser incompetente, conforme reiteradas decisões monocráticas do Supremo Tribunal Federal; porquanto, nos termos da Constituição, qualquer juiz, por qualquer motivo, só pode ser aposentado compulsoriamente em virtude de condenação judicial por sentença penal transitada em julgado; e as decisões do Conselho têm natureza apenas administrativa.

A meu ver, depois de ter o ministro Gilson Dipp — depois corregedor do Conselho Nacional de Justiça — participado de um Congresso organizado por mim e a meu convite por cinco dias na capital portenha, o mínimo que deveria ter feito em nome da ética que apregoou, no procedimento administrativo, seria se dar por suspeito nesse meu julgamento. Sempre tive para comigo que a ética é uma *via de mão dupla*, e não pode valer só em favor de quem a apregoa, mas sobretudo, em favor de quem a pratica.

Lembro-me, também, de que quando liguei para o ministro Peçanha Martins para convidá-lo, disse-lhe que o patrocínio seria, como era, de uma instituição universitária, a Universo, e que eu estava numa "calça-justa" danada pelo fato de o patrocínio acabar bancado por outra empresa ou instituição, mesmo que fosse o Instituto. Isso porque, quando conversei com o ministro Peçanha Martins, senti que ele não se mostrava muito confortável em aceitar o nosso convite, pelo que me sugeriu o nome do ministro Gilson Dipp, que aceitou participar com o patrocínio obtido pelo Instituto.

Poucos dias depois, estando em meu gabinete no Tribunal, lembrei-me do episódio das empresas que patrocinaram as três passagens do exterior para Buenos Aires, com a condição de que seus nomes não fossem divulgados — tanto que repassaram o preço das passagens em dinheiro, diretamente para a *Happy Hour Viagens e Turismo* — e, lembrando-me de que havia dito ao ministro Peçanha Martins que o patrocínio seria da Universo, dali mesmo telefonei para Silvério Júnior, que estava no seu escritório, para lhe dizer que a compra da passagem do ministro deveria ser feita em dinheiro.

Em nenhum momento, as conversas entre mim e o ministro Peçanha Martins ou entre o ministro e Silvério Júnior aparecem nos relatórios da Polícia Federal, e só não aparecem por conveniência da Polícia Federal e do Ministério Público, porque elas provam o contexto da conversa que tive com meu genro, e a deste com o ministro sobre a compra da passagem para Buenos Aires, o que comprometia a sua intenção de montar uma frase com as palavras "cortadas" da conversa.

O que aconteceu com a passagem do ministro Peçanha Martins foi que ela tinha sido comprada com escala, mas ele queria fazer uma viagem sem escalas, surgindo daí a dificuldade em complementar o que faltava para fazer a troca.

Como os *grampeadores* estavam à cata de uma conversa minha, fosse com quem fosse, a ligação que fiz para o meu genro foi para eles como "a sopa no mel", porque, naquela oportunidade eu pronunciara exatamente as palavras que eles precisavam para *montar* a frase que me incriminaria, pois, tendo eu falado em "parte aérea" e em "parte terrestre", em que a palavra "parte" aparece duas vezes, e em compra de passagem "em dinheiro", foi *montada* a partir daí a farsa que aparece no relatório da Polícia Federal "[...] arte em dinheiro, tá?", tendo sido involuntariamente cortada a letra "p" (de parte); o que facilitou a comprovação da montagem pelo assistente técnico da perícia feita no processo a que responde meu genro.

Essa era também a oportunidade para afastar-me da disputa pela presidência do Tribunal, como seu candidato natural, por ser o mais antigo, cedendo espaço à pretensão do então desembargador Castro Aguiar, hoje aposentado, de se tornar o presidente da Corte.

Por isso, os grampeadores e montadores da frase não perderam tempo, montaram a frase e meteram-na no relatório do inquérito elaborado sob a direção de Ézio Vicente da Silva, para que o procurador-geral da República conseguisse do relator ministro Cezar Peluso, no Supremo Tribunal Federal, a decretação da minha prisão temporária e a busca e apreensão contra mim, deflagrando a famigerada Operação Hurricane, onde fui incluído no *terceiro nível* da organização criminosa, como seu integrante, como se as decisões liminares para o funcionamento dos bingos tivessem sido dadas por mim; quando, na verdade, foram dadas por diversos outros desembargadores, que não eu.

O procurador-geral da República, Antônio Fernando de Souza, boiou tanto na elaboração da denúncia, que me deu como integrante de uma quadrilha que autorizava, mediante liminares, o funcionamento de bingos no Rio de Janeiro e Espírito Santo, sem se dar ao trabalho de ler direito o que constava do inquérito, porque eu só mandara liberar máquinas de bingo e não funcionar bingos.

Foi essa frase grampeada e montada pela Polícia Federal que os grampeadores vazaram para a mídia, tendo o repórter da Rede Globo se apressado em acrescentar à montagem a palavra "*minha*", por sua conta, vindo as emissoras de televisão a pôr no ar a frase montada "*minha parte em dinheiro, tá?*", que, sobreposta *por escrito* no vídeo e divulgada concomitantemente com a minha voz, que grande parte do mundo jurídico conhece, passou a impressão de que eu havia dito o que, na verdade não dissera, mesmo porque a frase *montada* pela Polícia Federal, constante do seu relatório, era apenas "*[...]arte em dinheiro, tá?*".

Essa montagem, irresponsável e criminalmente vazada pela Polícia Federal para a mídia, numa afronta à autoridade que determinara que as buscas e prisões fossem sigilosas, nem a Associação dos Juízes Federais, na época, conseguiu, apesar de insistentemente peticionado ao ministro Cezar Peluso, do Supremo Tribunal Federal, fazer com que ele fizesse cessar as repetidas divulgações. Isso demonstra que nem sempre o poder para mandar importa na força moral para desmandar.

Provavelmente a Polícia Federal não encontrou a palavra "*minha*" nas conversas que tive com Silvério Júnior, porque se tivesse encontrado, a teria acrescentado na montagem da maldita frase.

Na CPI do Grampo, instalada pela Câmara dos Deputados e presidida pelo então deputado Marcelo Itagiba, o perito professor Ricardo Molina, da Universidade de Campinas, afirmou que a imprensa tem feito um desserviço em muitos casos, pois no caso do desembargador Carreira Alvim a Rede Globo de Televisão colocou no ar uma frase que inexiste na gravação, tendo colocado isso no ar com transcrição.

Um desembargador do Tribunal de Justiça de Minas Gerais, meu amigo de muitos anos, me disse que, naquela Corte, todos ficaram atônitos com a minha prisão, e não se mostravam dispostos a acreditar no que acontecia até ouvir a malsinada frase "montada" *com a minha voz*, divulgada pela mídia; o que, aliás, aconteceu com a opinião pública em geral. E esse próprio amigo, um desembargador, me disse que eu tinha que provar que aquela frase não era minha; mas o acusado não tem que provar nada, porque a prova do fato típico é de quem acusa.

A então deputada Marina Maggessi me disse em alto e bom som, na sessão da CPI do Grampo em que fui ouvido na Câmara dos Deputados, que ela chegou a ter uma audiência com o ministro Cezar Peluso, do Supremo Tribunal Federal, que comandava as investigações contra mim, a quem disse que ele estava sendo usado pela Polícia Federal e pelo Ministério Público Federal; mas que infelizmente ele não lhe deu ouvidos.

Essa montagem da frase, feita pela Polícia Federal, só veio à tona no processo a que responde meu genro, na Justiça Federal do Rio de Janeiro, porque, se dependesse do Supremo Tribunal Federal, onde o processo penal se encontra literalmente parado, ou do Conselho Nacional de Justiça, onde correu o procedimento administrativo, a verdade ainda estaria no limbo, e eu sem saber de onde partira a maldita frase que eu não havia pronunciado. Nem o Supremo Tribunal Federal, antes de receber a denúncia contra mim, e nem o Conselho Nacional de Justiça, que me julgou em sede administrativa, se interessaram em apurar a verdade dos fatos, preferindo acreditar na versão absurda criada pelo Ministério Público, para me afastar do Tribunal.

Quando meu irmão Bonifácio, médico em Brasília, me visitou na carceragem da Polícia Federal, e disse que tinha me ouvido dizer essa frase "*minha parte em dinheiro*", e que a voz era realmente minha, tive a certeza de que tinha sido vítima de uma ardilosa trama do tipo Hitchcock, pela parte malsã da Polícia Federal, coadjuvada pela parte malsã do Ministério Público Federal, porquanto *tal frase eu jamais havia pronunciado*.

E não deu outra coisa, porquanto, chegando ao Rio de Janeiro, depois de nove dias de carceragem, tive a comprovação da montagem feita pelo grupo de grampeadores capitaneados pelo delegado federal Ézio Vicente da Silva, aceita pelo chefe do Ministério Público, que a repassou ao ministro relator Cezar Peluso, no Supremo Tribunal Federal, com base na qual ele decretou a minha prisão temporária e as buscas e apreensões no meu gabinete, no IPEJ, na minha residência e na casa de campo.

Nenhum convidado aceita participar de eventos jurídicos com seus próprios recursos, sendo, sempre, patrocinado por alguém, alguma instituição ou alguma empresa privada, porque a Justiça não tem condições legais, nem recursos para arcar com tais despesas; quando muito, a Justiça cede seus integrantes para engrandecer eventos jurídicos.

Os órgãos de controle interno, nos tribunais, constituem um desestímulo a qualquer intento de prestigiar eventos jurídicos à custa de recursos públicos, como se a cultura jurídica fosse coisa apenas de empresas privadas, que por sua vez se recusam em ter os seus nomes ligados a eventos, temendo o Judiciário.

Como palestrante ou convidado, tive a oportunidade de participar de incontáveis eventos jurídicos no Brasil e no exterior, e nunca paguei do meu próprio bolso qualquer despesa a título de passagem ou hospedagem; tudo sempre correu por conta de quem convidava. No exterior, participei de eventos com diversos ministros do Supremo Tribunal Federal, do Superior Tribunal de Justiça, de Tribunais de Justiça dos Estados; e não vejo nenhum problema nisso, porque o fato de aceitar um convite nessas circunstâncias nada tem a ver com a ética nem com a criminalidade.

É uma rotina na vida de ministros de Tribunais Superiores, desembargadores de Tribunais de Justiça e até juízes de todas as Justiças participarem de eventos jurídicos, nacionais e internacionais, como convidados, com viagens patrocinadas por instituições privadas. Nada disso ofende a ética e a moral, desde que o convidado não "negocie" a sua participação no evento em troca das suas decisões judiciais.

Se eu tivesse com os donos de bingo a intimidade que a Polícia Federal, o Ministério Público e o ministro Cezar Peluso supõem que eu tinha, não teria tido a menor dificuldade em conseguir o complemento da passagem do ministro Peçanha Martins, para que ele pudesse participar do Congresso de Buenos Aires, pois bastaria recorrer ao patrocínio dos bingos, que, naquelas circunstâncias, jamais seria negado.

Por isso, costumo dizer que a ideia que fazemos da coisa muitas vezes é pior do que a própria coisa.

Desmontando a trama

Uma das grandes preocupações do meu advogado sempre foi com as minhas conversas, gravadas pela Polícia Federal com autorização do Supremo Tribunal Federal, porque eu tinha a minha consciência tranquila do que tinha conversado com meu genro; nada parecido com o que supunha (e sabia) a Polícia Federal que houvéssemos conversado.

Em diversas oportunidades em que estive com meu advogado ele me fazia ver a importância de uma perícia nos discos rígidos que continham a minha conversa com o meu genro; e ninguém mais que eu desejava isso, porque eu tinha certeza de que havia sido vítima de uma farsa montada pela Polícia Federal.

Fazendo uma verificação auditiva da minha conversa com o meu genro, verifiquei que realmente o que conversáramos naquela oportunidade nada tinha a ver com as suposições da Polícia Federal, e isso poderia ser facilmente comprovado por uma perícia técnica.

Ficava a imaginar a razão pela qual a Contra-Inteligência da Polícia Federal, em quem se supõe um mínimo de bom senso e responsabilidade, seria capaz de *montar* uma conversa para me incriminar, sabendo que essa maquinação poderia ser desmontada por uma perícia técnica; a não ser que tivesse o único propósito de me desmoralizar para que eu não chegasse à presidência do Tribunal, mesmo que mais tarde pudesse ser desmentida.

Numa determinada passagem do seu relatório, a Polícia Federal diz que eu sabia que estava sendo grampeado, mas que não contava com a sua Contra-Inteligência, que acompanhava meus passos e me fotografava aonde quer que eu fosse, e que foi assim que eu teria sido "apanhado".

Essa afirmativa não é verdadeira, porque se fosse teria ela juntado as fotos no inquérito e o denunciante as tinha incluído também na sua denúncia, e lá as únicas fotos que existem são as do restaurante Fratelli, fato que eu nunca neguei, e não por conta de ter sido fotografado, contestando apenas *a versão do fato* que a Polícia Federal e o Ministério Público deram desse episódio.

Conseguimos que, no processo do meu genro perante a Justiça Federal, fosse autorizado pela juíza que o perito professor Ricardo Molina, da Universidade de Campinas, tivesse acesso aos diálogos referidos na denúncia, tendo-lhe sido entregues *dois* arquivos de áudio compactados e duas folhas, contendo registros da Polícia Federal, nas quais constavam referências às gravações, bem assim quesitos específicos para que fossem respondidos de forma fundamentada.

Na análise da gravação sobre a minha conversa com o meu genro foi constatada a existência de duas descontinuidades no fluxo de gravação, tendo a primeira descontinuidade ocorrido em meio à fala do interlocutor 2, que era eu, "tá me ou/...", dando a entender que a sentença completa, ou ao menos parte dela, seria "Tá me ouvindo?"; enquanto a segunda descontinuidade ocorre também durante outra fala do interlocutor 2, que era eu, mais especificamente no trecho no qual se ouve "/arte em dinheiro", tendo os dois primeiros elementos de formação permitido afirmar que a consoante cortada seria a letra "p".

Para o perito, não é possível afirmar categoricamente que a palavra pronunciada teria sido "parte" ou outra mais extensa como "reparte", por exemplo, não sendo possível saber a extensão do enunciado original, ou seja, quantas e quais palavras foram efetivamente suprimidas em decorrência dessa descontinuidade. Uma possível explicação para a segunda descontinuidade seria alguma imprecisão relacionada com dispositivo de detecção automática de fala, podendo esse dispositivo ter falhado, o que teoricamente explicaria a descontinuidade no trecho "/arte em dinheiro".

A outra descontinuidade ocorrente na mesma gravação, a saber, no trecho "tá me ou/..." poderia ser atribuída também a uma falha do sistema, visto que o corte abrupto se dá durante o segmento vocálico, ou seja, enquanto a amplitude do sinal está em nível alto e quase constante; mas não haveria motivo para o dispositivo automático de detecção de fala falhar, visto que a fala já tinha sido detectada e estava em nível alto no momento do corte abrupto.

Outro aspecto relevante na gravação é o fato de a duração relatada no relatório da Polícia Federal ser de 37 segundos, bem maior do que a duração total do arquivo correspondente à gravação, de apenas 21 segundos, havendo 16 segundos faltantes na gravação. Em outras palavras, cerca de 43% da conversação telefônica correspondente à gravação simplesmente desapareceram.

Acrescenta o perito que tal como se encontra, a gravação está no mínimo incompleta, e 16 segundos não é pouco tempo numa conversação; ou pior, foi montada de modo a simular uma conversação verdadeira.

Afirma também o perito que gravações cujos blocos de fala são separados por períodos de silêncio, ou seja, nas quais não existe ruído de fundo coerente, não permitem ter sua autenticidade categoricamente comprovada, porque, não havendo possibilidade de se analisar mudanças abruptas no ruído de fundo, um potencial fraudador poderia, sem dificuldades, retirar, inserir, alterar a ordem cronológica ou praticar qualquer modificação sem que sua ação pudesse ser posteriormente detectada.

No caso específico dessa gravação, diz o perito, e mesmo sem adentrar o perigoso terreno da interpretação semântica, é evidente que a falta de 16 segundos de conversação poderia alterar significativamente o contexto da conversação restante, e como não podemos saber de onde foram retirados os 16 segundos, a gravação, dentro de uma análise pericial rigorosa, fica comprometida. E mais, também não podemos afirmar se trecho ou trechos de outras gravações foram artificialmente inseridos de modo a criar ou sugerir sentidos originalmente não existentes.

A gravação em que alguém diz que "um milhão seria para Carreira Alvim" não apresenta, na visão do perito, divergência quanto à duração efetiva e a duração registrada no relatório da Polícia Federal, sendo mais provável, embora não inteiramente seguro, que a descontinuidade seja apenas uma falha local, sem efeitos globais quanto à alteração de sentido.

Na verdade, pelo que se depreende dos quesitos apresentados, um dos questionamentos mais importantes quanto a esta gravação diz respeito ao que foi efetivamente dito pelas vozes de fundo, tendo o perito podido verificar que: a) restam apenas fragmentos esparsos audíveis; b) sendo a maior parte da conversação de fundo ininteligível, algumas falas audíveis ficam totalmente descontextualizadas; c) certamente não se poderia identificar com análises instrumentais as vozes de fundo, em razão da qualidade e baixa amplitude do sinal.

Na primeira gravação não consta a palavra "parte", mas o vocábulo "arte", além do que entre as duas falas entre mim e meu genro foi cortado um trecho, que era justamente aquele que dava sentido completo às palavras "ideia" e "dinheiro", na frase composta pela Polícia Federal, adotada pelo Ministério Público e acreditada pelo ministro Cezar Peluso "aquela ideia sua, a...parte em dinheiro, tá?".

A quebra de continuidade foi feita entre a primeira fala "aquela ideia sua a" e a segunda "arte em dinheiro", o que demonstra que esse corte teve o deliberado propósito de suprimir algo que não interessava à Polícia Federal e nem ao chefe do Ministério Público Federal.

Depois de oferecida a denúncia, o Supremo Tribunal Federal determinou a "transcrição literal" da emblemática frase que eu teria pronunciado, mas a correspondência não era exata, tendo a palavra "parte" sido substituída por "faz", ficando assim: "*Aqui... aquela ideia sua, a... faz em dinheiro, tá?*" e, novamente, as palavras que dariam sentido à frase não aparecem.

Na verdade, o que supôs a Polícia Federal e acreditaram o chefe do Ministério Público Federal e o ministro Cezar Peluso, do Supremo Tribunal Federal, é que seriam encontradas na minha casa ou na do meu genro "grandes quantidades de dinheiro", como estava anotado num memorando repassado pelo coordenador da operação no Rio de Janeiro ao delegado federal de Santa Catarina, que este leu para aquele, no celular, na minha presença, quando da busca e apreensão na minha casa; só que nada foi encontrado, em que pese ter sido vistoriado livro por livro, caixa por caixa, canto por canto, em busca do maldito e inexistente dinheiro.

Se houvesse o denunciante, antes de me denunciar, e o ministro relator, antes de mandar me prender, tido o cuidado de ouvir a gravação com o cuidado que as circunstâncias determinavam, teriam constatado a "quebra de continuidade" das gravações, pois são claramente perceptíveis.

Perícia da Polícia Federal em xeque

Por solicitação da defesa do meu genro, a juíza condutora do seu processo determinou a realização de uma perícia pelo Instituto Nacional de Criminalística da Diretoria Técnico-Científica do Departamento de Polícia Federal em Brasília, nas mesmas gravações examinadas pelo perito e professor Ricardo Molina, o que gerou o laudo de exames que foram feitos por etapas.

Nesse laudo consta que foi registrada no sistema de interceptação um diálogo entre dois homens, *supostamente* Júnior e Carreira Alvim.

Esse laudo traz um resumo dos eventos registrados no áudio, nos seguintes termos:

a) o interlocutor *suposto* Júnior diz "Pode falar, Doutor", com ruído de fundo;
b) o interlocutor suposto Carreira Alvim diz "Tá me [ou...]", provavelmente perguntando "Tá me ouvindo?", com ruído de fundo;
c) o interlocutor suposto Júnior responde "Tô", com ruído de fundo;
d) o interlocutor suposto Carreira Alvim diz "Aqui... aquela... aquela ideia sua [ach] (interrompido)", com ruído de fundo;
e) o interlocutor suposto Carreira Alvim diz "o... o... o...o... a... a.", com ruído de fundo;
f) o interlocutor suposto Carreira Alvim diz "[...arte] em dinheiro, tá?", com ruído de fundo;
g) o interlocutor suposto Júnior diz "Não, pode deixar, já... já... já...", com ruído de fundo;
h) o interlocutor suposto Júnior diz "Tá tudo na cabeça, já aqui, pode deixar tá?", com ruído de fundo;
i) o interlocutor suposto Júnior diz "Preocupa não", com ruído de fundo;
j) o interlocutor suposto Carreira Alvim diz "Tá bom, querido, obrigado, hein?. Tchau", com ruído de fundo;
k) o interlocutor suposto Júnior diz "Nada, tchau, tchau... té mais tarde", com ruído de fundo.

Como se vê, a conversa que a Polícia Federal gravou, como ela própria comprova, *não tem nem pé nem cabeça*, porque as palavras que dariam sentido às frases foram simplesmente "cortadas", pela razão de que o que foi cortado não interessava, pois as minhas conversas com o meu genro eram sobre viagens e compras de passagens dos participantes do encontro de Buenos Aires.

O laudo pericial revela que nada menos do que em dez oportunidades as gravações apresentam total ausência de ruídos de fundo, o que é um sério indício de que alguma coisa está errada, sendo que em algumas delas o som aparece repentinamente.

Apesar de o laudo falar a todo momento que as falas são de uns supostos interlocutores, eu e meu genro, não são supostos não, pois somos nós mesmos, pelo que *o fato* de termos conversado é verdadeiro, só não sendo verdadeira *a versão do fato*.

A grande preocupação do laudo pericial foi mais a de identificar as vozes como sendo minha e do meu genro, o que nós nunca negamos, do que propriamente o conteúdo e o sentido da conversa que supôs que tivéssemos tido ao telefone.

Se bem analisada a perícia realizada pelo Instituto Nacional de Criminalística da Diretoria Técnico-Científica do Departamento de Polícia Federal, um órgão da própria polícia, vê-se que na verdade ela não comprova nada contra ninguém, simplesmente porque não existe nenhuma conexão entre as palavras ou pequenas frases ditas pelos interlocutores, conexão esta desvirtuada pelos cortes feitos de forma proposital para descontextualizar os diálogos.

Se essa prova servir para provar alguma coisa contra alguém, aliada às demais provas referidas no relatório da Polícia Federal, todas consistentes em simples suposições, sem nenhum substrato concreto de veracidade, então sou obrigado a reconhecer que sou um neófito em matéria probatória, apesar de ter passado grande parte da minha vida analisando provas.

A Polícia Federal por seu Instituto Nacional de Criminalística por certo não diria, *como não disse*, que houve cortes nas conversas, o que poria de vez por terra o relatório feito pela própria Polícia Federal; e que emprestou suporte à minha prisão temporária e, depois, à denúncia contra mim perante o Supremo Tribunal Federal, tendo como principal suporte essa canhestra peça.

Prova técnica desmente a Polícia Federal

Como a perícia levada a efeito pelo Instituto Nacional de Criminalística da Polícia Federal em Brasília, por meio de laudo técnico foi acompanhada pelo professor Ricardo Molina, na qualidade de assistente técnico da defesa do meu genro, fez ele os necessários comentários ao referido laudo, sendo importante ressaltar algumas passagens das suas observações, que demonstram a imprestabilidade do exame técnico levado a efeito nas gravações das conversas que interessavam ao processo.

Diz o assistente técnico que, para alguns quesitos, embora tenham sido os mesmos elaborados de forma a delimitar claramente o aspecto técnico em foco, não há resposta satisfatória ou, pelo menos, direta, como acontece com o quesito a seguir.

Foi pedido pela defesa aos peritos oficiais para analisar espectralmente todos os intervalos de silêncio entre falas subsequentes; e responder se a gravação, nesses trechos de silêncio, apresentava alguma informação espectral de fundo que pudesse ser empregada para garantir a continuidade da gravação.

Como resposta, os peritos remetem a sua resposta a um outro item do laudo.

Nesse particular, registra o assistente pericial professor Ricardo Molina que o quesito, tal como formulado, comportaria uma simples resposta afirmativa ou negativa, não havendo qualquer necessidade de remeter à longa discussão do item remetido.

Mas examinando de perto o relatado no referido item, apresenta-se ali uma tabela na qual são descritos, trecho a trecho, os eventos acústicos observados na gravação. Em diversos trechos relatam os peritos ausência total de ruído de fundo, presença apenas de pequeno nível de amplitude em decibéis. Existem, pois, trechos *sem informação espectral relevante de fundo*. Sem tal informação, sabem bem os peritos, é impossível garantir a integridade desta ou de qualquer outra gravação com as mesmas características. Assim, a resposta ao quesito deveria ser simplesmente "não", ou seja, desdobrando-se a resposta, *não existe na gravação informação espectral de fundo que pudesse ser empregada para garantir a continuidade da gravação*. É isto o que se depreende dos dados da tabela; e esta deveria ter sido a resposta técnica ao quesito.

Ainda com relação à falta de informação consistente, que pudesse garantir a integridade da gravação, pediu a defesa que, caso não houvesse informação coerente de ruído de fundo entre as falas, poderiam os peritos apresentar outras evidências *técnicas* (ou seja, baseadas, única e exclusivamente na gravação, e não em aspectos circunstanciais) que pudessem ser eficazes para avaliar, inequivocadamente, a integridade da gravação.

Embora o quesito tenha sido bastante explícito quanto à exigência de evidências "baseadas única e exclusivamente na gravação", ou seja, evidências oriundas única e exclusivamente das informações contidas na gravação, os peritos baseiam sua resposta em *comparações* dessa gravação com outras gravações do arquivo, para concluir, com base nessas "comparações", que as várias interrupções presentes na gravação, assim como a ausência de ruído de fundo "são características sistêmicas, compatíveis com o uso de terminal móvel Nextel operando na modalidade de comunicação por despacho, e com o sistema de interceptação empregado".

No particular, registra o assistente pericial que tal resposta não atende ao proposto pela pergunta, visto que os peritos recorreram a informações externas ao arquivo (gravações) periciado; e que o fato de existirem *outros* arquivos (gravações) que apresentem, eventualmente, falhas, interrupções etc., nada esclarece, de definitivo, quanto à integridade do arquivo (gravações) efetivamente periciado, especialmente se tais "falhas sistêmicas" puderem ser reproduzidas em laboratório sem dificuldades, como é o caso.

Pediu, ainda, a defesa que caso inexista informação de ruído de fundo entre as falas, que os peritos respondessem se em tais condições seria detectável uma manipulação do sinal original, manipulação esta que, eventualmente, viesse a suprimir algum trecho, modificar a ordem cronológica de algumas falas ou mesmo inserir trechos extraídos de outro telefonema efetuado nas mesmas condições de captação/gravação.

Registra o assistente pericial que, novamente, tem-se aqui uma questão que comporta uma simples resposta afirmativa ou negativa, pois, afinal, a pergunta era se uma manipulação *seria* ou *não seria* detectável, pergunta esta que os peritos evitaram responder, remetendo a outro item do laudo.

Afirma o assistente pericial que leu e releu o item remetido, sem encontrar a resposta ao quesito tal como colocado, pois aquele item se limita a descrever, genericamente, as abordagens que serão empregadas nos exames, mas nada afirma, especificamente, a respeito dos arquivos periciados. Muito menos pôde o assistente encontrar qualquer informação que respondesse à questão colocada no quesito, a qual repete agora sumariamente.

Diante das características da gravação (ausência de ruído de fundo entre falas, descontinuidades durante trechos de fala etc.) seria possível *detectar* uma eventual manipulação? Certamente não! A ausência de ruído de fundo útil entre falas permitiria que trechos fossem suprimidos e/ou incluídos ou mesmo que a ordem dos eventos de fala fosse alterada sem deixar qualquer vestígio. Este seria um procedimento razoavelmente simples em processamento digital de sinais.

Nessa observação, o assistente técnico ilustra com as figuras 1 e 2 como uma montagem indetectável pode ser realizada, sem grandes dificuldades, neste tipo de material de áudio; figuras que são acompanhadas de legendas e sinais explicativos dos procedimentos.

Finalmente, perguntou a defesa se diante das condições da gravação no supracitado arquivo (gravação), os peritos podiam garantir que não houve algum tipo de manipulação, em momento posterior, do arquivo, considerando *exclusivamente* suas características acústicas e não outros aspectos circunstanciais.

Nesse particular, observa o assistente técnico que o quesito, tal como formulado, admite apenas resposta direta, *não havendo terceira opção possível*, tanto linguística como logicamente. Insistimos, pois, em uma resposta que contemple, *necessária e exclusivamente*, uma dessas duas opções:

a) os peritos não podem garantir se a gravação contida no referido arquivo (gravação) não tenha sido, de algum modo, alterada de forma a não corresponder, exatamente, à conversação original;

b) os peritos garantem que a gravação contida no referido arquivo (gravação) não foi, de modo algum, manipulada. Neste caso queiram os peritos apresentar fundamentação técnica consistente que ampare tal conclusão categórica.

Os peritos consideraram o quesito prejudicado, justificando a sua posição afirmando que "não consideraram exclusivamente as características acústicas do áudio na realização do exame".

Registra o assistente técnico que, se isto for verdadeiro, então a resposta ao quesito é possível sim, e seria: "considerando exclusivamente as características acústicas e não outros aspectos circunstanciais, *não é possível garantir que a gravação [no Arquivo] não tenha sido, de algum modo, alterada*". Com efeito, esta é a resposta que se depreende da própria argumentação dos peritos.

Até a juíza formulou quesito, retomando uma pergunta antes formulada pela defesa, perguntando novamente aos peritos: "sob que condições técnicas pode a perícia *garantir* que determinada gravação é autêntica?"; insistindo a juíza em conhecer os elementos que permitiriam *garantir* a integridade de uma gravação; tendo os peritos mais uma vez escapado da análise do objeto pericial específico, limitando-se a afirmar que o arquivo (gravação) periciado é "idêntico" a *outro* arquivo "presente no DVD de *back-up* (que é a cópia de segurança) do sistema de interceptação", como se o vício existente num justificasse o vício existente no outro.

O mais grave em tudo isso é o registro feito pelo assistente técnico de que não teve, em nenhum momento, acesso direto aos "outros" arquivos empregados pelos peritos do Instituto Nacional de Criminalística; esclarecendo não estar duvidando da lisura dos peritos, mas por ser uma questão técnica deve nesse âmbito ser discutida. O problema que viu o assistente com muita clareza é de ordem metodológica, dizendo respeito à própria definição de "autenticidade" de uma gravação.

De acordo com a argumentação desenvolvida no laudo pericial desse Instituto, uma gravação que, embora apresente descontinuidades, truncamentos no meio de falas, duração não coincidente com a presente no relatório, além de outros vícios, pode ser considerada "autêntica" se são eventualmente encontradas *outras* gravações com os mesmos vícios ou, apenas, se a gravação está "conforme enviada pela operadora Nextel" (afirmação contida na resposta ao quesito da juíza). E mais, poderá tal gravação ser considerada ainda autêntica, mesmo que os estranhos efeitos observados possam ser reproduzidos em laboratório de forma não detectável pela perícia. Ora, esta é uma definição bastante liberal do conceito de "autenticidade", e certamente não seria aceita pela imensa maioria dos peritos de fonética forense, sérios, que atuam na área.

A essa altura, cita o assistente técnico a opinião de um dos maiores expoentes em fonética forense do mundo, Harry Hollien, da Universidade da Flórida, numa obra intitulada *The Acoustics of Crime* (*A acústica do crime*), dizendo que "A reputação ou integridade presumida do indivíduo/agência que fez a gravação não deve afetar a meticulosidade dos exames".

Esse conselho é bastante pertinente no caso em tela, pois fato é que de acordo com a abordagem dos peritos, a verificação da integridade/autenticidade das gravações questionadas, e mais *dramaticamente* aquela contida no arquivo que contém a minha conversa com meu genro, está totalmente vinculada a critérios *externos* ao objeto pericial em si (a gravação propriamente dita) e depende de fatores como a "confiabilidade" da operadora, a integridade dos procedimentos de coleta, transmissão, manuseio de dados etc., procedimentos estes, aliás, que não foram acompanhados pelo assistente técnico porque, apesar de haver uma determinação judicial, a Polícia Federal não permitiu.

Ressalta o assistente técnico que a certas fases do processo nem sequer tiveram acesso os próprios peritos do Instituto Nacional de Criminalística; mas ainda assim, com extraordinária confiança em procedimentos além de seu próprio controle, concluem eles, a respeito da gravação com a minha fala com meu genro que "*a conversa está íntegra, ou seja*, conforme enviada pela operadora Nextel". Com isso se entende que qualquer coisa enviada pela operadora Nextel tem o selo da autenticidade para os peritos do Instituto Nacional de Criminalística; pelo que se assim for o mais eficiente (ou pelo menos mais rápido) seria então, daqui em diante, recrutar os próprios engenheiros da Nextel para "autenticar" futuras gravações questionadas, em vez de nomear para isso os peritos daquele Instituto.

Para o assistente técnico, não é razoável autenticar uma gravação com base na *presunção* de "idoneidade" de qualquer indivíduo, empresa, agência etc., e, muito menos, como fazem os peritos do Instituto Nacional de Criminalística, *comparando* uma gravação questionada com outras, *sem que se tenha provado que essas outras são* autênticas; pois assim agindo se cai num círculo vicioso: "autenticou-se" um objeto pericial com base em analogias com outros objetos *não periciados*.

Acrescenta o assistente técnico professor Ricardo Molina haver uma gritante falha lógica neste tipo de abordagem feita pelos peritos, pois, de acordo com a argumentação por eles desenvolvida, poderia ser construída a seguinte evolução de pensamento:

As gravações tipo Nextel geralmente apresentam problemas sistêmicos; sendo que a gravação questionada é do tipo Nextel. Logo, os problemas observados na gravação questionada são *sistêmicos*. Assim é um pseudossilogismo, pois a conclusão a que chegaram os peritos não é inferência necessária das premissas que eles mesmos colocaram. A falha do raciocínio dos peritos acima fica mais clara, para o perito, se trocar alguns termos, mantendo a estrutura (pseudo) lógica, tal como:

As aves geralmente voam (premissa maior).
O pinguim é uma ave (premissa menor).
Logo: "O pinguim voa" (conclusão).
Mas, na realidade, apesar de ser uma ave, o pinguim não voa.

Há outro desenvolvimento, este sim, lógico que levaria a uma conclusão bem diferente, assim:

As gravações Nextel geralmente apresentam descontinuidades *sistêmicas* (premissa maior).

Descontinuidades *sistêmicas* podem ser reproduzidas em laboratório de modo não detectável na perícia técnica, sendo a gravação questionada do tipo Nextel (premissa menor).

Logo: "Não se pode garantir que as descontinuidades observadas são realmente *sistêmicas*".

Observa o assistente técnico que *todas* as proposições (premissa maior, premissa menor e conclusão) são verdadeiras, ao contrário do pseudossilogismo construído pelos peritos do Instituto, o qual, entretanto, serviu de base para as conclusões exaradas no laudo submetido à sua apreciação, dele, professor Ricardo Molina.

Nas suas *conclusões*, o assistente técnico, que se orienta por critérios técnicos e não circunstanciais, as gravações em tela (arquivos submetidos à perícia) contêm vícios cuja origem não foi devidamente esclarecida pelos peritos, e *não podem ser validadas como prova técnica*.

Para o assistente técnico, o Laudo Pericial não responde às questões centrais e baseia suas conclusões em comparações com outros objetos, objetos estes que nem sequer foram periciados, caindo num círculo vicioso, em que, para "autenticar" um objeto pericial, recorre-se a uma comparação com *outros objetos não periciados*. E se questiona o assistente técnico: quem garante a integridade destes *outros* objetos? Perseguindo a tortuosa lógica empregada no laudo comentado, a "autenticidade" destes outros objetos seria novamente "testada", comparando-os com outros objetos também não periciados, e assim até o infinito.

Na visão do assistente técnico, os peritos do Instituto Nacional de Criminalística reconhecem não ter controle sobre todas as fases do processo de captação, de gravação, de codificação e transmissão dos dados para a Polícia Federal, sendo tais procedimentos executados pela *operadora Nextel*. Assim, concluem a respeito de um dos arquivos (gravação), justo aquela que contém a minha fala com o meu genro, que "*a conversa está íntegra, ou seja*, conforme enviada pela operadora Nextel". E formula o assistente a seguinte indagação: Devem então, de agora em diante, confiar (cegamente) na operadora *Nextel*? Se for assim, melhor seria então, nos casos futuros, consultar diretamente os engenheiros da *Nextel*, dispensando os peritos do Instituto Nacional de Criminalística da fatigante empreitada.

Também não foi devidamente esclarecido, no Laudo Pericial, de que forma poder-se-ia distinguir uma descontinuidade "sistêmica" de uma fraudulenta; e não o foi por um único e simples motivo: porque tecnicamente não é possível fazer tal distinção.

Ressalta o assistente que o Laudo Pericial *em nenhum momento* afirma que uma descontinuidade artificialmente criada poderia ser detectada em gravações semelhantes àquelas originadas de ligações *Nextel*; pelo que a aferição de "autenticidade" não pode ser realizada com segurança. Simplesmente afirmar, como o fazem os peritos, que vícios semelhantes aos observados nas gravações questionadas (truncamentos e descontinuidades em geral) ocorrem "aleatoriamente" por causa de falhas no sistema *não pode ser admitido como evidência de autenticidade*. Se o sistema é falho e gera "ao acaso" descontinuidades na gravação, as quais não podem ser tecnicamente diferenciadas de efeitos semelhantes produzidos em laboratório, então que o proprietário do sistema o ajuste de tal modo a não mais produzir tais gravações imperfeitas. O que não se pode, conclui, é usar gravações repletas de descontinuidades como prova técnica válida.

Esse parecer técnico comprova exatamente o que aconteceu, ou seja, que a parte malsã da Polícia Federal aproveitou-se de uma conversa que tive com o meu genro, que nada tinha a ver com liminares, mesmo porque ele nem era advogado das casas de bingo, conversa esta em que se falou em "parte" (*parte* aérea e *parte* terrestre), e onde se falou também "em dinheiro", porque o pedido era para que a passagem do ministro Peçanha Martins, para Buenos Aires, fosse feito em dinheiro; e, com isso, montou a *famigerada* frase "[a] arte em dinheiro, tá?", sem nenhum significado no contexto, mas que servia aos propósitos da Polícia Federal, de fazer supor que eu queria receber a "minha parte em dinheiro", fazendo dessa montagem uma versão real, o que animou o chefe do Ministério Público Federal a pedir, e o ministro Cezar Peluso a autorizar, a minha prisão temporária.

Essa conversa sobre a falta de dinheiro para custear a ida a Buenos Aires da "parte aérea" e "parte terrestre" de alguns convidados foi mantida com diversos deles, para lhes dizer que os recursos só eram suficientes para o pagamento ou da passagem (parte aérea) ou da estada naquela cidade (parte terrestre). Se os interceptores da Polícia Federal tivessem se detido, realmente, ao que lhes cumpria fazer, por certo teriam gravado, também, essas conversas por inteiro, dentro de um contexto que permitiria entender o sentido verdadeiro da fala.

Se o Supremo Tribunal Federal determinar uma perícia *fora* dos muros da Polícia Federal, terei a oportunidade de demonstrar a falsidade *material e ideológica* contida no relatório da Polícia Federal; mas, se vier a própria Polícia Federal a fazer de novo a perícia nas gravações, então o que se terá é o que se teve até agora, intentando ela própria dar suporte à maldita versão contida no seu próprio relatório.

Será como "pôr a raposa para tomar conta do galinheiro".

Almoço que acabou indigesto

A denúncia oferecida contra mim pelo chefe do Ministério Público Federal baseou-se no relatório da Polícia Federal, do qual é "*uma fiel reprodução, sem tirar nem pôr*", dizendo ele que eu, com o tempo, teria me alçado à condição de integrante da organização criminosa, na medida em que passei a ter contatos frequentes com os agentes diretamente favorecidos com minhas decisões.

Essa afirmação é produto de uma das mais absurdas deduções que já vi na vida, a uma, porque eu nunca proferi decisão em processos de interesse de "pessoas", mas de "empresas" das quais nem sabia quem eram os interessados, e nem tinha a obrigação de saber, pois na esfera *cível*, o direito protege aquele que é seu titular, pouco importando seja ele honesto ou não, virtuoso ou bandido; e, a outra, porque as decisões judiciais, cíveis ou criminais, devem ser impugnadas pela via própria dos recursos, e não prendendo o juiz que as prolatou, como autor da prática de um crime por haver decidido como decidiu.

Desde que a Polícia Federal, com o apoio do Ministério Público, inaugurou a "era das megaoperações", os advogados começaram a ser envolvidos nas investigações, como coniventes com a prática de crimes imputados aos seus clientes, como se não tivessem a mínima garantia para o exercício da advocacia. Como essas medidas não foram suficientes para inibir os juízes, especialmente os desembargadores, a conceder medidas liminares em favor das empresas postulantes, a estratégia foi modificada para envolver também os juízes que não se curvavam aos interesses dos poderosos.

O único pretexto para que eu fosse grampeado, perseguido, preso e afastado temporariamente do Tribunal foi porque não era fácil reformar as minhas decisões pelos meios legais, por serem exaustivamente fundamentadas; pelo que decidiram apear-me do cargo pela força, por meio da própria Justiça encarnada pelo Supremo Tribunal Federal.

Num Estado Democrático de Direito não têm a Polícia Federal nem o Ministério Público e nem ninguém em nome da ética e da moral o mínimo direito de escolher os amigos de um magistrado, para, a partir daí, fazer infundadas suposições, instaurando processos criminais por "delito de consciência", a exemplo do que ocorreu durante o nazismo, na Alemanha, e o fascismo, na Itália, combatidos e condenados por toda a humanidade.

Se esse vier a ser o entendimento do Supremo Tribunal Federal, quando do meu julgamento, não me restará alternativa senão a de ter pena de mim mesmo, da minha mulher e da minha descendência por termos nascido neste país.

O encontro no restaurante referido na denúncia, que eu nem me lembrava de ter sido o Fratelli, na Barra da Tijuca, perto de onde moro, nada teve a ver com máquinas caça-níqueis nem com liminares ou coisas do gênero, como supôs a Polícia Federal, mas, sim, um almoço de trabalho a serviço do Instituto de Pesquisa e Estudos Jurídicos, sobre um assunto que poderia lhe interessar, relacionado com a minha produção intelectual.

Esse almoço, que foi marcado pelo meu genro, e tinha um objetivo mais nobre que era um encontro com o então advogado Castelar Guimarães, ex-procurador de Justiça do Estado de Minas Gerais, para conversar sobre um projeto de "curso jurídico a distância", em nível nacional, bem assim a concentração dos meus livros numa editora mineira de livros jurídicos, que por sinal já me havia editado antes; tendo, portanto um propósito exclusivamente cultural; mas que, infelizmente, não chegou a produzir os resultados esperados, devido ao maldito furacão.

Sobre o almoço no restaurante Fratelli, depôs uma testemunha perante a Justiça Federal, no processo aberto contra meu genro, esclarecendo que o assunto tratado naquele almoço fora o convite para que eu voltasse a publicar os meus livros para uma editora mineira; bem assim que foi nesse almoço que o depoente ficou me conhecendo. Eu, particularmente, não me lembro sequer da fisionomia das pessoas com as quais almocei naquele dia.

O assunto versado nesse almoço foi confirmado também pelo próprio dono da editora, confirmando ter incumbido Castelar Guimarães de conversar comigo sobre a possibilidade de voltar a publicar meus livros com a editora mineira.

Não creio que houvesse qualquer *propósito oculto* nesse almoço, pois nada foi conversado, nem antes, nem durante e nem depois, sobre qualquer assunto que não fosse cultural; e nem de leve se tocou noutro assunto.

Nesse encontro estava presente também o meu genro, um dos coordenadores do Instituto de Pesquisa e Estudos Jurídicos, que foi quem agendou o almoço e me conduziu até o restaurante no seu carro, mas não estava presente o advogado Sérgio Luzio, como afirma a denúncia, porque, se estivesse, por ser ele quase uma réplica fisionômica do seu irmão e juiz federal eu o teria reconhecido. Tanto assim é, que quando o encontrei na carceragem da Polícia Federal em Brasília, nem precisei perguntar o seu nome e quem era ele.

Lembro-me bem que quando chegamos ao restaurante, sentamos numa mesa que comportava poucas pessoas, estando eu, meu genro, o advogado Castelar Guimarães e outra pessoa a quem não conhecia e que o acompanhava.

Posteriormente, com a chegada de algumas outras pessoas, conhecidas de Castelar Guimarães, o gerente do restaurante nos convidou a mudar de mesa, dizendo-nos que havia uma mesa mais confortável na parte dos fundos, tendo o grupo aceito este convite e mudamos de mesa.

Ninguém pode duvidar que, tendo a Polícia Federal, com autorização judicial, grampeado meus telefones e até o teto do meu gabinete como vice-presidente do Tribunal, não teria aproveitado a chance de nos grampear também naquela oportunidade, colocando aparelhos de escuta debaixo dessa mesa, que fomos convidados a ocupar, ou, estrategicamente, perto dela para detectar a nossa conversa; especialmente aquilo que os policiais queriam ouvir, que era falarmos sobre casas de bingo.

Como naquele almoço nada foi tratado a não ser sobre cultura, os arapongas não puderam utilizar a conversa que grampearam, e foi essa a razão pela qual se deslocaram para fora do restaurante, passando a nos fotografar, para depois fazer suposições, nas quais o Ministério Público e o Supremo Tribunal acreditaram que estávamos ali para tratar de propina.

Eu conhecia apenas o meu genro e o Castelar Guimarães, que por sinal havia muitos anos que eu não via, e ninguém mais, tendo realmente chegado outras pessoas para almoçar dizendo serem amigas do ex-procurador de Justiça de Minas Gerais e que me admiravam muito como juiz, tendo por isso aceitado o convite dele para almoçar conosco.

Se havia outro propósito por parte dessas pessoas, que depois o procurador-geral da República afirmou ser ligadas ao jogo de bingo, a responsabilidade foi de quem as convidou, e se tinham algum propósito de conversar algum assunto comigo que não fosse o que eu esperava, fato é que não tiveram coragem de fazê-lo por não terem encontrado clima para isso. Diz um ditado que "o cachorro só entra na igreja quando acha a porta aberta", e felizmente naquele encontro todas as portas que poderiam conduzir à quebra da ética e do decoro estavam hermeticamente fechadas.

Como se vê, nada do que supôs o Ministério Público, induzido pela Polícia Federal, corresponde à verdade, pois se foi verdadeiro o fato, a versão do fato foi uma suposição sem fundamento.

Por fim, algum dos convidados para o almoço, ao sair do restaurante, teria me beijado no rosto, o que a Polícia Federal e o Ministério Público interpretaram como demonstração de intimidade, sendo preciso lembrar-lhes, porém, que o beijo não é uma questão *ética*, como eles supõem, mas uma expressão *cultural*; e tanto assim é que em muitos países até os homens se cumprimentam com beijo no rosto, e alguns até com beijo na boca.

Aliás, por falar em cumprimento afetivo, se algum dos presentes num jantar oferecido pelo advogado Siqueira Castro, na Lagoa, no Rio de Janeiro, tivesse presenciado a chegada do então procurador-geral da República, Antônio Fernando de Souza, e a forma como ele me cumprimentou na chegada, sabendo quem eu era, poderia supor que éramos muito íntimos, mas na verdade aquela era a primeira vez que eu o via pessoalmente.

Conto isso para mostrar ao leitor que nem sempre a ideia que se faz do fato corresponde à realidade do próprio fato.

Igualdade na Justiça é uma miragem

Um dos mais interessantes livros que já li na vida foi *A revolução dos bichos*, de George Orwell, que retrata o sonho de um velho porco de criar uma granja governada apenas por animais sem a exploração do homem, concretizando-se com uma revolução fundada na filosofia do *Animalismo*.

No entanto, como acontece com todas as revoluções, a dos bichos também estava fadada à tirania e à corrupção, com a ascensão de uma nova casta ao poder; pelo que, ao se consolidarem os objetivos revolucionários, os comandantes da revolução perceberam que tudo o que é humano é melhor do que o que é animal, e começaram a imitar os homens, condenando todos os que pensam o contrário.

Nessa fábula, feita sob medida para a Revolução Russa, o autor expressa com rara felicidade o símbolo dos privilégios: "*Todos os bichos são iguais, mas uns são mais iguais que os outros*".

Essa frase me trouxe à memória exatamente o que aconteceu **com os** envolvidos na Operação Hurricane, porque, se segundo o relatório da Polícia Federal, que serviu de base à denúncia do Ministério Público Federal, os desembargadores estavam classificados no terceiro nível da suposta organização criminosa, não tem lógica que tenham sido soltos, e depois da prisão temporária tenha sido decretada a prisão preventiva dos advogados que teriam supostamente atuado nos processos, servindo de "ponte" para o pagamento de propina.

Essa mesma lógica se mostrou ilógica também quando foi decretada a prisão dos desembargadores, mas não a do ministro Paulo Medina, igualmente posicionado pela Polícia Federal no terceiro nível da suposta organização criminosa.

Na Operação Têmis, deflagrada contra o Tribunal Regional Federal da 3ª Região, pelos mesmíssimos motivos que teriam determinado a Operação Hurricane, o ministro Félix Fischer, do Superior Tribunal de Justiça se limitou a determinar as buscas e apreensões em residências e gabinetes de desembargadores federais e em escritórios de advogados, sem que nenhuma prisão temporária tivesse sido necessária.

Aos desembargadores federais em São Paulo foi dado por um ministro do Superior Tribunal de Justiça tratamento diverso daquele dado por um ministro do Supremo Tribunal Federal aos desembargadores federais do Rio de Janeiro; diversidade esta que põe a desnudo que o conceito de *igualdade substancial*, previsto na Constituição, é subjetivamente diverso, dependendo do juiz que aplica a lei.

Para os que pensam que cortando na própria carne se satisfaz à opinião pública, lembro que o nazismo, na Alemanha, e o fascismo, na Itália, só produziram as suas nefastas consequências porque Hitler e Mussolini foram apoiados pela opinião pública, cuja cabeça é quase sempre feita pela mídia irresponsável.

A minha experiência de desembargador me ensinou que, quando se determina medidas drásticas contra magistrados, como o afastamento do cargo, a prisão temporária, a prisão preventiva ou mesmo o recebimento da denúncia, no fundo, antecipa-se a sua condenação, porquanto a absolvição não tem a virtude de lhe restituir a confiança perdida. A confiança é como o cristal, que quando trinca ou é trincado com culpa ou sem ela não tem mais remédio.

Quando falo na cautela que se deve ter no trato de denúncias contra magistrados, não quero dizer que estes sejam livres para transgredir impunemente a lei, mesmo porque, num verdadeiro Estado Democrático de Direito, ainda que a filosofia seja o *Animalismo*, todos devem ser tratados igualmente.

Essa cautela decorre do fato de que, para se denunciar um juiz, como de resto qualquer cidadão de bem sem passado criminoso, é preciso que os indícios sejam realmente fortes para pô-lo sob suspeita; pelo que sempre me apoiei nesses casos em indícios suficientemente fortes para pôr o denunciado sob suspeita; pois o simples recebimento da denúncia significa uma condenação antecipada *perante a opinião pública*.

No exercício da minha função, nunca me louvei simplesmente em relatório policial, pois seria ingenuidade supor que aquele que toma a iniciativa de inaugurar uma investigação contra alguém venha a ser fiel aos fatos que o desmintam.

CAPÍTULO 9

OS DESDOBRAMENTOS DO FURACÃO

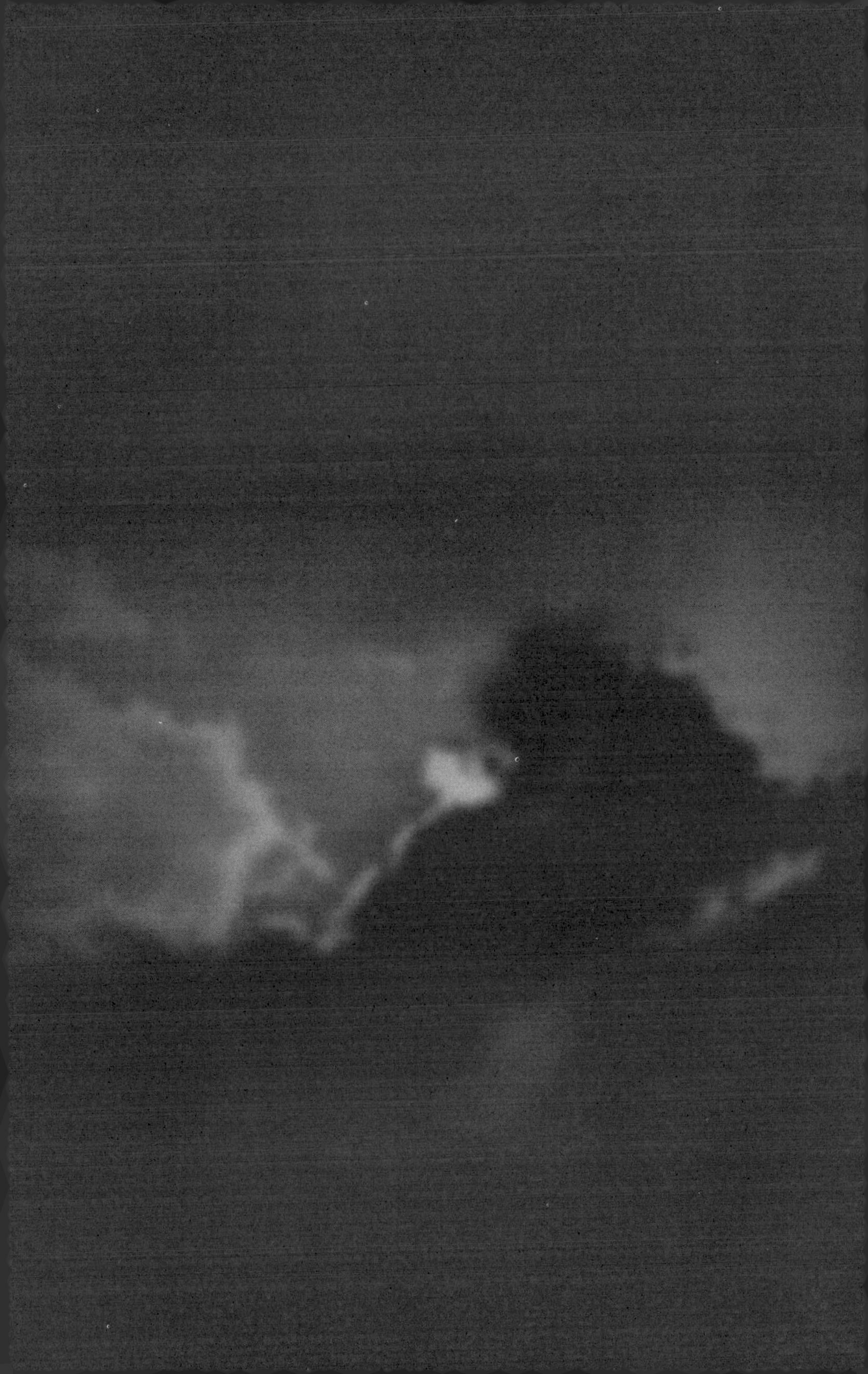

Denúncia que não se sustenta

Em toda a minha vida profissional, inclusive como procurador da República que fui — no primeiro e mais difícil concurso de que se tem notícia na história deste país —, nunca vi uma denúncia tão divorciada da realidade, muito da qual constante do próprio inquérito, e da qual se divorcia propositadamente com o objetivo de me incriminar e ao desembargador Ricardo Regueira.

O leitor deve ter percebido que sempre que falo em mim, falo também do desembargador Ricardo Regueira, porque tendo ele falecido por causa desse maldito furacão, a sua punibilidade foi extinta no Supremo Tribunal Federal, antes que pudesse mostrar à opinião pública a sua verdade e a injustiça que contra ele foi cometida pela própria Justiça.

A denúncia afirma, logo de início, no "contexto da exploração do jogo ilegal", que com a publicação da lei que proibiu os jogos de bingos no país, o Ministério Público Federal passou a ingressar com ações para interdição dos bingos e máquinas caça-níqueis, mas que mesmo assim as empresas continuaram em franca atividade, contando com a proteção de agentes públicos, principalmente policiais, e outras vezes por meio de manobras jurídicas e intermediação de magistrados, com a obtenção de liminares judiciais garantidoras da exploração dos jogos de azar. É neste cenário que, segundo a denúncia, se apresenta a organização criminosa, composta pelos denunciados — dentre os quais eu e o desembargador Ricardo Regueira — cujo poder de infiltração nos órgãos públicos de todas as esferas de poder acaba por permitir a exploração do jogo, cujo produto, revelado inclusive nas milionárias quantias que foram arrecadadas nas buscas e apreensões feitas por ordem do ministro relator [Cezar Peluso, do Supremo Tribunal Federal], permitindo a ostensiva riqueza dos seus principais integrantes e a distribuição de forma estável de vantagens econômicas a servidores públicos em valores variáveis de acordo com o seu nível de influência ou de acordo com o próprio ato de ofício ao encargo do agente cooptado.

Se os fatos se passaram assim, então *a denúncia errou o foco*, porque nem eu e nem o desembargador Ricardo Regueira demos liminar para o funcionamento de jogos de bingo, tendo eu proferido apenas três decisões em favor das empresas que pediram, e mesmo assim, para que fosse apreendida somente uma máquina caça-níquel de cada tipo, de conformidade com entendimento adotado, anteriormente, pelo próprio Tribunal Regional Federal; mesmo porque muitas casas de jogo funcionavam com autorização do próprio Tribunal, por meio de *decisões de alguns de seus desembargadores*, e outras até sem o amparo de decisão judicial, mas mediante simples alvará de localização concedido pelos municípios.

A propósito, fiz um apanhado das decisões dos desembargadores que atuaram nos processos sobre o funcionamento de bingos no Rio de Janeiro e no Espírito Santo, pelo que remeto o leitor ao Capítulo 2 deste livro, "Decisões sobre o funcionamento de bingos no Tribunal", onde esclareço quem foram aqueles que deram decisões para os bingos funcionarem, e que o chefe do Ministério Público não viu porque não quis, porque está lá no *site* do Tribunal Regional Federal da 2ª Região.

A apreensão de quantias milionárias, quanto a mim, é outro delírio da denúncia, porque na minha casa foram apreendidos apenas dois mil dólares da minha mulher e cinco mil reais meus, que seriam utilizados na compra de dólares, pois iríamos viajar para a França no mês de maio, tendo ela a sua passagem já comprada, faltando apenas eu comprar a minha.

A distribuição de vantagens econômicas entre os quadrilheiros é mais uma deslavada mentira, porque nada foi encontrado nas minhas contas-correntes, nem aqui e nem no exterior, mas mesmo assim o ministro Cezar Peluso mandou bloquear as minhas contas bancárias, que até hoje estão bloqueadas, não podendo ser por mim livremente movimentadas, e ainda reteve o pouco dinheiro que eu tinha depositado no Banco do Brasil, produto dos meus vencimentos como professor universitário, de dezesseis mil reais, que não consegui liberar, apesar de insistentes pedidos feitos nesse sentido.

Não existe nenhuma prova material dessas propinas que me teriam sido dadas em troca das minhas decisões, a uma, porque são fruto da imaginação, e, a outra, porque, não tendo existido, inexiste qualquer prova material da vislumbrada corrupção. Nada foi encontrado no meu patrimônio que traduzisse uma exteriorização de riqueza incompatível com os meus ganhos e da minha mulher; tendo a Polícia Federal se baseado apenas numa ligação por ela interceptada em que alguém, não identificado, querendo obter maiores vantagens dos seus clientes, sugeriu que um milhão de reais era para mim. Essa gravação foi de tão péssima qualidade, que a perícia feita pela própria Polícia Federal por intermédio do seu Instituto Nacional de Criminalística não conseguiu identificar a voz que numa conversa de fundo falava contra mim, e olhe que se esforçou para isso. Nem o perito assistente Ricardo Molina, indiscutivelmente um dos maiores entendidos neste país em fonética forense, conseguiu identificar quem estava conversando no fundo da sala. Mas como a Polícia Federal montou contra mim uma frase que eu nunca disse — [...] arte em dinheiro, tá? — não duvido que tivesse inserido também essas conversas nessa fala com o propósito de me incriminar.

Afirma, ainda, a denúncia que a Betec Games Comércio, Participações e Empreendimentos Ltda., uma das principais beneficiárias com uma decisão liminar "negociada" pela organização criminosa com o desembargador Carreira Alvim, que sou eu, "como se verá adiante"; mas adiante não se vê nada mais do que eu realmente fiz que foi, no exercício da minha função judicante, ter concedido uma liminar não só a essa empresa, mas a outras que fizeram o mesmo pedido, a liberação de máquinas caça-níqueis que haviam sido apreendidas pela Polícia Federal, a pedido do Ministério Público Federal, ao argumento de que nelas haveria componentes eletrônicos importados, o que caracterizaria crime de contrabando.

Essas minhas decisões não tinham nada a ver com funcionamento de bingo, porque foram outros os desembargadores e desembargadoras do Tribunal que haviam concedido autorização para que essas casas de jogos funcionassem no Rio de Janeiro e no Espírito Santo.

Para que o leitor faça seu próprio julgamento, antes de proferir essas decisões, eu pedia ao assessor da vice-presidência Bruno, pessoa séria e competente — e tão honrado, que continua lá, servindo aos desembargadores que me sucederam —, que fizesse uma busca na jurisprudência para verificar se havia amparo para o que se pretendia, sendo ele o único que despachava comigo, e quando ele me dizia que não havia encontrado amparo para a pretensão, o pedido era indeferido.

O que a imprensa não divulgou, porque queria passar a impressão de que o jogo no Rio de Janeiro era uma atividade ilegal acobertada por dois desembargadores, que eram eu e Ricardo Regueira, é que havia o Decreto Estadual nº 25.723, de 1999, que concedia autorização às Loterias do Estado do Rio de Janeiro (LOTERJ) para autorizar e fiscalizar os bingos, dizendo o denunciante ter ajuizado uma ação direta de inconstitucionalidade dessa lei no Supremo Tribunal Federal, para expurgá-la do ordenamento jurídico.

Ora, se existia uma lei estadual em pleno vigor no Estado do Rio de Janeiro, permitindo o jogo de bingo, e uma ação contra ela no Supremo Tribunal Federal, ajuizada pelo procurador-geral da República, se essa lei fosse tão claramente inconstitucional, o ministro relator teria suspendido liminarmente a sua eficácia; e não foi isso o que aconteceu, o que demonstra que nem mesmo a mais alta casa da Justiça brasileira tinha tanta consciência da inconstitucionalidade dela.

O juiz não aplica apenas a lei federal, mas também as leis estaduais, e havia uma lei estadual que disciplinava o jogo de bingos, dando às loterias do Estado do Rio de Janeiro a incumbência de fiscalizá-los, o que não era feito por incompetência e despreparo o Poder Público Federal.

O chefe do Ministério Público Federal chega a criticar os interessados na aprovação da lei que restauraria a legalidade do jogo de bingo no país, como se isso por si só fosse um crime, afirmando que os empresários do bingo faziam pressão no Congresso Nacional para que essa lei fosse aprovada. Ora, se o órgão competente para dizer o que é lícito e ilícito na lei é o Congresso Nacional, nada mais justo que os interessados na aprovação dessa lei fizessem o seu *lobby* naquela casa, o que não pode ser considerado uma conduta criminosa.

Para a denúncia, segundo o esquema que a Polícia Federal "imaginou", eu e o desembargador Ricardo Regueira estávamos posicionados no terceiro nível da organização criminosa, como agentes públicos, autores de crimes intermediários dentro do contexto dos objetivos dessa organização, como a corrupção e a prevaricação, atuando para remover óbices que se apresentavam aos propósitos daqueles que integram o primeiro nível da organização, ou agilizando, *retardando* ou *não realizando* atos de ofício, tudo camuflado sob a forma de atos oficiais, bem como divulgando dados referentes às ações repressivas do Estado, *recebendo em troca vantagens indevidas.*

Aqui a denúncia errou também de alvo, porque agilizar atos de ofício não pode ser considerado crime, porque o ato de ofício, para quem não sabe, é aquele que o juiz tem de praticar sem que ninguém lhe tenha pedido, e tudo o que vem sendo feito ultimamente é no sentido de agilizar a Justiça, que o então chefe do Ministério Público Federal acha que é criminoso. Quando a Justiça é rápida, supunha o denunciante que é porque havia propina por detrás da rapidez; e talvez por isso a Justiça ande a passos de cágado, para que ninguém seja acusado de receber propinas para fazer os processos andarem.

Se alguém retardou ou não realizou ato de ofício, este alguém foi o desembargador Sergio Feltrin, que fazia o jogo do Ministério Público Federal, e todas as vezes que as empresas interessadas lhe pediam para levar a julgamento no órgão colegiado a sua decisão contrária a essas empresas, remetia desnecessariamente os autos do processo para que fosse ouvido de novo o Ministério Público. Pelo que me lembro, afora o tempo em que os autos tomaram também desnecessariamente um chá de gaveta.

Houvesse o desembargador Sergio Feltrin levado os autos da Betec e outras a julgamento pelo órgão colegiado, eu não teria sido instado a decidir sobre a sua omissão, na qualidade de vice-presidente do Tribunal, e não teria *mandado liberar as máquinas caça-níqueis*, e nem atingido por esse maldito furacão. Isso porque, se ele tivesse agido como manda a lei e o regimento interno do Tribunal, teriam as empresas buscado uma correção dos seus atos no Superior Tribunal de Justiça, sem me incomodar na vice-presidência.

Muitas foram as decisões dadas por desembargadores do Tribunal, que não eu e nem Ricardo Regueira, para que as casas de bingo funcionassem no Rio de Janeiro e Espírito Santo, mas estes não figuraram como integrantes da quadrilha imaginada pelo Ministério Público Federal, porque, como registrei alhures, não havia interesse em afastá-los do cargo, porque não eram candidatos à presidência do Tribunal na ordem de antiguidade.

Afirma a denúncia que eu teria passado a ter contatos com a organização criminosa por intermédio do meu genro, o advogado Silvério Júnior, sendo responsável por decisões judiciais favoráveis ao grupo, obviamente ligadas a autorizações para a abertura de bingos e exploração de máquinas caça-níqueis.

Até o momento, eu não sei afinal quem foi que me levou para essa quadrilha, na imaginação do Ministério Público Federal, porque ora o seu então chefe diz que foi o meu genro e ora diz que foi o desembargador Ricardo Regueira, mas não foi nenhum dos dois, simplesmente porque esse fato é produto de uma alucinação.

Aqui existe uma denunciação caluniosa, porque a inverdade dessa afirmação pode ser comprovada no *site* do Tribunal Regional Federal, onde será constatado que vários desembargadores federais deram realmente liminares para o funcionamento de casas de bingo — e não cometeram nenhum crime não, porque decidiram de acordo com as suas consciências — e nenhuma delas foi dada por mim, a não ser uma decisão colegiada em que segui o entendimento da desembargadora Julieta Lunz, que também decidiu corretamente, como relato no Capítulo 2 deste Livro — Decisões sobre o funcionamento de bingos no Tribunal —, não tendo proferido uma liminar isolada sequer, nem na vice-presidência e nem fora dela, sobre o funcionamento de bingos no Rio de Janeiro e no Espírito Santo.

Para uma Justiça que se acredita ser séria, se algum desembargador é acusado de ser integrante de uma quadrilha, por dar *decisões para o funcionamento de bingos*, como diz a denúncia, mediante o recebimento de propinas, a primeira providência é buscar no mínimo onde estariam estas decisões, porque eu fui acusado de ter proferido decisões que não proferi, nem a favor da Betec e nem a favor de ninguém — porque o que eu fiz foi apenas mandar liberar máquinas caça-níqueis — porque se tais decisões inexistem, quem pagou por elas é um autêntico idiota; e esse é um adjetivo que provavelmente não cabe num empresário do bingo.

Aliás, a minha decisão a pedido da Betec foi literalmente idêntica a um precedente em que votaram os desembargadores Reis Friede, Liliane Roriz e Julieta Lunz, no processo da Gurgcon do Brasil, em que mantiveram a liminar concedida por um juiz federal para que permanecesse lacrada e apreendida *apenas uma unidade de cada modelo de máquinas de propriedade da impetrante*. E nenhum deles foi perseguido pela Polícia Federal ou acusado de integrar uma organização criminosa ligada ao bingo. Se o leitor quiser conferir, basta buscar no *site* do Tribunal Regional Federal da 2ª Região essa decisão e fazer a comparação entre as duas decisões.

Afirma também caluniosamente a denúncia que eu, Carreira Alvim, trazido para a quadrilha pelo desembargador Ricardo Regueira, fui alçado à condição de integrante da organização criminosa, na medida em que passei a ter contatos frequentes com os agentes diretamente favorecidos com as minhas decisões, tais como Jaime Garcia Dias e José Renato Granado, conforme "encontros realizados", passando Silvério Júnior a figurar como negociador das vantagens indevidas pagas pela organização "pelo serviço por mim prestados".

Em homenagem à memória de Ricardo Regueira, quero dizer ao leitor que conversei com o desembargador em duas oportunidades.

A primeira vez em que conversamos foi ele que me procurou para perguntar se eu poderia receber o advogado do seu amigo e empresário, que queria entrar com um pedido para que esse amigo viajasse ao exterior a negócios, porque o desembargador Abel Gomes, depois de tê-lo autorizado por várias vezes, tinha denegado o seu último pedido nesse sentido.

Na conversa grampeada pela Polícia Federal não aparece o sobrenome desse empresário, porque ele nada tinha a ver com jogos de bingo, e os grampeadores queriam fazer crer ao Ministério Público, e este ao ministro Cezar Peluso que o desembargador estava fazendo pedido para um bingueiro, o que não era verdade.

Foi nessa conversa, caro leitor, que eu respondi ao desembargador Ricardo Regueira que eu até poderia conceder, se fosse o caso, mas que só não concederia porque eu era a "a bola da vez" no Tribunal, por causa da eleição para a presidência, e, seu eu concedesse, o presidente Frederico Gueiros provavelmente suspenderia; nada tinha essa conversa a ver com jogos de bingo, e uma perícia séria nos discos ou no guardião poderá confirmar isso, bastando que a Justiça queira a verdade, porque o Ministério Público não a quer, porque participou das maquinações.

Na outra vez em que conversei com o desembargador Ricardo Regueira, fui eu mesmo quem o chamou ao meu gabinete porque havia descoberto os grampos no teto, para ouvir a sua opinião sobre o que eu deveria fazer, porque até então eu supunha que os arapongas eram os membros do grupo dos quinze, do próprio Tribunal, que não me queria na presidência, e cheguei até a pensar que poderia ser uma juíza federal, porque o corregedor da Justiça Federal era o desembargador Castro Aguiar, e, nessa condição, tinha ascendência sobre os juízes inferiores. Isso porque eu jamais poderia supor — nem que Jesus Cristo descesse à Terra e me dissesse — que um ministro do Supremo Tribunal Federal poderia vir a autorizar grampo no gabinete do vice-presidente de um Tribunal, porque conheço o rigor da Lei do Grampo, que não admite grampeamentos com base em meras suposições, e não imaginava que isso pudesse ser autorizado sem uma pesquisa mais apurada do que realmente estava acontecendo no Tribunal com as minhas decisões.

Sobre essas duas idas do desembargador Ricardo Regueira ao meu gabinete, para conversar sobre os assuntos relatados, a denúncia teve o desplante de afirmar, sem provas satisfatórias, que os áudios captados no meu gabinete indicaram que o desembargador estaria por detrás dos pedidos relacionados aos bingos destinados àquele e que culminaram com decisões favoráveis à associação criminosa.

Essas conversas minhas com o desembargador Ricardo Regueira foram gravadas *em outubro de 2006*, quando as decisões que eu tinha proferido *em junho de 2006*, sobre a liberação de máquinas caça-níqueis, já tinham sido cassadas cinco meses antes, não fazendo o menor sentido a conclusão da Polícia Federal, acolhida pelo Ministério Público e aceita pelo Supremo Tribunal Federal, que o desembargador tivesse me fazendo pedido em favor de pessoas ligadas a jogo de bingo.

Pela honra da Justiça que integrei durante tantos anos, o desembargador Ricardo Regueira *nunca* conversou comigo sobre qualquer assunto ligado a bingos, e Deus é testemunha disso, pelo que torço para que exista o Paraíso com que ele tanto sonhava, porque, se existir, provavelmente existirá também o Inferno, onde todos os seus algozes pagarão pelo que de forma tão injusta e perversa fizeram com ele e sua família.

O áudio de onde o chefe do Ministério Público Federal busca minha ligação com o desembargador Ricardo Regueira sobre bingos só existe na sua imaginação, bastando que esse áudio seja ouvido com atenção e que seja feita uma perícia no disco rígido onde foi gravado, ou no guardião, para comprovar a má-fé com que agiu contra ele o denunciante.

Afirma também o denunciante que esse diálogo entre mim e Regueira "em favor de casas de bingo" teria sido o motivo de participar de encontros pessoais com integrantes do nível um do grupo criminoso, além de votar favoravelmente em processos sob seu crivo no Tribunal.

Para entender essa afirmação, tem que ser um vidente, a uma porque fiquei sem entender quem teria encontrado com esse grupo, se eu ou se o desembargador Ricardo Regueira, e a outra, porque nas vezes em que eu e ele votamos sobre bingo foi para denegar o pedido das empresas, e não favoravelmente como supôs o delegado federal e transplantou para a denúncia o então chefe do Ministério Público Federal. Basta ver o processo da Multi Games em que fiquei vencido, como deixo expresso no Capítulo 2 no trecho "Decisões sobre funcionamento de bingos no Tribunal".

Depois de afirmar o denunciante que havia encontros "constantes" entre mim e Jaime Garcia em restaurantes, casas de bingo, passeios na praia e almoço na casa do meu genro onde se notariam situações em que se mostravam bastante íntimos, ele remete ao item 36 das notas de rodapé do relatório da Polícia Federal, que se ele denunciante e o ministro Cezar Peluso tivessem lido com atenção, teriam constatado que esse diálogo nada tem a ver comigo, e que em nenhum momento o meu nome lá aparece, estando presente apenas na sua imaginação.

Aqui são várias as denunciações caluniosas, pelas razões abaixo.

Primeiro: porque eu nunca me encontrei com Jaime Garcia em restaurante, porque eu tinha sido convidado pelo advogado e ex-procurador de Justiça Castelar Guimarães, para almoçar num restaurante do Rio de Janeiro, para onde ele estava vindo a serviço, e, nesse almoço, ele apareceu acompanhado de pessoas a que eu nem conhecia, e que a Polícia Federal diz terem sido José Renato e Jaime Garcia. E foi um único almoço, no qual nada se conversou sobre jogos de bingo, mesmo porque naquela oportunidade fomos grampeados pela Polícia Federal, mas essa conversa não apareceu no relatório feito pelo delegado Ézio Vicente da Silva, porque nada havia lá que me comprometesse.

Segundo: os "encontros" em casas de bingo resumiram-se a uma ida a um bingo que funciona na Barra, aonde levei um amigo e ex-ministro do Superior Tribunal de Justiça para jantar, e se o bingo estava funcionando, nada de criminoso havia em jantarmos lá; e não houve nenhum encontro com ninguém nesse dia e muito menos com Jaime Garcia, porque fomos apenas eu, esse ministro, minha filha e meu genro.

Terceiro: os passeios na praia são outra imaginação porque eu nem tenho tempo de passear e nem gosto de caminhar na praia, pois só vou lá para um jogo de vôlei na rede Mackenzie, que fica no Posto 4 e eu moro no Posto 5, e quando vou nem sempre fico por muito tempo lá.

Sobre as supostas caminhadas na praia, a aleivosia é tanta, que este é justo um dos motivos pelos quais minha mulher reclama tanto, porque detesto fazer caminhadas na praia, a não ser andando do meu condomínio até a rede Mackenzie; e apesar de a denúncia falar em encontros meus na praia, nenhum prova, nem mesmo fotografias foram juntadas no processo que comprovassem o que alega.

Quarto: o almoço na casa do meu genro é outra aleivosia, porque nunca me encontrei com esse tal Jaime Garcia por lá, o que nem tenho como provar porque não se prova um fato negativo tão indeterminado como o de não ter estado num determinado lugar. Se nós estivemos juntos lá, é o denunciante que tem que provar que estivemos, e não eu de provar que não estivemos.

As fotos que existem são apenas as feitas na saída do restaurante, e nem precisava dessas fotos porque eu nunca neguei que tivesse estado lá, mas o que nego e negarei até o fim dos meus dias é que este almoço tenha sido destinado ao que o Ministério Público supõe, induzido pela Polícia Federal, porque tudo isso é fruto da imaginação.

O denunciante se limita a dizer que eu estive no restaurante, no bingo, na praia e na casa do meu genro, em contato com bingueiros, mas só alega porque não junta nenhuma prova nesse sentido, a não ser as da saída do restaurante, o que mostra que a contrainteligência da Polícia Federal, que seguia meus passos, não é tão inteligente quanto ela própria supõe.

Outra inverdade dita pela denúncia, sem prova alguma neste ponto, é que eu teria me encontrado com o advogado Sérgio Luzio, e essa vinculação desse advogado comigo foi por causa da minha decisão favorável a uma das empresas proprietárias das máquinas caça-níqueis, que era patrocinada por esse advogado, que nunca esteve comigo e o qual eu só vim a conhecer na carceragem em Brasília, em razão de ser muito parecido com seu irmão, que é juiz federal e a quem eu efetivamente conhecia.

Também esse advogado acabou morrendo em decorrência dos problemas que lhe causaram e à sua família esse maldito furacão, num acidente na estrada entre o Rio de Janeiro e Angra dos Reis.

Na denúncia, faz o chefe do Ministério Público uma cronologia que, se fosse verdadeira, faria correr o relógio do tempo para trás, porque pelas datas constantes dos áudios as propinas teriam sido ajustadas comigo depois que a decisão já não tinha qualquer eficácia por ter sido primeiro suspensa pelos desembargadores Benedito Gonçalves e Messod Azulay, depois suspensa pelo presidente Frederico Gueiros, e por fim cassada pela Turma sob a relatoria do desembargador Sergio Feltrin. Sobre essa impossibilidade de o tempo correr para trás, remeto o leitor ao Capítulo 3 no trecho "Cronologia dos fatos corre contra o relógio".

Somente idiotas, e não creio que empresários do jogo sejam idiotas, pagariam por uma decisão que não teve para eles a menor utilidade, porque foi dada em 9 de junho, suspensa em 10 e 11 de junho (duas vezes), restabelecida em 12 de junho, suspensa de novo pelo presidente Frederico Gueiros em 13 de junho, e cassada definitivamente em 14 de junho pela Turma do Tribunal.

A denúncia fala também em Bingo Piratininga, mas quem concedeu decisão liminar para esse bingo funcionar não fui eu, mas o desembargador André Fontes, embora posteriormente tenha o órgão colegiado do Tribunal tornado insubsistente suas decisões; pelo que para não ser repetitivo remeto o leitor ao Capítulo 2 no trecho "Decisões sobre o funcionamento de bingos no Tribunal".

Depois de haver o denunciante insinuado em diversas passagens sobre compra de decisões minhas para o "funcionamento de bingos" no Rio de Janeiro e Espírito Santo — o que é uma deslavada mentira, porque nunca proferi decisões neste sentido — tem ele um pequeno discernimento, quando passa a falar nas minhas decisões para "restituir as máquinas caça-níqueis" apreendidas pela Polícia Federal; mas mesmo assim disse que essas decisões eram obtidas com a intermediação do meu genro, o que mostrava que a minha participação na quadrilha era "venal". Essa afirmação inteiramente ofensiva à minha honra de juiz, e mesmo do Poder Judiciário que integro, porque nem sequer as provas "montadas" pela Polícia Federal levam a isso, me faz revidar para dizer que o relacionamento do então chefe do Ministério Público com a Polícia Federal e com o grupo dos quinze que me apeou do cargo de desembargador é de falta de higidez mental e responsabilidade.

Fala a denúncia nas minhas relações com meu genro, dizendo que a minha parte tinha sido paga em dinheiro, cujos áudios capitados revelaram ser de um milhão, mas além de isso ser fruto da imaginação da Polícia Federal e que o Ministério Público absorveu, esses áudios não possibilitaram sequer ao Instituto Nacional de Criminalística, que é um órgão da própria Polícia Federal, identificar de quem seria a voz em que alguém — provavelmente algum achacador — diz que um milhão era para mim. Aliás, nem o maior perito em fonética forense, o professor Ricardo Molina, conseguiu identificar a tal voz, mas na perícia que fez pôde comprovar que tinha havido manipulação, conversas interrompidas, cortes de falas e tudo que a Polícia Federal deveria supor que seria constatado numa prova pericial.

Essa história da "minha parte em dinheiro" foi o outro lado de um equívoco em que foi apanhada a Polícia Federal, vítima do seu próprio veneno, e com o qual ela não contava, que foi ter fotografado na garagem do prédio onde mora meu genro um automóvel Mercedes, SLK, cor preta, supondo que este carro lhe tinha sido dado em pagamento das minhas decisões; mas que não tinha, a uma porque não tinha havido pagamento algum; a outra porque meu genro não era advogado de nenhuma das empresas postulantes; e por fim o carro estava em poder dele por insistência do dono, que queria vendê-lo, mas tendo o preço sido muito salgado, o veículo foi devolvido.

Quando a Polícia Federal lá apareceu para pegar esse "troféu", não havia veículo algum na garagem, porque tinha sido devolvido ao seu dono, e nem se pode dizer que foi de caso pensado, porque ninguém sabia da Operação Furacão, a não ser o desembargador Castro Aguiar e sua turma, quando disse à minha mulher que eu seria processado e preso, pelo que não poderia ser conduzido à presidência do Tribunal.

Por sinal, algum tempo depois, meu genro me mostrou e eu vi com meus próprios olhos esse veículo estacionado numa revendedora na Avenida Sernambetiba, na Barra da Tijuca, o que demonstra que provavelmente não interessava às investigações.

Numa afirmação irresponsável, afirma o denunciante noutra passagem da denúncia que eu, Carreira Alvim, ao receber vantagem indevida, consistente em valor pago em dinheiro e no veículo Mercedes SLK, já dá outra versão para o veículo, dizendo que eu teria transferido esse veículo para o meu genro, em troca da decisão favorável à Betec e outras empresas, mas não conseguiu demonstrar o que só existe na sua imaginação, porque o meu genro não era advogado de nenhuma das empresas que pediram a mim a devolução das máquinas caça-níqueis.

A minha conversa com meu genro, de onde a Polícia Federal pinçou as palavras para montar a frase que a Rede Globo pôs no ar, sugerindo que eu pedia a minha parte em dinheiro vem contada no Capítulo 2, no trecho "Suspeita de fraude pela Polícia Federal" e no Capítulo 8 "Montagem de uma farsa", aos quais remeto o leitor.

O maior absurdo que se contém na denúncia foi haver o então procurador-geral de República *ter falseado a conversa* que tive com o assessor da vice-presidência Bruno, quando da transcrição do diálogo havido em 20 de setembro de 2006, das 15h05m49s até as 15h33m42s, sabendo que essa conversa era com meu assessor, mas, dizendo ser com um homem não identificado (HNI).

E o objetivo dessa falsa afirmação tinha o propósito de convencer o ministro Cezar Peluso, que acabou se convencendo, de que esse homem não identificado era o advogado Sérgio Luzio, a quem eu sequer conhecia, nem mesmo por telefone.

A propósito desse assunto, remeto o leitor ao Capítulo 3 do livro, no trecho "Extensão da decisão da Betec à Abraplay e à Reel Token", onde conto em detalhes a verdade do que realmente aconteceu.

Depois de voltar a afirmar o denunciante, irresponsavelmente, que eu tinha aderido à organização para deferir, mas não de graça, medidas liminares em seu favor, afirma que fui surpreendido numa ligação telefônica não completada em que se ouve ao fundo a minha voz dizendo "Me pegar por corrupção eles não vão me pegar nunca", num contexto em que se comentava a propósito de minhas decisões favoráveis aos bingueiros, ao dizer que tudo isso era por conta da liminar que eu dera aos bingos.

É meu dever esclarecer o leitor, para mostrar como a maior autoridade do Ministério Público Federal neste país deturpa os fatos para criar uma situação que pudesse me incriminar, porque o fato é em parte verdadeiro, mas inteiramente enganosa a versão do fato, também produto de uma mente direcionada a perseguir criminosos.

Na verdade, leitor, não se trata de uma ligação não completada, como afirma o procurador-geral da República, mas de uma ligação "mutilada" pela Polícia Federal, porque a frase completa que eu disse é "Me pegar por corrupção, eles não vão me pegar nunca, *porque eu não sou corrupto*"; como realmente não sou, e tanto assim é, que o que existe contra mim são pretensas provas, adrede montadas contra mim com a conivência da Justiça, para barrar a minha chegada à presidência do Tribunal Regional Federal da 2ª Região.

Além disso, eu não falei isso no contexto imaginado pelo denunciante, porque até que viesse a ocorrer a minha prisão eu pensava que a arapongagem no meu gabinete era coisa interna, dos desembargadores integrantes do grupo dos quinze, que queriam tomar a direção do Tribunal na eleição que estava próxima.

Quando eu falei esta frase foi ao desembargador Ricardo Regueira, na presença de funcionários do gabinete, o que consta inclusive de depoimento prestado por uma servidora no procedimento instaurado pelo Conselho Nacional de Justiça, mas nada a ver com bingo, a respeito do qual eu nunca conversei com ninguém, a não ser com o assessor da vice-presidência que se incumbia de minutá-las com a minha orientação.

O desembargador Ricardo Regueira não está mais entre nós para confirmar isso, porque não resistiu às injustiças que contra ele foram cometidas pela própria Justiça a que servia, vindo a falecer, mas todos aos que eu disse a frase poderão confirmar a verdade, o que já fez uma servidora do gabinete perante a Justiça, dizendo que a frase completa era "Me pegar por corrupção eles não me pegam; porque eu não sou corrupto".

E saiba o leitor que esse corte foi para fazer crer que eu dissera que a Polícia Federal não me pegaria por corrupção, mas que eu havia sido pego; sem se dar conta de que uma prova pericial nesse disco rígido ou no guardião poderá confirmar a verdade do que aconteceu, desde que a Justiça queira realmente apurar essa verdade, porque o Ministério Público não quer.

A função do Ministério Público não é a de perseguir a condenação das pessoas, mas de buscar fazer justiça, porque ele é um órgão de representação da sociedade e não titular de um interesse próprio no processo.

Eu, quando fui procurador da República, tive a grata felicidade de corrigir uma injustiça contra um proprietário de uma frota de táxis em Santos, que acabou condenado pelo juiz a pedido do Ministério Público na Justiça Federal em virtude da má apreciação da prova, e porque queria mostrar serviço. A condenação desse cidadão escangalhou com a sua vida e da sua família, embora ele tenha sido absolvido pelo antigo Tribunal Federal de Recursos, com base no meu parecer, que foi inclusive elogiado por todos os ministros daquela Corte.

Eu deveria ter guardado esse meu parecer para exibir para a posteridade, mas nunca fui vaidoso no cumprimento do meu dever funcional, porque a minha preocupação sempre foi em contribuir para que fosse feita justiça, mesmo quando ainda era um procurador da República, integrante de uma instituição de cuja associação, a Associação dos Procuradores da República, fui um dos fundadores com cargo na primeira diretoria.

Fiquei surpreso quando li na denúncia, e que o então chefe do Ministério Público Federal deve ter lido no plenário do Supremo Tribunal Federal, que diante da inusitada decisão de "efeito suspensivo a recurso ordinário futuro", o Ministério Público Federal pedira ao presidente do Tribunal, desembargador Frederico Gueiros, o restabelecimento da decisão do juiz federal da quarta vara de Niterói, e a minha surpresa não foi propriamente com o que ele disse, mas com o silêncio de todos os ministros que o ouviam, porque essa "inusitada decisão" nada mais era do que uma criação do próprio Supremo Tribunal Federal, que admitia pedido de tutela com recurso a ser interposto.

Aliás, pude verificar que a falta de conhecimento de Direito processual civil não é só do delegado federal Ézio Vicente da Silva, quando disse que eu inventava teoria — referindo-se ao efeito suspensivo de recurso futuro —, mas também do chefe do Ministério Público Federal, que chamava uma criação do próprio Supremo Tribunal Federal, onde ele atuava diuturnamente, de "decisão inusitada".

O Ministério Público Federal emitia as suas opiniões sobre as minhas decisões, conforme fosse o seu interesse, pois quando eu deferia alguma coisa que ele pedia, ou indeferia alguma coisa requerida contra ele, as minhas decisões eram "extraordinárias" ou "magníficas", mas quando era contra os seus interesses ele as apelidava de "teratológicas" (que significa monstruosas) ou "inusitadas" (quer dizer estranhas).

Outro equívoco que contém na denúncia é supor o denunciante que o juiz federal da quarta vara federal de Niterói mandava apreender as máquinas caça-níqueis, e que eu mandava liberá-las — silenciando propositadamente que eu sempre mandava reter uma de cada tipo para perícia —, mas nunca leu essas decisões judiciais, porque, se as tivesse lido, teria constatado que no caso Abraplay, por exemplo, pelo qual fui acusado de receber propina para liberar as máquinas, o próprio juiz federal já as tinha liberado, ao determinar que fossem apreendidas apenas dez, podendo as demais continuar funcionando, proibindo aos agentes federais que retirassem essas máquinas do local.

Como se vê, o chefe do Ministério Público Federal primou por "acender uma vela a Deus e outra ao diabo", porque a sua sanha de perseguição contra mim só via os fatos que pudessem me prejudicar e passar a falsa impressão de que eu era um marginal da lei, porque nunca examinou os fatos com a retidão que lhe cumpria, na qualidade de chefe de uma instituição que tem o dever constitucional de zelar pela justiça.

No caso Abraplay, ele não disse que as máquinas tinham sido liberadas pelo juiz federal da quarta vara de Niterói, e que eu tinha apenas reduzido o número de máquinas apreendidas, mantendo uma de cada tipo apreendida para ser periciada, porque o que alegava o Ministério Público Federal não era nada relativo ao jogo ilegal, mas que as máquinas continham componentes eletrônicos contrabandeados.

Nesse caso, o denunciante não se limitou a *falsear a verdade*, verdade esta que estava presente na decisão da Abraplay onde digo isso, preferindo dizer que o juiz federal havia mandado apreender as máquinas caça-níqueis e que eu mandava liberar em troca de propina.

Esses desvios têm que ser apurados pelo Supremo Tribunal Federal, independentemente de terem sido cometidos por alguém que ocupava na época o maior posto na instituição, porque se é dever do Ministério Público Federal oferecer denúncias contra os transgressores da lei, mesmo que seja um desembargador, não pode tergiversar no cumprimento desse dever, fazendo afirmações comprovadamente falsas contra a honra do denunciado.

Diz, por fim, o então chefe do Ministério Público que, embora eu tivesse profunda preocupação em falar ao telefone com pessoas relacionadas com o jogo, por desconfiar de que estava sendo investigado pelos meus atos, porque teria sido avisado por alguém, não imaginei que a equipe de investigação da Contrainteligência da Polícia Federal me surpreenderia em "encontro" com integrantes do primeiro nível da quadrilha, como Jaime Dias, Sérgio Luzio e José Renato, além do meu genro.

Já que o procurador-geral da República não conseguiu ser coerente nas suas maquinações, é meu dever, com o auxílio do leitor, buscar uma interpretação lógica para o que ele diz ter ocorrido, quando na verdade não foi o que aconteceu a não ser na sua imaginação.

Veja o leitor que os "encontros" que eu tivera com o número um da quadrilha virou um "encontro" no restaurante Fratelli, aquele para o qual eu fora convidado por Castelar Guimarães e ex-procurador-geral de Justiça do Estado de Minas Gerais, que eu supunha seria apenas com ele e com meu genro, porque este é que me levaria de carro até lá.

O que aconteceu foi que a este almoço compareceu o advogado Castelar Guimarães, acompanhado de uma pessoa que viera com ele de Belo Horizonte, e pouco depois chegaram outros convidados seus, para almoçar conosco, e que a Polícia Federal identificou como sendo Jaime Garcia, José Renato e Sérgio Luzio, mas que eu realmente nem sabia quem eram. Só sabia que lá não estava Sérgio Luzio porque ele eu só vim a conhecer quando fomos recolhidos à carceragem em Brasília, sendo esta mais uma inverdade da chamada Contrainteligência da Polícia Federal, quando acrescentou à lista de convidados do anfitrião, pensando em me incriminar, alguém que lá não estava.

O advogado Sérgio Luzio, que depôs antes de falecer, vítima de um desastre na rodovia entre o Rio de Janeiro e Angra dos Reis, nunca estivera comigo antes, nem nunca despachou comigo e nunca esteve no restaurante que a Polícia Federal e o Ministério Público Federal queiram que ele lá tenha estado; mesmo porque eu só vim a conhecê-lo quando já estávamos na carceragem em Brasília, pela sua aparência com o irmão, que é juiz federal, e ao qual eu conhecia desde o seu ingresso na magistratura.

Essa conversa foi grampeada sim pelos agentes federais, porque eles sabiam que iríamos almoçar lá e estavam a postos para nos espionar, e estando autorizados pela Justiça para me grampear, inclusive no meu gabinete, não perderiam a excelente oportunidade de ouvir tudo o que eles supunham que seria "tratado" naquela conversa, porque o seu cérebro estava dominado por propinas.

Sabe o leitor por que essa conversa não aparece nas gravações transcritas pela Polícia Federal? Porque nada se conversou naquele almoço sobre o que os policiais imaginaram que seria conversado; e eles não poderiam acrescentar à montagem que faziam de fotos, como fizeram, fazendo supor uma conversa que na verdade não houve.

Sinto-me no dever de dizer ao leitor que se esse órgão da Polícia Federal pode ser chamado de *contrainteligência*, eu, ao aceitar um convite para almoçar num restaurante público com pessoas que saberia suspeitas, como eles supuseram, seria o que se poderia chamar de *contratolice*; e posso ser tudo, mas tolo não sou.

Se o leitor quiser saber mais sobre esse almoço no restaurante Fratelli, na Barra da Tijuca, poderá ler o Capítulo 8 deste livro, no trecho "Almoço que acabou indigesto", onde exponho toda a verdade; que nada tem a ver com as suposições e imaginações da Polícia Federal e do Ministério Público, nas quais acreditou o Supremo Tribunal Federal.

A verdade, caro leitor, é que a maioria das acusações feitas pela denúncia contra mim ou são baseadas em provas suspeitas, porque forjadas por quem deveria zelar pela nossa segurança, ou em suposições de conversas que houve, mas que foram *descontextualizadas* do texto pela Polícia Federal e pelo Ministério Público para passar ao ministro Cezar Peluso a suposição de que eu era um marginal no exercício da função de julgar.

A meu ver, o grande interessado em descobrir o que existe de verdadeiro nessa denúncia contra mim não sou particularmente eu, porque eu já fui condenado pela mídia e só não morri porque recebi o apoio da minha família e dos meus amigos, sobretudo dos discentes da Faculdade de Direito, aos quais depois contei a verdade sobre o que acontecera e o que supunham os meus algozes que pudesse ter acontecido, brindaram-me com a sua solidariedade, torcendo comigo para que a verdade venha à tona; solidariedade esta que não recebi de nenhum dos meus "colegas" do Tribunal Federal, nem mesmo daqueles que tinham autorizado realmente o funcionamento de bingos, deixando por medo que esse fardo recaísse nas minhas costas.

Se um colega meu do Tribunal fosse acusado de ter dado decisões que tivessem sido dadas por mim, pode crer o leitor que eu teria assumido a responsabilidade, para não deixar que a culpa recaísse nas costas de quem afinal de contas nada tinha a ver com isso; mas isso é uma questão de consciência que cada desembargador exercita a seu modo.

De contrabando à ilegalidade do jogo

A história do furacão é algo tão inusitado no mundo da criminalidade, que deixa qualquer pessoa atônita, mesmo que seja um criminalista dos mais qualificados, porque começou como contrabando e acabou como ilegalidade dos jogos de bingo. E para isso o Ministério Público Federal fez uma tremenda ginástica para convencer um ministro do Supremo Tribunal Federal, que foi o ministro Cezar Peluso, seu atual presidente, a autorizar uma investigação contra mim e o desembargador Ricardo Regueira, por suspeita de corrupção.

Saiba, caro leitor, que as decisões que proferi em favor das empresas Betec, Reel Token e Abraplay, pelas quais fui investigado, grampeado e denunciado no Supremo Tribunal Federal não tinham nada, absolutamente nada a ver com jogos de bingo, nem com a sua ilegalidade — porque o que o Ministério Público Federal, nas diversas ações em que pediu a apreensão das máquinas caça-níqueis alegava como fundamento legal do pedido, é que elas continham peças contrabandeadas, e sendo o contrabando um crime punido pelo Código Penal, pedia fossem todas apreendidas, para que fosse feita nelas uma perícia para comprovar realmente terem essas peças sido contrabandeadas. Isto porque não havia possibilidade de fazer essas importações pelos meios alfandegários, porque a sua importação era proibida através da Alfândega.

Todas as três decisões que proferi, o fiz no suposto de que as apreensões eram determinadas para a comprovação se havia ou não havia a prática do crime de contrabando, pelo que, para comprová-lo, não havia a necessidade de serem apreendidas todas as máquinas caça-níqueis, bastando a apreensão de apenas uma de cada tipo, pois, se comprovado o contrabando, seriam apreendidas as demais para que nelas viesse a ser feita a mesma verificação. Aliás, o que se afirmava muitas vezes é que essas máquinas eletrônicas eram montadas no Brasil, mas com componentes contrabandeados.

Para quem não sabe, o contrabando é um crime em que alguém traz do exterior um objeto que não pode entrar legalmente no país, e acaba entrando por baixo dos panos, enganando os agentes de fiscalização governamental.

A questão da ilegalidade dos jogos de bingo no país era discutida em pedidos de outra natureza, quando os donos de casas de jogo, que gastaram fortunas na construção dos ambientes e na importação de máquinas eletrônicas de bingo, quando esse jogo era permitido no Brasil, entravam com ações, pedindo ao juiz uma decisão liminar para continuar funcionando, sem serem incomodados pela Polícia Federal ou mesmo por juízes federais que até por convicção religiosa determinava o fechamento das casas de jogos.

Aqui é preciso fazer uma separação, que para o leitor entender, é como "separar o joio do trigo".

Uma coisa era o funcionamento das casas de bingo, em que, de um lado os órgãos públicos sustentavam a sua ilegalidade, com base na legislação federal, por causa de uma decisão que havia sido proferida pelo Supremo Tribunal Federal; e de outro, as empresas particulares, sustentando, com base numa lei estadual que permitia o jogo no Rio de Janeiro, pois essa lei atribuía às Loterias do Estado do Rio de Janeiro (LOTERJ) competência para autorizar e fiscalizar os jogos de bingo no estado.

Outra coisa era a liberação de máquinas de bingo, nas ações ajuizadas pelo Ministério Público Federal, nas quais ele alegava que essas máquinas continham peças contrabandeadas, e por isso não podiam estar sendo usadas pelas empresas que exploravam o jogo de azar; e, com base nesse argumento, pediam a apreensão dessas máquinas para que fossem objeto de uma prova pericial para comprovar se essas peças tinham realmente uma procedência ilícita.

O fato é que muitas dessas apreensões de máquinas caça-níqueis, feitas pela Polícia Federal, eram seguidas de sua destruição, em vez de serem submetidas a uma verificação para ver se tinham realmente peças contrabandeadas; e não foram poucas as vezes que a mídia mostrou essas máquinas sendo destruídas por amassamento, para deleite dos agentes federais.

Mesmo depois que o Supremo Tribunal Federal entendeu que o jogo de bingo não tinha suporte na lei, em razão da revogação da lei federal que levava o nome de Pelé, na época ministro de Estado dos Esportes, em muitos estados brasileiros os bingos continuaram funcionando, alguns com autorização da Justiça Federal e Tribunais Federais e outras por alvará concedido diretamente pelo município, como acontecia, por exemplo, com o bingo que funcionava em Petrópolis, na região serrana, que funcionava com um alvará expedido pela prefeitura.

Houve um tempo em que nem a Polícia Federal e nem o Ministério Público Federal se metiam com as casas de bingo, que funcionavam normalmente, e apenas vez por outra o assunto aparecia na imprensa; mas, de repente, começaram a pipocar aqui e ali fechamentos de casas de bingo ou de apreensões de máquinas eletrônicas, em decorrência de ações ajuizadas pelo Ministério Público Federal.

Para abrir as casas de bingo lacradas pela Polícia Federal sem ordem judicial, eram ajuizadas ações na Justiça Federal, tendo muitos juízes federais concedido autorização para o funcionamento, proibindo os agentes federais de fazer apreensões das máquinas eletrônicas, e quando não eram concedidas pelos juízes federais, as autorizações eram pedidas nos Tribunais Regionais Federais, onde eram concedidas por muitos desembargadores, tanto no Rio de Janeiro, como em São Paulo, Brasília e em outros estados da federação.

Eu nunca recebi nenhum pedido para autorizar o funcionamento de casas de jogos, embora o Ministério Público Federal tenha afirmado que havia no Tribunal Regional Federal da 2ª Região uma quadrilha organizada para viabilizar o funcionamento do jogo no Rio de Janeiro e no Espírito Santo, mas sem se dar ao trabalho de constatar que não havia nenhuma decisão minha e nem do desembargador Ricardo Regueira concedendo tais autorizações.

Nas poucas vezes em que participei de julgamentos sobre o funcionamento de casas de bingo no Rio de Janeiro ou Espírito Santo votei contra os interesses dos donos dos bingos, pelo que não faz sentido que tenha sido colocado como membro de uma quadrilha, por conta de decisões que nunca proferi, e quando votava a respeito, votava contra.

Quem concedeu no Tribunal Regional Federal autorização para o funcionamento de jogos de bingos não fui eu, mas vários outros desembargadores, dentre os quais Valmir Peçanha, Frederico Gueiros, Sergio Schwaitzer, André Fontes, Guilherme Calmon, Poul Erik, Raldênio Bonifácio, Fernando Marques, Benedito Gonçalves, Liliane Roriz, Julieta Lunz, Alberto Nogueira, Reis Friede e Vera Lúcia Lima.

Isso consoante um apanhado que fiz no *site* do Tribunal, pela internet, porque eu tinha certeza que estava sendo acusado de haver dado decisões que realmente nunca dei, embora acusado pelo procurador--Geral da República de participar de uma quadrilha que se formara para explorar jogos de azar no Rio de Janeiro e no Espírito Santo.

Mais detalhes desse tema o leitor encontrará no Capítulo 2 deste livro, no trecho "Decisões sobre o funcionamento de bingos no Tribunal", onde os casos são pormenorizados.

Eu só concedi três decisões sobre jogos, mas mesmo assim foi sobre a liberação de máquinas caça-níqueis, e em alguns casos, como no pedido da Abraplay, nem foi para conceder, porque o juiz federal da quarta vara criminal de Niterói já tinha liberado as máquinas para funcionamento, tendo eu mandado apenas liberar nove das dez que ele mandara reter para serem periciadas por suspeita de conterem peças contrabandeadas, ficando retida uma de cada tipo, conforme decisão que já tinha sido tomada pelo próprio Tribunal.

As decisões que concedi em favor da Betec, Reel Token e Abraplay nada têm a ver com o "funcionamento de casas de bingo", a não ser na cabeça da Polícia Federal, do Ministério Público e do Supremo Tribunal Federal, porque uma coisa é autorizar os bingos a funcionar e outra liberar máquinas de bingo que estavam funcionando com autorização judicial.

Como muitas das casas de bingo estavam funcionando com autorização das Loterias do Estado do Rio de Janeiro (LOTERJ), ou com alvará municipal ou com autorização judicial, dada por desembargadores federais, estaria eu negando a autoridade do próprio Tribunal a que pertenço se me negasse a liberar as máquinas de bingo para as casas em funcionamento; mesmo porque, no caso de decisões do Tribunal, se a vice-presidência não reconhecesse a autoridade desses julgados, não poderia exigir que outros fizessem o mesmo.

O assunto ligado ao funcionamento de jogos de bingo era tão controvertido, que o próprio procurador-geral da República chegou a ajuizar uma ação pedindo ao Supremo Tribunal Federal que declarasse a inconstitucionalidade da lei estadual que regulava o jogo de azar no Rio de Janeiro, por meio das Loterias, como ele próprio disse na denúncia oferecida contra mim, sem dizer, porém, se tinha conseguido de algum ministro daquela Corte uma decisão liminar suspendendo a eficácia temporal dessa lei estadual. Penso que se tivesse conseguido, teria dito isso na denúncia para reforçar as suas acusações contra mim.

Tem horas que paro e penso.

Por que estou sendo acusado de integrar organização criminosa que explorava o jogo no Rio de Janeiro e Espírito Santo, sem que tivesse dado uma *decisão isolada* sequer, chamada de liminar,[3] para que qualquer bingo funcionasse?

Por que os desembargadores federais que deram liminares para o funcionamento de bingos no Tribunal não foram acusados de integrar a quadrilha imaginada pela Polícia Federal com o apoio do Ministério Público e do Supremo Tribunal Federal?

Por que nenhum dos meus julgadores, nem no Supremo Tribunal Federal, para fins de recebimento da denúncia, e no Conselho Nacional de Justiça, para me condenar e me aposentar compulsoriamente, quis fazer uma verificação nas minhas decisões pelas quais eu era acusado de corrupção que nada tinha a ver com funcionamento de bingo?

Por que ninguém quer desmentir o então chefe do Ministério Público que ele errou o foco, mirando em mim, que apenas mandei liberar máquinas de bingos que estavam funcionando, acusando-me de ser integrante de uma quadrilha que autorizava o funcionamento de jogos de azar?

Por que nenhum desembargador federal do Tribunal que deu liminar para a liberação de máquinas de bingo foi acusado de integrar a quadrilha imaginada pelo Ministério Público?

Por que apenas eu, Carreira Alvim, apesar de toda a minha transparência como processualista e professor de Direito, conhecido da maioria dos ministros e com uma obra científica que me orgulha como um cientista do Direito, fui interceptado e grampeado pelo ministro Cezar Peluso a pedido do Ministério Público Federal?

Por que os desembargadores que deram realmente liminares para funcionamento de bingos no Rio de Janeiro, e até para liberação de componentes eletrônicos importados no Rio Grande do Sul, que nem está vinculado ao Tribunal, não foram também interceptados e grampeados para saber o que estava por detrás das suas decisões?

---

[3] A única decisão que dei sobre esse assunto, uma só, foi no órgão colegiado, e mesmo assim, seguindo o voto que tinha sido proferido pela desembargadora federal Julieta Lunz; e há tanto tempo, que nem me recordava mais disso.

Por que nenhum ministro do Supremo Tribunal Federal ou conselheiro do Conselho Nacional de Justiça quis ver que eu só vim a aceitar almoçar com o advogado Castelar Guimarães, no Rio de Janeiro, e mesmo assim pensando que o encontro era dele comigo e meu genro, *sete meses* depois que as minhas decisões liminares para liberar máquinas caça-níqueis — e não para bingos funcionarem — tinham sido cassadas pelo próprio Tribunal e pelo Supremo Tribunal Federal?

Por que, com todo o meu passado como procurador da República, como magistrado, como professor de Direito e como processualista conhecido em todo o país, com mais de cinquenta obras publicadas, tive a minha honra e dignidade jogadas no lixo por força das suspeitas e montagens de um delegado federal desconhecido que se aprimorou em fazer montagens para viabilizar as megaoperações da Polícia Federal?

Por que as megaoperações da Polícia Federal nunca deram em nada, estando a maioria delas perdida nos escaninhos dos tribunais?

A única resposta que tenho para todas estas indagações é uma só, qual seja, queriam evitar a minha chegada à presidência do Tribunal e escolheram o caminho mais torpe, infame e degradante para conseguir isso, e o que é pior, contando com o apoio do Ministério Público a que já pertenci e com a Justiça que eu integrava.

O maldito furacão começou como simples *ventos de contrabando de peças de caça-níqueis,* transformados, por engenharia e obra do Ministério Público Federal, com a colaboração da própria Justiça, *em ventos da formação de quadrilha e da corrupção.*

As denúncias que faço não se destinam a lavar a minha honra e a minha dignidade, porque pela forma como elas foram manchadas será exatamente como o erro judiciário de Araguari (ver pág. 313), que nunca deixará de existir, enquanto eu tiver força moral para gritar e divulgar a injustiça que a Justiça a que eu servia cometeu contra mim.

Só gostaria que as instituições do meu país voltassem os olhos para esse maldito furacão, para descobrir por que as decisões que proferi e que tinham o seu fundamento na alegação de contrabando acabaram se transformando em decisões permissivas de jogos de bingo, quando eu jamais proferi qualquer decisão neste sentido.

A Justiça não é propriedade dos juízes e tribunais, mas uma garantia de todos os que habitam este país, nacionais ou estrangeiros, magistrados ou não.

Se essa Justiça fez comigo o que fez, numa trama montada — aparentemente com engenho e arte, mas na verdade com perversidade e mentiras, como demonstro neste livro —, com a complacência de instituições que deveriam ter interesse na apuração da verdadeira verdade, e do que está por detrás dela — como as associações de magistrados,[4] as associações de desembargadores, a Ordem dos Advogados do Brasil e até as associações dos delegados da Polícia Federal interessadas em preservar a dignidade dessa instituição — fico pensando o que não estará acontecendo com a honra e a dignidade dos inúmeros e anônimos acusados deste país.

Espero que a Justiça tire a venda dos olhos, e com a mesma honra e dignidade com que lhe servi durante tantas décadas, busque com seriedade a verdadeira verdade e o que motivou tudo isso, punindo as tergiversações e excessos, seja de quem for, mesmo que de delegados e policiais federais, de membros ou ex-membros do Ministério Público Federal e até de ministros de tribunais superiores.

O que está em jogo no episódio do furacão, caro leitor, não é a minha honra e nem a do saudoso desembargador Ricardo Regueira, mas a honra da própria Justiça como instituição pública, que deve ter interesse em punir os que a iludiram, para com a colaboração dela, perseguir inocentes.

O furacão na CPI do Grampo

O processo em que fui denunciado no Supremo Tribunal Federal está literalmente parado, desde que a denúncia foi recebida, e o procedimento instaurado pelo Conselho Nacional de Justiça andou rápido, mas atropelando a prova e o bom senso, tendo eu sido aposentado por um crime de consciência, como relato em capítulo próprio.

---

[4] Dentre as associações de magistrados, é exceção a Associação dos Juízes Federais (AJUFE), a partir da presidência de Gabriel Wedy, que vem lutando galhardamente pela preservação das prerrogativas dos juízes e fazendo o que pode para a defesa dos juízes injustamente acusados nos tribunais.

Tendo a Câmara dos Deputados aberto uma Comissão Parlamentar de Inquérito, que ficou conhecida como CPI dos Grampos, para apurar as atividades ilícitas da Polícia Federal nos grampeamentos autorizados pela Justiça, acabou essa Comissão fazendo o que a Justiça já deveria ter feito, revelando à sociedade o comportamento patológico da Polícia Federal na montagem das suas megaoperações policiais, escudada pelo Ministério Público Federal, que, em vez da sua sanha mórbida de perseguir juízes, deveria zelar para que a Polícia Federal não saia dos eixos.

Nessa Comissão depuseram diversas personalidades públicas e privadas, advogados, juízes, delegados de polícia, deputados e inclusive eu, que fui convocado para prestar também o meu depoimento sobre o grampo de que eu havia sido vítima.

Quando mostrei ao presidente da Comissão a frase emblemática montada pela Polícia Federal "[...] arte em dinheiro, tá?", para dar ao Ministério Público Federal a munição de que ele precisava para me afastar do Tribunal e impedir a minha chegada à presidência da Casa, esse deputado não acreditou, e pensou que eu estava brincando.

Quando ele me pediu a conversa inteira com meu genro, e eu reafirmei que era realmente apenas aquilo, ele simplesmente fez a cara de que não era possível de que isso tivesse acontecido; mas o fato é que aconteceu e envolveu tanto o chefe do Ministério Público Federal, que com base nela me denunciou, quanto o Supremo Tribunal Federal, que por conta dela recebeu uma denúncia contra mim.

A então deputada Marina Maggessi disse na CPI do Grampo que fora ao ministro Cezar Peluso mostrar-lhe como ele estava sendo manipulado; e que estava preparando um relatório para entregar-lhe e mostrar como tinha gente presa na Operação Gladiador, realizada pela Polícia Federal com a cumplicidade do Ministério Público, por conta dessas mesmas armações. Ela disse ter sido interceptada numa conversa com um amigo seu, e porque este lhe disse que tinha arrumado trinta votos para ela, os policiais federais colocaram entre parênteses trinta mil reais, e isso vai para a televisão com a imprensa irresponsável dizendo que o jogo do bicho deu dinheiro para a deputada.

Isso tanto é verdadeiro, que consta do relatório da Polícia Federal que alguém teria ligado ao meu genro, dizendo-lhe que tinha trazido para minha filha Luciana uma daquelas máquinas de tirar leite do peito, porque ela estava grávida do seu primeiro filho, e poderia precisar eventualmente dela, tendo essa máquina de tirar leite sido traduzida pelos grampeadores como se fosse propina.

Também o delegado federal Ézio Vicente da Silva foi ouvido por essa CPI, e a então deputada Marina Maggessi me disse que nunca ouviu alguém mentir tanto sobre a verdade quanto mentiu esse delegado, que foi, aliás, o comandante da Operação Furacão.

Quem quiser conhecer melhor os depoimentos prestados a essa Comissão basta entrar no *site* da Câmara dos Deputados e buscar a "CPI das Interceptações Telefônicas", na qual consta inclusive o depoimento que prestei na época a respeito dos fatos que me envolveram no furacão.

Na CPI dos grampos, o professor Ricardo Molina deu o seu testemunho de como uma instituição como a Polícia Federal, que deveria zelar pela segurança das pessoas, não se intimida em *montar fatos* para comprometer juízes, e nada acontece a não ser ensejar ações penais inviáveis, que são "trancadas" pelos tribunais depois de fazerem o escárnio do acusado.

Depois de tudo esclarecido, espero que a mesma Justiça, que se voltou contra mim, se volte contra a Polícia Federal e o Ministério Público Federal que, no exercício da sua função agiram patologicamente pondo--me no olho de um maldito furacão.

Na edição do dia 13 de maio de 2008, o *Jornal do Comércio* divulgou na coluna assinada pelo jornalista Aziz Ahmed uma nota intitulada "Carreira Alvim fora do furacão",[5] com base no depoimento prestado pelo professor Ricardo Molina na CPI do Grampo.

---

[5] "***Carreira Alvim fora do furacão***.
Em depoimento ao presidente da CPI do Grampo, deputado Marcelo Itagiba, o perito Ricardo Molina, especialista da Unicamp em fonética forense, afirmou que a Polícia Federal, após interceptar, por mais de dois anos, os telefones do desembargador federal José Eduardo Carreira Alvim, que viria a ser preso na Operação Furacão, conseguiu "aproveitar" apenas dois telefonemas, que somados não chegam a um minuto de duração.

"Depois de longo período grampeada, qualquer pessoa em determinada hora vai falar alguma coisa que sirva à polícia, caso haja o interesse deliberado de comprometê-la", afirmou Molina a Itagiba.

O perito revelou, ainda, ao deputado — que foi superintendente regional da Polícia Federal no Rio —, que o curto material interceptado em menos de um minuto de ligação foi vazado à imprensa com uma aberração: um trecho de diálogo transcrito em um telejornal da TV Globo, e atribuído a Carreira Alvim, simplesmente não existe no material da Polícia Federal por ele periciado.

O desembargador, como se sabe, chegou a ficar nove dias preso numa cela da Polícia Federal em Brasília."

Na CPI do Grampo, e falando do meu caso referido pelo presidente da Comissão, observou o professor Ricardo Molina tratar-se de "quase dois anos e meio de grampo", para que se encontrassem dois telefonemas que, somados, não dão um minuto de duração. Acrescentou Molina que se gravar qualquer pessoa por dois anos e meio, em algum momento ela vai falar algo que pareça suspeito. A ele pareceu que se está fazendo um processo inverso: joga-se a rede para ver se tem peixe, antes de saber se o peixe existe.

Registrou o professor Ricardo Molina outro aspecto, *que* foi a divulgação dessa questão pela imprensa, que tem feito um desserviço em muitos casos; e no caso do desembargador Carreira Alvim a Rede Globo de Televisão colocou no ar uma frase que inexiste, pois inexiste na gravação; e com uma transcrição sobre o que também não existe.

Nessa passagem, o foco da questão é a emblemática frase montada pela Polícia Federal "[...] arte em dinheiro, tá?", que a Rede Globo colocou no ar, acrescentando o possessivo "minha", passando a falsa impressão de que eu dissera "minha parte em dinheiro".

Em 14 de maio de 2008, o jornal *on-line Consultor Jurídico*[6] divulgou nota semelhante, dando conta das armadilhas denunciadas pela CPI dos Grampos contra mim, e das manipulações feitas pela Polícia Federal, em que dois anos de grampo tinham rendido um minuto de conversa suspeita.

---

[6] "**Grampo de dois anos rende um minuto de conversa suspeita.**
O desembargador José Eduardo Carreira Alvim foi grampeado pela Polícia Federal por dois anos e meio. Nesse período foram encontradas apenas duas ligações suspeitas, que não somam um minuto de conversa. A informação do perito especialista em fonética forense Ricardo Molina, da Unicamp, consta de depoimento à CPI dos Grampos na quinta-feira passada (8 de maio). Em seu depoimento, o perito revelou as aberrações cometidas sob o manto da legalidade pela polícia ao usar interceptações telefônicas em suas investigações.

Carreira Alvim, que é desembargador do Tribunal Regional Federal da 2ª Região, foi preso na Operação Hurricane no dia 13 de abril do ano passado. Ele passou nove dias na cadeia sob a acusação de negociar decisões judiciais a favor da máfia dos bingos. A operação causou grande abalo no Judiciário ao envolver um ministro do STJ, outro desembargador do TRF-2, um juiz do trabalho e um procurador da República.

A lei das interceptações telefônicas estabelece um prazo máximo de 15 dias para o monitoramento com autorização judicial. O prazo pode ser prorrogado por igual período se houver justificativa.

Joga-se a rede para ver se tem peixe, antes de saber se o peixe existe, afirmou o especialista aos deputados. O caso do desembargador mostra outra irregularidade muito frequente que é o vazamento para a imprensa de informações sigilosas obtidas nas interceptações. Com um agravante: **a TV Globo divulgou uma frase incriminando o desembargador que não constava nas interceptações** (...)."

A esse propósito, registrou a então deputada federal Marina Maggessi, na CPI do Grampo, as tremendas manipulações políticas feitas contra ela pela Polícia Federal, acrescentando ter sido eu, desembargador Carreira Alvim, vítima disso também, e o ministro Sepúlveda Pertence feito um relato dramático naquela Comissão sobre grampos. O ministro Sepúlveda Pertence disse à deputada que foi uma das pessoas atingidas por esse tipo de investigação absurda, chamou esses caras de analistas anônimos, que analisam se estão falando, qual o timbre de voz, se está rindo, se está debochando, se está falando despudoradamente.

A partir de todos esses fatos, cresce a minha esperança de que as coisas se resolvam no Supremo Tribunal Federal, para que os responsáveis possam ser punidos pela indignidade que cometeram no exercício da função pública, que é zelar pela segurança das pessoas; e, em especial, dos membros do Poder Judiciário.

Advogados querem Polícia Federal controlada

Em entrevista concedida à *Folha de S.Paulo*, o ex-ministro da Justiça José Carlos Dias, sob o título "Polícia Federal precisa ser controlada para não cometer excessos", desnuda uma situação que o ministro da Justiça ao tempo do furacão, Tarso Genro, atual governador do Rio Grande do Sul, não chegou a perceber, pois para o ex-ministro a pressão pública e a postura da mídia ajudam a incitar ações espalhafatosas da Polícia Federal e violências ao direito de defesa.

Para o ex-ministro José Carlos Dias, o Estado brasileiro está todo carcomido, sendo preciso que se contenha o direito de "*outdoor*", aquela coisa que se coloca com grande espalhafato, o direito penal do escândalo, com a pessoa presa sempre televisionada.

Há necessidade, para ele, de um controle da Polícia Federal, sem que haja o cerceamento político das investigações.

Para esse professor de Direito Penal, investigar o crime é tão importante quanto garantir direitos.

Numa comparação entre a autonomia da Polícia Federal no governo Fernando Henrique Cardoso e no governo Lula, afirma o ex-ministro que a Polícia Federal praticou ações importantes, no Governo Fernando Henrique Cardoso, mas todas sem o espalhafato de hoje.

O grande risco nessas operações é que, por pressão da opinião pública, começamos a verificar violências ao direito de defesa, apresentando uma Justiça escandalosa, como uma coisa chamada "pena de algemas", em que a pessoa é condenada a usar algema toda vez que é transportada de um lado para outro, mesmo que não ofereça risco. São exageros absurdos que precisam ser combatidos, porque a *presunção de inocência* vem sendo conspurcada.

O medo do criminalista são os exageros cometidos pela Polícia Federal, porque se você recebe um telefonema de alguém que está sendo investigado, você entra no sistema e os seus telefonemas também começam a ser grampeados, e aí aparece de tudo, conversas sentimentais, afetivas, confidências, que muitas vezes são colocadas como "moeda de barganha".

Sobre os abusos jurídicos nas operações da Polícia Federal, realça o criminalista que, muitas vezes, os juízes e os tribunais decretam prisões desnecessárias, assinam mandados de busca e apreensão domiciliares ou em escritórios de advocacia de forma abusiva, o que exige uma postura de maior firmeza do ministro da Justiça.

José Carlos Dias esclarece que, quando era ministro da Justiça, tinha o controle da Polícia Federal, sem ter passado por cima da autoridade de nenhum delegado, pois tudo era feito num nível muito democrático e com muito diálogo. Aliás, o ex-ministro saiu do ministério porque vazou uma operação que a Polícia Federal iria desencadear e ele não concordara com esse vazamento, transmitindo ao presidente da República o ocorrido.

Para o criminalista, se houver algum mecanismo para evitar os abusos nas operações da Polícia Federal, isso dará até mais força à instituição, pois o preso não poderá ser filmado nem fotografado sem sua vontade, e mesmo assim nunca em situação humilhante. Isso é o mínimo que se pode fazer a quem ainda não foi julgado.

As escutas telefônicas deveriam existir, mas em caráter excepcional, precisando haver um controle judicial de uma forma muito exemplar, com o juiz contando com peritos de sua absoluta confiança para avaliar a necessidade e o método escolhido; registrando o criminalista que já viu casos em que "houve edição".

Conclui o ex-ministro do governo que a polícia sustenta muito a mídia, e a mídia aceita esse papel de estímulo a violências, havendo uma relação espúria entre a polícia e a mídia, registrando que é contra a transcrição de uma fita ilegal porque isso é crime, mas os jornais vão fazendo, e isso vai sendo aceito, porque ninguém gosta de ir contra o jornal.

Também o advogado Mariz de Oliveira deu uma entrevista à *Folha de S.Paulo*, reconhecendo que o trabalho da Polícia Federal nunca se limitou tanto a escutas telefônicas, e que a prisão preventiva (ou temporária) deveria ser excepcional em vez de ser aplicada de forma descontrolada.

Esse advogado chegou a enviar uma carta ao Superior Tribunal de Justiça, assinada por mais de onze advogados, manifestando preocupação com a forma açodada e descriteriosa com que o Judiciário autorizava prisões; em que a Polícia Federal pede a prisão temporária, e depois a preventiva, sem ter qualquer indício de crime, ficando a responsabilidade maior com o Judiciário que a autoriza.

Em entrevista à *Folha*, sob o título "Operações têm erros graves de investigação", o advogado Alberto Toron disse que o seu receio é que algumas operações são baseadas em conversas gravadas, às vezes, tiradas do contexto ou com uma interpretação forçada, e que a Polícia Federal *joga para mostrar serviço*, e injustiças são cometidas por causa disso.

Por ironia do destino, esse advogado acabou sendo uma das vítimas do grampeamento da Polícia Federal.

O advogado Délio Lins e Silva publicou um grito de alerta sob o título "Fora de controle", dizendo que nem ministro da Justiça era capaz de impor limites à Polícia Federal, chamando a atenção para uma entrevista do advogado Tarso Genro, então ministro da Justiça ao *Correio Braziliense*, em que o ministro reconhecia não ter o controle da Polícia Federal e não estar disposto a estancar os abusos costumeiramente por ela praticados contra a prerrogativa dos advogados, e que essa entrevista revelava a fraqueza do ministro da Justiça em relação à Política Federal, que deveria lhe ser subordinada também de fato. Diz ainda esse advogado que, na entrevista, o ministro dizia não ter recebido nenhuma denúncia sobre vazamentos das operações da Polícia Federal; dizendo-se o articulista penalizado com um ministro que não via televisão, não lia jornal, e não escutava o noticiário em que a maior atração era justamente o "segredo de justiça".

Todas estas considerações mostram a preocupação dos advogados com a atuação espalhafatosa da Polícia Federal, em megaoperações feitas com autorização judicial, nem sempre fundadas em critérios de razoabilidade e bom senso, e prestando-se mais para fazer a festa da mídia e impor ao investigado uma condenação moral, por antecipação, do que qualquer outra coisa.

Penso que em vez de gritos isolados de advogados responsáveis como estes, quem deveria estar gritando juntamente com eles, nessas manifestações de indignação, era a Ordem dos Advogados do Brasil, que sempre disse ser defensora da Constituição e das leis.

Devassa fiscal na minha vida privada

Como a Polícia Federal e o Ministério Público Federal nada encontraram nas minhas contas-correntes bancárias que pudesse me comprometer, pois ali foram depositados apenas os valores dos meus vencimentos e eventualmente alguma palestra que eu fazia, porque a maioria era gratuita, e também eventualmente os valores de direitos autorais, eles passaram a bola para a Receita Federal para ir ao meu encalço.

Passados aproximadamente dez meses da minha prisão, passei a receber notificações da Receita Federal, que, àquela altura, fizera uma devassa nas minhas declarações do Imposto de Renda, formulando exigências que deveriam ser atendidas no prazo de cinco dias.

Quando recebi a primeira notificação, atendi com presteza, no suposto de que seria aquela a única, porque nunca tive problemas com o Fisco, e não suponha que essas notificações pudessem vir em doses homeopáticas.

A primeira que recebi dizia respeito ao exercício fiscal de 2005, ano calendário de 2006, pedindo-me até documentos que nada tinham a ver com a minha declaração de rendimentos.

Em seguida, recebi outra me formulando exigências em relação ao exercício de 2004, ano calendário de 2005, inclusive que eu exibisse comprovante de rendimentos de uma instituição de ensino privada da qual inclusive eu nem tinha recebido salários.

Posteriormente, recebi a notificação sobre o exercício de 2006, ano calendário de 2007, repetindo inclusive algumas exigências feitas em notificações anteriores.

Sabendo que estavam à cata de alguma irregularidade nas minhas declarações de rendimento, tomei a iniciativa de encaminhar espontaneamente todas as minhas declarações, mesmo de exercícios anteriores a cinco anos, acompanhados dos documentos com base nos quais foram elaboradas.

É engraçado que a Receita Federal seja muito rápida para cobrar, quando entende que deva fazer alguma glosa, mas consegue ser mais lenta do que a Justiça quando se trata de restituir importâncias recolhidas a maior em favor do Fisco.

Certa feita, descobri que havia feito recolhimento a maior ao Fisco, em exercícios anteriores, do qual não havia, porém, recebido nenhuma comunicação de restituição, e pus-me no encalço desses valores, quando descobri que, realmente, nos assentamentos da Receita Federal eu era credor de mais de vinte mil reais.

Com esse objetivo, cumpri toda a burocracia fazendária, na crença de que receberia a minha devolução dentro de pouco tempo; mas estava equivocado, porque ela demorou mais de dois anos, com acompanhamento de perto, pela internet, da movimentação do pedido de restituição; que, aliás, deveria ser feita de ofício por se tratar de recebimento indevido.

Nessa ocasião, apesar de eu constar como credor do Fisco, tive que comprovar de novo, com as minhas declarações de rendimentos, que tinha direito à restituição dos valores que constavam dos registros fazendários como me devessem ser restituídos.

Eu já esperava que essa devassa pudesse acontecer, porque não tendo a Polícia Federal encontrado nada do que pretendia apreender em meu poder, que eram as tais grandes quantias em dinheiro, por certo a Receita Federal investiria na busca de irregularidades nas minhas declarações de renda, para atazanar de alguma forma a minha vida.

Como a Polícia Federal e a Receita Federal são dois braços do mesmo Poder Público, não causa surpresa que ambos naveguem nas mesmas águas turvas, supondo esta última que todo contribuinte é em tese um sonegador de impostos.

Certa feita, o desembargador Ricardo Regueira havia me contado que, quando foi acusado da venda de sentenças, cujo processo instaurado no Superior Tribunal de Justiça foi arquivado pelo Supremo Tribunal Federal, o seu grande algoz fora a Receita Federal, que virou a sua vida fiscal de cabeça para baixo; tendo até aparecido crédito na sua conta que não tinha sido feito por ele, mas por alguém que queria denegrir sua imagem.

Sofrimento por tabela

Se as megaoperações da Polícia Federal, sustentadas pelo Ministério Público e autorizadas pela Justiça, atingissem apenas os diretamente nela envolvidos, os estragos que provocam seriam menores, porque poupariam as pessoas que acabam sofrendo, desnecessariamente, em especial a família e os verdadeiros amigos.

O sofrimento da família, especialmente a mulher e os filhos, é inevitável, pois apesar de estarem fora do raio de alcance da truculência policial, sofrem os seus efeitos, especialmente pela falta de notícias, imaginando o que poderia estar ocorrendo com o seu marido e pai.

Os irmãos do preso sofrem não só porque conhecem o irmão que têm, mas também porque carregam o mesmo nome de família, que de admirado passa a ser um estigma plantado pela Polícia Federal e cultivado pelo Ministério Público com o apoio da Justiça.

Fico supondo o tamanho do constrangimento sofrido por meus irmãos e sobrinhos, que assinam "Carreira Alvim", na angústia de explicar a verdade, inteiramente diversa daquela divulgada pela mídia, sensacionalista e irresponsável, cuja única ética que conhece são os índices de audiência medidos pelo Ibope.

Reconheço que, mesmo os verdadeiros amigos, em determinadas circunstâncias, ficam numa encruzilhada, entre se exporem a eventual investigação pelo fato de ser meu amigo ou guardar distância esperando que a poeira abaixe.

Nas relações de amizade, um furacão como este constitui um *divisor de águas*, permitindo separar o joio do trigo, na medida em que afasta os falsos e mantém apenas os verdadeiros amigos.

Quem exerce alguma autoridade neste país fica permanentemente sujeito à aproximação de *puxa-saquistas* que, se fingindo de amigos, não têm outro propósito senão o de tirar algum proveito da situação.

Quem sofreu, tanto quanto eu, a fúria do furacão foram os servidores do Tribunal que trabalhavam comigo no gabinete, pessoas de bem, competentes e honestas, que produziam independentemente de estar eu ou não presente, com o único propósito de me ajudar a fazer justiça.

Na verdade, eu não tinha servidores no gabinete, mas amigos de verdade, que devem ter sofrido tanto quanto eu os constrangimentos que vieram do maldito furacão, por saberem que tudo aquilo que a mídia noticiava contra mim não passava de uma torpe "armação" policial para me afastar do Tribunal.

Outros que sofreram por tabela foram Raimunda de Cássia e sua família, pois ela trabalha comigo há mais de três décadas, os seus vizinhos me conheciam, passando a supor pelas notícias divulgadas pela mídia que eu estava realmente metido com o crime organizado, tendo sido preso por esse motivo.

Morre uma das vítimas do furacão

Em todo acontecimento tem alguém que se destaca, e no Tribunal não havia alguém que se destacava no seu relacionamento com as pessoas mais que o desembargador Ricardo Regueira, que não era apenas um magistrado, mas verdadeiro "fazedor de justiça" dos mais justos que já conheci.

Aonde quer que chegasse, o desembargador se transformava no centro das atenções, não tendo sido diferente na carceragem, onde todos do grupo queriam conversar com ele, qualquer que fosse o assunto.

Lembro-me bem de que mais de uma vez dormi embalado pelas suas conversas com o empresário Júlio Guimarães e o delegado federal Carlos Pereira, seus mais frequentes interlocutores; papo esse que muitas vezes era tão interessante, que eu me esforçava para não dormir, mas acabava dormindo.

A empatia irradiada pelo desembargador Ricardo Regueira não era apenas interna, com os demais presos, mas externa também, com os próprios carcereiros, pois assim que chegamos, se alguém pretendesse alguma coisa, um pedido do desembargador ao carcereiro era quase uma ordem.

O desembargador Ricardo Regueira nunca chamou o carcereiro de "carcereiro" e muito menos de "agente", como nos fora recomendado quando da nossa chegada, mas de "companheiro", tratamento que abre o coração de qualquer um por mais duro que seja.

O desembargador e eu éramos presença constante nos noticiários da Rede Globo, pois se lá não estivéssemos a notícia não despertava interesse e os seus jornais não vendiam; e talvez por isso a mídia tenha a mania de requentar notícias velhas quando não surgem novos escândalos para alimentar o seu furor.

Quando estávamos na carceragem da Polícia Federal em Brasília, e eu disse ao desembargador Ricardo Regueira que quando morresse eu queria ser cremado para que minhas cinzas fossem jogadas na praia, ele me retrucou dizendo que não deixaria isso acontecer, porque queria encontrar comigo no Paraíso e lá não entram os cremados.

O tempo passou, saímos da prisão, retomei as minhas atividades no magistério, na Faculdade Nacional de Direito e palestras pelo Brasil, recomecei a escrever, atualizando meus livros, mas para o desembargador Ricardo Regueira a vida não conseguiu voltar ao normal, porque ele já vinha de uma injusta acusação anterior — em que tinha sido acusado de vender sentença, mas cujo processo acabara arquivado pelo Supremo Tribunal Federal, com o voto do mesmo ministro Cezar Peluso, que de novo mandara prendê-lo com o argumento de integrar ele a máfia dos caça-níqueis — e a morte do seu filho, ainda jovem, que ele afirmava ter sido uma execução, e que nunca foi esclarecida pela polícia, minou toda a sua resistência e ele acabou falecendo.

Sempre que eu tinha a oportunidade de falar com ele, eu lhe dizia que tínhamos que ficar fortes, porque precisávamos sobreviver ao furacão para não morrermos como culpados, o que seria muito do agrado da Justiça que assim não precisaria nos julgar, mandando o nosso processo penal para o arquivo.

Para quem não sabe, quando alguém é injustamente acusado, como o desembargador Ricardo Regueira, mas morre no curso do processo, em vez de o processo prosseguir para que a família do morto possa ter a chance de vê-lo absolvido, para obter do Estado as reparações a que tem direito, o processo é arquivado porque os tribunais entendem que com a morte a punibilidade fica extinta.

Sempre sustentei no Tribunal que a extinção da punibilidade não tem nada a ver com a extinção do processo, porque se o Ministério Público não consegue provar as suas acusações, o réu inclusive se beneficia com a dúvida, sendo muito conhecido o aforismo *in dubio pro reo*, ou seja, na dúvida, decide-se em favor do réu.

Para mim, o que o injustamente preso e a sua família buscam é a absolvição de uma conduta considerada criminosa pelo Ministério Público, não ficando saciada com a decretação da extinção da sua punibilidade, com o arquivamento do processo, porque o réu morre como se fosse culpado, sem condições de a sua família provar a sua inocência.

A meu ver, a extinção da punibilidade pela morte só deveria ocorrer, se ao final do processo o denunciado viesse a ser condenado, mesmo porque nem haveria como executar a sentença contra um morto; mas não antes de saber se é culpado ou inocente porque a família tem o mais legítimo interesse jurídico em que se declare que é inocente.

Isso tanto é necessário, que na esfera civil apenas se houver absolvição do réu a família tem direito à indenização dos danos materiais e morais causados pela "fabricação" de provas contra um inocente, pela Polícia Federal, e oferecimento de uma denúncia infundada contra ele pelo Ministério Público Federal.

Mas, em face da jurisprudência, que não é sensível a esse entendimento, a única alternativa da família do morto, com a extinção da punibilidade na esfera criminal, é o ajuizamento de uma ação indenizatória contra a União, como Poder Público, pela culpa ou dolo dos seus agentes, Polícia Federal e Ministério Público, em que os fatos alegados pela defesa serão novamente questionados e provados para essa finalidade.

Neste Brasil de contrastes, se o correntista tiver um cheque devolvido, havendo provisão de fundos, ou o missivista de uma carta a tiver devolvida pelos correios, estando correto o endereço, têm ambos o direito de haver uma reparação pelo dano causado; mas se alguém for denunciado pela prática de um crime e for absolvido, não se lhe tem reconhecido o direito a uma reparação; o que, diga-se de passagem, é um incontestável absurdo; porque a prisão injusta prejudica muito mais do que a simples devolução de um cheque ou de uma carta.

Certa feita, disse isso a um ministro de tribunal superior, e ele me disse que se as coisas fossem como eu pensava, ninguém seria denunciado, porque poderia vir a ser absolvido; ao que lhe respondi que, se as coisas fossem como eu penso, os membros do Ministério Público e os juízes, inclusive os dos tribunais superiores, seriam mais responsáveis em oferecer denúncias e autorizar grampos contra as pessoas inocentes, fundados apenas em suposições. E esse ministro engoliu em seco.

Não tenho dúvida de que o desembargador Ricardo Regueira foi a primeira vítima do maldito furacão, porque a partir daí ele perdeu toda a vontade de viver, apesar da minha advertência de que não podia morrer prematuramente, para dar esse prazer aos seus algozes.

Se existir Paraíso, tenho a certeza de que lá estará o desembargador Ricardo Regueira, embora não sejam muitas as almas com as quais ele conviveu que terão a oportunidade de encontrá-lo lá, porque se existe um local mais adequado para quem comete tantas injustiças, como os juízes, este lugar jamais será o Paraíso; creio até que será o oposto dele.

Depois da morte do desembargador Ricardo Regueira, eu espero ter forças para continuar lutando, porque a minha morte seria para a Justiça um grande lenitivo, com o arquivamento também do meu processo; pois não são consistentes as provas contra mim, fruto apenas da imaginação da parte malsã da Polícia Federal.

Caso Projac da Rede Globo de Televisão

Como a Rede Globo de Televisão é useira e vezeira em divulgar o que é *secreto* para aumentar a sua audiência, e que não *poderia* ser divulgado, nada mais justo em ver divulgado o que não é secreto, porque o processo é público, mas que a sociedade e até o mundo jurídico desconhece, a propósito de uma demanda proposta contra a Globopar, que é uma das suas empresas.

Um cidadão moveu uma *ação popular* contra a Globopar, a Caixa Econômica Federal e um superintendente da Caixa, na Justiça Federal do Rio de Janeiro, acolhida pelo juiz para decretar a nulidade do empréstimo celebrado entre a Caixa Econômica Federal, como *mutuante*, e a Globopar, para a construção do Projac como *mutuária*, condenando-a a repor aos cofres da Caixa o equivalente, em moeda corrente do país (o cruzeiro), a cinco milhões e quinhentas mil Unidades de Padrão Fiscal (UPFs), equivalentes, em 1991, a trinta e um bilhões, noventa e três milhões, oitocentos e sessenta e cinco mil cruzeiros, acrescida a condenação em perdas e danos, fixada em vinte e oito por cento (28%) ao ano, maior taxa de captação praticada no mercado em dezembro de 1991, desde a data da liberação de cada parcela, e até a efetivo cumprimento da sentença, e a ser deduzido das parcelas de amortização e juros pagos, além de juros de um por cento (1%) ao mês, a contar da citação e honorários advocatícios fixados em vinte por cento (20%) sobre o total da condenação.

Esse empréstimo teve a finalidade de financiar a construção do Projac, abreviatura de Projeto Jacarepaguá, como é conhecida a Central Globo de Produções, no Rio de Janeiro, inaugurada em 1995, e considerado o maior núcleo televisivo da América Latina, com área total de mais de um milhão e meio de metros quadrados.

Contra a sentença condenatória proferida pelo juiz federal, a Globopar recorreu ao Tribunal Federal da 2ª Região, tendo eu funcionado nela na condição de relator, que é aquele que conduz o processo até o seu julgamento pelo órgão colegiado do Tribunal.

O autor da ação popular pediu que fosse declarada a nulidade do ato lesivo, condenando-se todos os beneficiários a restituírem integralmente aos cofres públicos os valores recebidos do empréstimo, tudo devidamente corrigido, inclusive acrescidos dos eventuais rendimentos auferidos em decorrência de aplicações financeiras, além dos juros de mercado, no que foi atendido pela sentença, para decretar a nulidade do contrato de mútuo celebrado entre a Caixa Econômica Federal e a Globopar.

Após a sentença condenatória e temendo a confirmação da sentença pelo Tribunal, a Globopar liquidou antecipadamente, em abril de 1996, o restante do débito proveniente do empréstimo, no valor de sessenta e um milhões, quinhentos e sessenta e cinco mil, duzentos e trinta e nove reais e quarenta e quatro centavos, equivalente nessa data, a sessenta e três milhões, trezentos e sessenta e sete mil, oitocentos e dezoito dólares e sessenta e sete centavos.

O autor da ação popular afirmava a ineficácia da antecipação das parcelas do empréstimo por ser lesivo à Caixa, porquanto a liquidação do contrato na forma contratada, e não na forma determinada na sentença recorrida, não desfigurava a tese da lesividade reconhecida pelo juiz, e apenas reforça a má-fé dos recorrentes, especialmente da Caixa que, na qualidade de empresa pública, deveria zelar por seu patrimônio, que é público, e pela aplicação do postulado da moralidade administrativa, previsto na Constituição.

Pois justo esta sentença, que anulou o contrato de empréstimo celebrado entre a Globopar e a Caixa, e condenou a Globopar e outros a reembolsar à Caixa a bilionária quantia, equivalente em 1991 a trinta e um bilhões, noventa e três milhões, oitocentos e sessenta e cinco mil cruzeiros, veio a ser por força do voto que proferi na época, como relator do processo, a ser revertida em favor da Rede Globo de Televisão, por entender que o contrato não contrariava as regras legais disciplinadoras do empréstimo.

Quando a Rede Globo de Televisão se incumbiu de desrespeitar o "segredo de justiça" imposto às diligências da Polícia Federal, na Operação Hurricane, não creio que soubesse que aquele desembargador que ela expunha à execração pública, sem culpa formada, divulgando os vazamentos repassados pela Polícia Federal, fosse o mesmo desembargador que, no passado, revertera a sentença contra ela que a havia condenado a restituir à Caixa mais de trinta e um bilhões de cruzeiros, moeda de 1991, que convertida em reais ou em dólares daria igualmente alguns bilhões nessas duas moedas.

Será que um desembargador como eu, que tinha em minhas mãos um processo com sentença condenatória da Rede Globo em *bilhões* de cruzeiros, a depender do meu voto para ser confirmada ou não, se prestaria a se corromper pela quantia de um milhão de reais por conta de uma liminar, temporal e provisória, em favor de casas que exploram bingo?

Não digo que o meu voto fosse decisivo, mas a realidade é que, nos tribunais, o voto do relator tem um enorme peso, para que um recurso seja acolhido ou denegado, e os meus votos quase sempre foram seguidos pelos demais desembargadores do Tribunal.

Aliás, explorar por explorar, a Rede Globo de Televisão é mestra na exploração da opinião pública, o que ela faz como ninguém, pelo que, se eu fosse dado à prática da corrupção como ela ajudou a divulgar, por certo teria sido ela própria a melhor "vítima" que tive nas mãos durante toda a minha carreira de juiz, numa demanda bilionária.

Aos que me derem o prazer da leitura, e que acreditaram nas versões divulgadas pela Rede Globo a meu respeito, perguntem a ela quanto a empresa mãe (*holding*), ré na ação, pagou pelo meu voto, que foi o condutor da decisão a seu favor, na reversão da sentença do juiz, pela qual tinha sido condenada a devolver à Caixa a fabulosa quantia de trinta e um bilhões, noventa e três milhões, oitocentos e sessenta e cinco mil cruzeiros, além das demais verbas acessórias impostas por esta sentença.

Para que se tenha ideia dessa cifra, só a verba honorária importava, na época, em aproximadamente vinte milhões de dólares, que o advogado do autor deixou de embolsar.

Existe um provérbio que diz que "cesteiro que faz um cesto, faz um cento, e, tendo cipó e tempo, faz duzentos".

Não foram apenas os casos Infoglobo e Globopar que passaram pelas minhas mãos, mas outros com relevância econômica e financeira, principalmente inúmeros em matéria tributária, pelo que não iria eu me sujar e comprometer o meu nome e da minha família, por conta de liminares pertinentes a liberação de máquinas caça-níqueis, que eu previa, mesmo porque não sou nenhum idiota, que não passaria pela presidência da Corte, e nas mãos do então presidente desembargador Frederico Gueiros seria suspensa.

No entanto, isso não me preocupava, porque a minha satisfação não era com as empresas que pediam as decisões e nem com a presidência do Tribunal que as suspendia, mas com a minha consciência de julgador; e faria tudo de novo, se me fosse dado voltar no tempo, porque nada fiz do que tenha a me envergonhar.

Sobre os espetaculosos noticiários da mídia, especialmente divulgados pela Rede Globo de Televisão, resta repetir que o mal da imprensa "é falar do que não sabe, para quem não conhece, sobre um assunto que lhe é estranho".

Talvez por isso a democracia sobreviva em toda parte, apesar da imprensa, e não por obra dela.

Jornalismo ético ainda existe

Recentemente, tive um alento quando li no extinto *Jornal do Brasil* um artigo de autoria de Marcelo Medeiros, o único que em minha opinião não faz o jogo da mídia, exprimindo aquilo que corresponde ao senso normal de justiça da sociedade; mais, aliás, do que da própria Justiça como instituição.

Nesse artigo, o jornalista registra as críticas às operações espalhafatosas da Polícia Federal, generalizadas e correntes, em que o desrespeito aos direitos individuais virou a regra, e o que é mais grave, com a conivência do Judiciário, do Ministério Público e com protestos *discretíssimos* da Ordem dos Advogados do Brasil.

Anota o articulista que, ao empossar, no segundo mandato, o procurador-geral da República, Antônio Fernando de Souza, o presidente Lula criticou a polícia e o Ministério Público, sendo enfático ao afirmar que todos são inocentes até o julgamento; dizendo que uma coisa que o inquietava como cidadão, que o inquietava no comportamento da Polícia Federal e do Ministério Público, é muitas vezes o cuidado de evitar que pessoas fossem execradas publicamente, antes de ser julgadas; porque não há nada pior para a democracia do que alguém ser condenado sem ter cometido crime.

Diz o jornalista que o então ministro da Justiça Tarso Genro, a quem estava subordinada a Polícia Federal, continuava fingindo que a "inquietação" do presidente da República não era com ele; e a Polícia Federal permanecia fazendo seus *shows* para a televisão.

Para Marcelo Medeiros, não existe o mínimo de respeito a quem sequer foi julgado, pois um preso não pode ser fotografado nem filmado, pois a fotografia ou filmagem só pode ser feita se ele quiser.

Sem falar expressamente nos "vazamentos" da polícia para a mídia, registra que a divulgação de fitas ilegais é crime e vem sendo feita constantemente.

O jornalista registra também que as pessoas são algemadas toda vez que são transportadas de um lado para outro, mesmo que não ofereçam risco; e até mesmo os que se apresentam espontaneamente à autoridade policial são algemados. É a chamada "pena de algemas" que existe na lei, mas é aplicada arbitrária e ilegalmente para aviltar o investigado perante o telespectador.

É exatamente isto, pois quando da minha prisão temporária, os policiais federais colocaram algemas em todos os conduzidos para Brasília, inclusive em mim e no saudoso desembargador federal Ricardo Regueira, e quando invoquei as prerrogativas da função, me disseram os federais que aquela medida nada tinha com a minha função, sendo uma simples medida "operacional".

O princípio fundamental do Direito, diz Marcelo Medeiros, que é *a presunção de inocência*, vem sendo ignorado, pois inocentes, até prova em contrário, já estão cumprindo a *pena do escândalo imposta pela mídia*. Ao receber um telefonema de alguém que esteja sendo investigado você entra no sistema de gravação da Polícia Federal — o sistema permite a interceptação simultânea de até três mil ligações — e passa a ter seus telefones grampeados e a sua vida sorrateiramente devassada.

Falando como cidadão, cobra o jornalista maior responsabilidade dessas instituições, asseverando que a sociedade brasileira vem aplaudindo a atuação da Polícia Federal e do Ministério Público no combate às fraudes de toda natureza que inundam o país. Mas exige que este combate se faça com rigoroso respeito às leis e aos dispositivos constitucionais, que asseguram os direitos individuais.

A quebra do sigilo de conversas telefônicas, gravadas ou não com permissão da Justiça, e divulgadas pelos meios de comunicação, vai custar caro ao país, quando os interessados forem pedir *indenização por danos morais e profissionais*, causados por vazamentos de informações protegidas por segredo de justiça e sob a guarda do Estado.

É inimaginável, num Estado de Direito, que as conversas telefônicas entre os investigados e seus advogados sejam interceptadas pela polícia, em flagrante violação à lei.

No Tribunal Federal da 2ª Região houve uma denúncia oferecida pelo Ministério Público Federal contra um juiz capixaba em que as interceptações das suas conversas foram feitas "por tabela", ou seja, a Polícia Federal tinha autorização judicial para gravar outra pessoa que não era juiz, pois para grampear o juiz precisava da autorização do Tribunal. Mas, como na conversa desta pessoa com o juiz, vislumbrou a Polícia Federal a prática de crime, fez a gravação, e com ela o Ministério Público Federal ofereceu a denúncia contra ele no Tribunal. Em vão tentei argumentar com os desembargadores que a gravação era ilegal, porque não tinha havido prévia autorização do Tribunal para ser feita; mas não adiantou, pois por maioria entendeu que a denúncia deveria mesmo assim ser recebida, como efetivamente foi. Por isso, repito diariamente na sala de aula para meus alunos que "quando o juiz quer, quer; e quando não quer não quer, e ponto final"; pouco importando o que diga a lei ou a Constituição.

Quem esquece o passado condena-se a repeti-lo

Nas minhas aulas e nas minhas palestras, sempre me lembro do maior erro judiciário que manchou a história da Justiça brasileira, citado como exemplo em todos os compêndios de Direito Penal, no mundo inteiro, conhecido como "O Erro Judiciário de Araguari", um município do Triângulo Mineiro, que o advogado João Alamy Filho, nos anos sessenta, transformou no livro *O caso dos irmãos Naves*, que espero que os ministros do Supremo Tribunal Federal tenham lido, e posteriormente ensejou um filme com o mesmo título.

O caso dos irmãos Naves foi um acontecimento policialesco da época do Estado Novo, no Governo do presidente Getúlio Vargas, em que dois irmãos, Sebastião Naves e Joaquim Naves, foram presos por um crime que não cometeram e que *sequer tinha existido*.

Acusados os irmãos Naves pelo Ministério Público, com base num inquérito comandado por um tenente militar, apelidado "Chico Vieira", com base em provas colhidas mediante tortura, inclusive a confissão, foram julgados pelo Tribunal do Júri da comarca de Araguari, e em duas oportunidades foram absolvidos por seis votos a favor e um contra, em razão da fragilidade da prova acusatória, sobretudo pela inexistência de um cadáver, que seria Benedito Caetano, primo dos acusados, que seria a prova da materialidade do crime de homicídio.

Como naquela época o Tribunal do Júri não era soberano, como é hoje, apesar de os irmãos Naves terem sido absolvidos em Araguari, acabaram condenados pelo Tribunal de Justiça de Minas Gerais, que, acolhendo recurso do Ministério Público estadual, lhes impôs a pena de vinte e cinco anos de reclusão, depois reduzida para dezesseis anos, pelos mesmos seis votos a um, invertendo, assim, em favor da acusação, o veredicto absolutório.

Tempos depois, quando um dos irmãos, Joaquim Naves, já havia falecido, aparece viva a suposta vítima, Benedito Caetano, ficando evidente que tudo não passara de uma "trama" armada pela polícia mineira para condenar os dois irmãos inocentes, que não haviam praticado crime algum; e ainda haviam sido vítimas da suposta vítima, que havia fugido com parte do dinheiro produto da venda de arroz pertencente aos dois irmãos.

Na época dos fatos, o delegado civil, que não fazia o jogo da polícia mineira e do Ministério Público local, e não se mostrava disposto a "fabricar" provas contra os acusados, acabou afastado do inquérito pelo governo, substituído pelo tenente militar apelidado "Chico Vieira", temido como um homem truculento e adepto de torturas, que foi nomeado delegado interino de Araguari somente para presidir esse inquérito; e, nessa condição, fabricou todas as provas que a polícia queria, para mostrar sua eficiência em desvendar o crime (inexistente), dando ao Ministério Público local o que ele precisava, igualmente para mostrar serviço, para denunciar alguém pela prática de um crime que jamais existira.

Quem acabou, no final, *pagando a conta dessa irresponsabilidade* foi o Estado de Minas Gerais, que teve que arcar com todas as indenizações devidas à família Naves, mas os verdadeiros responsáveis pela trama, delegado e Ministério Público inexplicavelmente jamais foram punidos.

Eu era ainda adolescente quando assisti ao filme, e a minha indignação era tal que, se eu tivesse encontrado esse delegado "Chico Vieira" ou o promotor de Justiça de Araguari pela frente, teria feito uma besteira. Aliás, a revolta não foi só minha não, mas de todos os que assistiram ao filme, pois saíram do cinema igualmente indignados.

Naquela época, não conseguia entender como a Justiça, que eu praticamente desconhecia, apesar de o meu pai ser advogado, permitia e concorria para que tais coisas acontecessem; mas hoje, sendo um desembargador e vítima da própria Justiça, entendo de sobra as suas razões para fazer o que faz contra inocentes.

O famoso caso dos irmãos Naves constitui um alerta ao Ministério Público Federal e ao Supremo Tribunal Federal, para um fato ocorrido no interior de Minas Gerais, no longínquo ano de 1937, muito semelhante aos que envolvem a Operação Hurricane, em que as únicas provas existentes contra mim são conversas gravadas, não confiáveis como restou demonstrado pela perícia feita por um dos mais renomados peritos do país, o professor Ricardo Molina, da Unicamp.

Espero que o monstruoso erro judiciário de Araguari, mancha inapagável da Justiça brasileira em todos os tempos, aqui e lá fora, para a qual concorreu o Tribunal de Justiça de Minas Gerais, minha terra natal, não me faça vítima de mais um clamoroso erro judiciário, penalizando quem fez da magistratura uma profissão de fé, por um crime que jamais cometeu; e existente apenas na cabeça da Polícia Federal e do chefe do Ministério Público Federal.

Revendo o filme *O caso dos irmãos Naves*, verifiquei que após a descoberta da farsa que os condenou, um jornal da época publicou uma reportagem com o título "Toda uma família levada ao cárcere por *crime imaginado pelo delegado*"; sendo este também o meu terror, porque fui igualmente denunciado *por um crime imaginado por um delegado federal*.

No caso da Operação Hurricane, tanto quanto no caso dos irmãos Naves, falta a indispensável e necessária *prova material da existência do crime*, que lá era um cadáver inexistente, e aqui uma suposta "grande quantidade de dinheiro" existente apenas na imaginação da Polícia Federal, apoiada numa conversa entre pessoas não identificadas, e numa gravação de péssima qualidade, numa delas sendo dito que *um milhão era para Carreira Alvim*.

O fato de terceiros me atribuírem o recebimento de dinheiro em troca de liminar não é suficiente por si só para embasar uma condenação; mesmo porque houve um episódio muito divulgado pela mídia em que o então ministro Sepúlveda Pertence, do próprio Supremo Tribunal Federal, mostrou como os juízes estão expostos a ser "vendidos", por serem as suas decisões adrede conhecidas de todos, especialmente dos advogados.

Nesse caso, o então ministro foi vítima de um advogado inescrupuloso, que pretendendo arrancar dinheiro do seu cliente, foi flagrado em escuta grampeada, pedindo dinheiro para "repassar" a esse ministro.

O erro de que estou sendo vítima é imensamente maior do que o erro judiciário de Araguari, porque apesar de lá um injustiçado ter pago o erro com a sua vida, eu estou pagamento erro com aquilo que o ser humano tem de mais valioso, que é a minha honra e dignidade; e isso porque lá o morto foi sepultado, e aqui o que se pretende é ver-me sepultado vivo.

A ética para si e a ética para os outros

O meu julgamento pelo Conselho Nacional de Justiça não se afirma pelos seus próprios fundamentos, inclusive porque, nos termos da Constituição, o juiz só pode ser aposentado compulsoriamente por sentença penal transitada em julgado, e esse Conselho tem natureza simplesmente administrativa, como órgão de controle externo do Poder Judiciário, mas que tem insistido em fazer principalmente o seu controle por dentro.

Tenho dito aos meus alunos na Faculdade Nacional de Direito, repetindo, aliás, o que ouvi inúmeras vezes da boca da ex-presidenta do Supremo Tribunal Federal, ministra Ellen Gracie, que o Conselho Nacional de Justiça retira do Poder Judiciário a sua natureza de Poder do Estado, porque é um Conselho composto de membros de fora da Justiça e até representantes do Ministério Público.

Quando o meu processo passou para as mãos do ministro Gilson Dipp, como relator, pensei que ele fosse se afastar do processo, a uma, porque ele me conhece há décadas, e jamais iria supor que eu fosse o

Desembargador Carreira Alvim com o ministro Gilson Dipp do Superior Tribunal de Justiça no encontro de Buenos Aires sobre "Os desafios da corrupção"

marginal que o então chefe do Ministério Público Federal dizia que eu era; e, a outra, porque ele fora convidado pelo Instituto de Pesquisa e Estudos Jurídicos (IPEJ), por meu intermédio, para participar de um evento na cidade de Buenos Aires, em homenagem ao jurista Raúl Zaffaroni, e cujo tema era justamente "Os desafios da corrupção".

Este era o tema da versão do 69º Curso Internacional de Criminologia, realizado no mundo, sob os auspícios do Instituto de Pesquisa e Estudos Jurídicos (IPEJ), da Universidade Salgado de Oliveira (Universo) e da *Revista Consulex*. Esse evento fora organizado pela Sociedade Internacional de Criminologia com sede em Paris, que é um órgão da Organização das Nações Unidas (ONU), atuando o IPEJ como organizador, no Brasil, com a incumbência de conseguir patrocínio para os participantes, especialmente os palestrantes, ao qual compareceu o ministro Gilson Dipp, tendo lá permanecido durante os cinco dias consumidos no evento, em que ficamos todos hospedados no Hotel Panamericano, e cujo tema era exatamente a corrupção, o crime organizado e a melhor forma de combatê-los.

A esse evento compareceu também o ministro Cezar Peluso, acompanhado de sua esposa, como representante do Supremo Tribunal Federal, patrocinado pela *Revista Consulex*, que integrava o grupo coordenador, e ironicamente foi esse ministro que, pouco antes do encontro de Buenos Aires, havia autorizado a colocação de grampos no meu gabinete, mas mesmo assim compareceu, participando ativamente das palestras e das mesas de trabalho.

O ministro Cezar Peluso deve ter se sentido tremendamente desconfortável por me ver à frente de um evento buscando soluções para o combate ao crime organizado, quando ele próprio mandara me grampear, supondo que eu fosse integrante de uma organização criminosa.

Na condição de professor de Direito, vejo com muita preocupação a informatização do processo, que na prática acaba sendo um convite à preguiça da leitura, porque, se antigamente, antes da informatização, o julgador ou o membro do Ministério Público era obrigado a ler o que devia transcrever, agora não faz mais isso, porque se limita a "recortar" imensos trechos de uma peça processual e fazer a "colagem" onde deseja; e o que é pior, sem ler detidamente aquilo que está recortando e colando.

No caso do furacão, a Polícia Federal teve que ler para fazer a "montagem" que fez, mas o chefe do Ministério Público Federal não teve o mesmo trabalho, porque se limitou a "recortar" trechos do inquérito e "colar" na denúncia, o mesmo acontecendo com o voto do ministro Cezar Peluso, do Supremo Tribunal Federal, que fez "cortes" e "colagens", e este comportamento se repetiu no Conselho Nacional de Justiça, onde o relatório e voto do ministro Gilson Dipp esmerou nos "recortes" e "colagens".

Para quem não sabe, esse termo "recortar" na linguagem eletrônica é se apoderar de trechos de peças informatizadas, e "colar" é soltá-los no lugar onde quer que eles passem a figurar, fazendo uma transferência de trechos às vezes enormes de um lugar para outro, sem ser preciso digitar, ou seja, sem ser preciso ler.

Nunca vi um ditado ser tão oportuno como aquele que diz que "a correria é a base da porcaria", porque tudo o que é rápido não é bom, e tudo o que é bom não pode ser rápido, tendo essa advertência sido feita por um dos mais notáveis juristas italianos, quando discorria sobre as medidas cautelares.

A informática agiliza sim os processos, mas a grande perdedora, sem dúvida alguma, será a justiça, que deveria ter na verdade o seu suporte e acaba tendo naquilo que alguém pensa que é verdade ou aceita como sendo a verdade.

Não vou falar aqui sobre questões de difícil entendimento para quem não é versado em Direito, porque o meu propósito é mostrar ao leitor os motivos que conduziram o Conselho Nacional de Justiça a decretar a minha aposentadoria compulsória, que foi o tal almoço que, embora tenha sido um almoço normal, onde nada se conversou sobre jogos, acabou quase me dando uma indigestão pelas suposições que a Polícia Federal direcionou para a cabeça dos ministros do Supremo Tribunal Federal, com direta repercussão na cabeça de todos os conselheiros desse Conselho.

As decisões do Conselho têm sido muito questionadas perante o Supremo Tribunal Federal, na questão ligada à aposentadoria, porque pela Constituição Federal o magistrado somente pode ser aposentado em virtude de condenação por sentença penal, mesmo assim depois de se tornar definitiva, e as decisões do Conselho não são sentenças, pelo que não poderia aposentar ninguém.

O Supremo Tribunal Federal já decidiu em mais de uma oportunidade, por decisões individuais dos seus ministros, que o Conselho Nacional de Justiça não pode decretar a aposentadoria de magistrado, e os tem mandado retornar aos seus postos, mas este Conselho, que é presidido pelo mesmo presidente do Supremo, insiste em se atribuir função que definitivamente ele não tem.

Costumo dizer aos meus alunos na Faculdade Nacional de Direito que "quando o juiz quer, quer; e quando não quer, não quer", pouco importando que a parte tenha direito ou que esse seu direito esteja amparado pela lei ou pela Constituição.

Foi por não rezar nesta cartilha que acabei no olho do furacão, porque para mim o Direito socorre ao virtuoso ou ao bandido conforme ele tenha ou não tenha direito, e nunca deixei de reconhecer o direito a alguém por conta dos seus antecedentes pessoais. Mesmo na esfera criminal contribuí muito para que fosse feita justiça ao réu, tendo certa feita votado pela anulação de uma condenação de um que tinha sido condenado por ter sido reconhecido por fotografia como sendo o chefe da quadrilha, no que fui acompanhado pelos demais membros da turma; e mais tarde foi constatado que realmente ele nada tinha a ver com aquela quadrilha, na qual fora jogado por algum desafeto seu.

Não querendo o Conselho se antecipar ao Supremo Tribunal Federal no exame dos fatos alegados contra mim, na denúncia, para não fazer um prejulgamento daquilo que ainda vai ser julgado por aquela Corte perante a qual fui denunciado, o relator do processo disciplinar ministro Gilson Dipp se apegou ao que achou que tinha fundamento para me punir disciplinarmente, convencendo todos os demais conselheiros a acompanhar o seu voto, porque o Conselho tem uma enorme preocupação em que as suas decisões, principalmente em casos emblemáticos como este, sejam unânimes, mas esquecido da advertência do grande Nelson Rodrigues, de que "toda unanimidade é burra".

Na sua argumentação, o ministro Gilson Dipp passa em revista "os fatos que originaram o processo administrativo disciplinar", fazendo a transcrição pelo sistema de "recorte e colagem" de um grande trecho da denúncia, que só contém aleivosias contra mim, com suporte em provas "montadas" e "suposições", que até agora não mereceu um exame sério do Supremo Tribunal Federal, onde o processo se encontra praticamente paralisado há mais de quatro anos.

Depois, passa em revista os "fatos imputados ao desembargador José Eduardo Carreira Alvim", repetindo as aleivosias contra mim, e em seguida os "elementos apurados no processo administrativo disciplinar", em que se limita a transcrever trecho do voto do ministro Cezar Peluso, do Supremo Tribunal Federal, voto este que se limita por sua vez a fazer uma transferência de enorme trecho da denúncia, dos itens 74 a 118, o que fez com que as mesmas aleivosias afirmadas pelo Ministério Público acabassem contaminando o voto do ministro do Supremo Tribunal Federal.

No seu voto, o ministro Gilson Dipp faz questão de transcrever trechos do voto do ministro Ricardo Levandowski, que eu supunha um amigo, que me conhece também há décadas, pois fizemos um curso na França juntos, na Escola Nacional de Magistratura Francesa, jantei na sua casa quando estive participando de evento em São Paulo, e confesso que foi difícil para mim acreditar, quando o ouvi dizendo por ocasião do julgamento que existiam elementos bastante substanciosos nos autos de que eu teria tido encontros com vários agentes diretamente favorecidos com minhas decisões, a exemplo de Jaime Garcia e José Renato, em "restaurantes", em "casas de bingo", "residências" e "até na praia", e que meu genro teria intermediado valores para obter decisões judiciais espúrias. Nesse voto, disse o ministro Levandowski que até pela frequência dos contatos, pela permanência, pela projeção no tempo dessas ligações, o delito de quadrilha, em tese, estaria configurado. Disse também que os autos noticiam indícios fortes de corrupção passiva, que para quem não sabe, significa exigir vantagem indevida no exercício da função.

Quando a versão do fato passou do ministro Cezar Peluso para o ministro Ricardo Levandowski, os encontros se ampliaram, porque este último ministro já fala em "encontros" no plural, meus com os bingueiros, o mesmo acontecendo com as casas de bingo e residências, tudo no plural, quando essa versão tipo Agatha Christie vem desmentida pelos próprios autos do inquérito, nos quais foi registrado que o que realmente houve, que foi um almoço, cuja motivação foi devidamente contada no Capítulo 8 deste livro, no trecho "Almoço que acabou indigesto".

Nada existe além desse almoço, pois se tivesse havido, fosse o que fosse, áudio ou foto, teriam os policiais federais tido o maior interesse em municiar o Ministério Público com mais essas provas contra mim; e pelo que fez a Polícia Federal pelas provas que conseguiu montar, acredito que relativamente a esses alegados encontros não conseguiu êxito na sua empreitada, porque o que existe são meras alegações feitas pelo denunciante totalmente soltas no ar.

O relatório do ministro Gilson Dipp transita também pela "defesa do desembargador Carreira Alvim" ao transcrever pelo sistema de "cortes e colagens" o depoimento que prestei perante o desembargador Abel Gomes, do Tribunal Regional Federal, mas pelas conclusões a que chegou não leu nada do que eu disse, e admitindo-se que tenha lido não entendeu nada, embora eu tenha sido bastante explícito e sincero nas explicações que dei sobre tudo o que me foi perguntado e sobre a verdadeira versão dos fatos, que desmentem as suposições assacadas contra mim.

Aqui, terá o leitor a clara noção de que os juízes, mesmo sendo ministros, têm uma moral para si e uma moral para os outros, e eu me incluo nestes "outros", e vou explicar por quê.

O ministro Gilson Dipp diz que eu afirmo desconhecer as pessoas presentes ao encontro no restaurante Fratelli, ou até mesmo por que foram convidadas. Mas para o ministro é interessante assinalar que, tendo eu afirmado que o convite partira de amigo a quem não via havia muito tempo, estando em uma mesma mesa com várias pessoas desconhecidas, e segundo eu mesmo reconheço, com fortes desconfianças de que a reunião *estaria* sendo monitorada pela Polícia Federal, eu *ainda assim permaneci no ambiente*, sabendo — como deveria até por dever de ofício, pois havia advogados a quem necessariamente devia conhecer — que o monitoramento pela Polícia Federal, além de autorizado judicialmente, só se dá quando há fundados indícios de atividade criminosa.

Na verdade, o ministro leu aquilo que quis e entendeu o que quis entender, porque o que eu disse é que eu era amigo *do pai do Castelar Guimarães*, e mesmo assim não era amigo íntimo, pois não o via havia muitos anos, e não tinha nenhum motivo para não aceitar o convite do filho para almoçar, mesmo porque eu havia sido prevenido pelo meu genro que o assunto seria ligado à editora Del Rey; não havia, como afirmou o ministro, "advogados" nessa reunião, porque o único advogado que eu conhecia lá era o meu genro além do próprio anfitrião; e quando eu disse que não conhecia as pessoas que lá foram almoçar, convidadas pelo anfitrião, eu não menti, pois realmente não conhecia o tal de José Renato, que só vim a saber que era um bingueiro quando fui posto como membro da sua quadrilha, quando fui preso, e o tal de Jaime Garcia, não me era estranho, mas eu nem me lembrava do seu nome e o que fazia, o que só vim a saber também quando ele foi apanhado pelo furacão.

Aliás, pelo que pude constatar nos relatórios feitos pela Polícia Federal, até os policiais federais citavam o tal Jaime Garcia como se fosse realmente um *advogado*, quando se apurou depois que não era.

Se o ministro Gilson Dipp, na qualidade de relator do processo, tivesse querido saber mesmo a verdade, era muito simples, pois bastaria que ele tivesse convocado para depor o advogado Castelar Guimarães e tivesse tomado o seu depoimento, quando poderia ter-lhe perguntado a razão de ter convidado aquelas pessoas para o almoço para o qual me havia convidado sem me esclarecer previamente de quem se tratava. Ele poderia até ter-lhe perguntado por que ele não me dissera que era advogado de bingueiros e que estes bingueiros também eram seus convidados para almoçar. Quem teria que explicar isso era o advogado Castelar Guimarães e não eu; e eu só não arrolei esse advogado como testemunha, porque, para mim isso é uma mentira tão grande, que não seria acreditada por um ministro de um Tribunal superior, e muito menos por um Conselho integrado por pessoas do mais elevado discernimento.

Eu só não arrolei como testemunha o advogado Castelar Guimarães porque considerei esse almoço tão irrelevante no contexto das inverdades que tinham sido assacadas contra mim, que não pensei que justo sobre ele e por causa dele viria o Conselho Nacional de Justiça, com voto do ministro Gilson Dipp, a decretar a minha aposentadoria compulsória.

Penso até que isso não teria tido nenhuma influência na formação do convencimento de quem estava à cata de um "pretexto" para me condenar, e não era conveniente que as provas fossem ainda mais contrárias do que já eram para dificultar esse processo.

Digo isso porque o tal José Renato e a outra pessoa que viera com Castelar Guimarães, de Belo Horizonte, que depois fiquei sabendo chamar-se Sérgio Rodrigues, também empresário, depuseram no processo do meu genro, na Justiça Federal, dizendo que não me conheciam e que era aquela a primeira vez que me viam, quando do convite feito pelo advogado Castelar Guimarães para almoçar na minha companhia.

Mas nada disso foi lido ou considerado nem pelo relator nem por nenhum dos conselheiros do Conselho Nacional de Justiça, porque esses depoimentos foram juntados ao processo administrativo, extraídos dos autos do processo penal a que responde o meu genro, em curso na Justiça Federal do Rio de Janeiro; e, se bem me lembro, esses depoimentos foram juntados sim por determinação do próprio ministro.

Eu nunca tive nenhum relacionamento com o advogado Castelar Guimarães, pelo que não sabia e nem estava na obrigação de saber que ele era advogado do tal José Renato, que tinha sido por ele convidado para almoçar no Fratelli e que estava sendo processado; porque infelizmente os advogados não trazem escrito na testa a relação dos seus clientes, e nem portam um crachá de bons antecedentes, para que se saiba se é ou não um "suspeito".

Se, naquele almoço, a conversa tivesse se resvalado para algum assunto que pudesse comprometer a minha integridade moral, eu teria com educação chamado o meu genro para ir ao banheiro, e de lá iria para a minha casa, pois eu moro relativamente perto do Fratelli e pediria a ele que se desculpasse para mim com o grupo, dizendo que eu estava passando mal ou coisa assim. Mas o fato é que não resvalou, pois nada foi conversado que não pudesse ser na presença de policiais federais que eu tinha certeza que estavam nos gravando; e confesso que achei até bom que estivessem me monitorando, para ver que ali não se conversava nada que eles pensavam que pudesse estar sendo conversado. Como eu não sabia que algumas das pessoas que lá estavam eram bingueiras, pois pensava que eram amigas do Castelar Guimarães, não me preocupei com a movimentação dos grampeadores, porque vi que eles estavam perdendo tempo.

Eu vejo hoje que *estava enganado*, porque apesar de *o fato* não ter nenhuma relevância, mesmo porque este almoço se deu no dia 18 de janeiro de 2007, sete meses depois que eu havia proferido a decisão da Betec, em 9 de junho de 2006, que tinha sido cassada em 14 de junho de 2006 pelo próprio Tribunal, e, depois, definitivamente pelo Supremo Tribunal Federal em 23 de outubro de 2006, *não me dei conta da versão do fato*, da qual sofro as consequências, porque os conselheiros do Conselho Nacional de Justiça não perceberam que, quando do almoço no Fratelli, sete meses depois da decisão da Betec, aquela minha decisão não servia mais nem para papel higiênico.

Por isso, os conselheiros me julgaram supondo que esse meu almoço com o advogado Castelar Guimarães e seus convidados tinha alguma coisa a ver com propina, quando não tinha, porque a decisão que eu havia proferido já estava **cassada**, e não valia mais nada; pelo que só um ingênuo bingueiro pagaria cifras tão elevadas por algo que tinha sido decisão, e nem existia mais; e bingueiro ingênuo é coisa que está para nascer.

A ilação que o ministro Gilson Dipp tirou dos telefones Nextel que teriam sido trazidos do exterior por meu genro é outra inverdade, porque os meus aparelhos foram apreendidos no Instituto de Pesquisa e Estudos Jurídicos (IPEJ), no meu gabinete e na minha casa, tendo sido comprados por uma das funcionárias do meu gabinete a pedido meu, não porque as minhas conversas não pudessem ser ouvidas — tanto que a Polícia Federal me gravou por mais de um ano para obter 21 segundos de gravação com a minha voz, para "montar" uma frase contra mim — mas porque eu me sentia muito desconfortável em saber que estava sendo interceptado pela Polícia Federal, e indignado em supor que pudesse ser por determinação de uma juíza federal, para beneficiar o grupo dos quinze, que queria me impedir de chegar à presidência do Tribunal.

Outro fato que faz parte do anedotário da decisão do Conselho Nacional de Justiça contra mim é quando afirma que o meu genro trouxera aparelhos Nextel do exterior, porque estes aparelhos dificultariam a interceptação das suas conversas; mas também aqui o ministro Gilson Dipp não queria a verdade verdadeira (o fato), mas a suposição (a versão do fato), porque, se quisesse, teria mandado verificar no passaporte dele a última vez em que fora ao exterior, pois isso ocorrera dois anos antes da deflagração da operação, e ele nem era ainda casado com a minha filha Luciana.

Se, conforme consta das buscas e apreensões, os telefones Nextel foram trazidos dos Estados Unidos em 2007, e a última vez em que meu genro tinha estado lá fora em 2005, não é preciso ser um adivinho para concluir que não foi ele quem trouxe esses aparelhos, faltando com a verdade quem afirmou que foi.

Para ter a certeza disso, repito, basta consultar o passaporte do meu genro, que foi apreendido pela Justiça Federal.

Mas aqui também preferiu o ministro Gilson Dipp e com ele todo o Conselho que mais conveniente era a versão do fato e não o fato em si, o que demonstra que esse comportamento de confiar no relator do processo e seguir o seu entendimento nem sempre faz bem à saúde da Justiça.

Embora o ministro Gilson Dipp tenha concluído que eu queria me furtar a ser escutado, pelo que usei os aparelhos Nextel, não era por conta do conteúdo das minhas conversas que sempre foram às claras, pois nunca fechei a porta do meu gabinete para conversar com ninguém, conversando inclusive na presença de quem estivesse por perto, mas porque não considerava justo que eu estivesse sendo interceptado sem saber por quê.

Por conta desta interceptação, cheguei a oficiar a respeito o Superior Tribunal de Justiça, indagando a respeito das interceptações das minhas ligações e dos grampos no meu gabinete, tendo recebido não só uma resposta me dizendo a que ministro eu deveria me dirigir para obter a informação que pedia, como liguei para essa ministra, e ela logo em seguida me deu retorno para me dizer que não havia nenhuma autorização daquele tribunal para grampear o meu gabinete ou interceptar as minhas ligações. Aí foi que reforçou a minha desconfiança de que eu estaria sendo grampeado por determinação de uma juíza federal, ou até por conta e risco dos que integravam o grupo dos quinze, que queriam ver o desembargador Castro Aguiar chegar logo à presidência do Tribunal. E não estava totalmente errado não, porque durante aproximadamente seis meses fui mesmo interceptado por uma juíza federal que, tendo mandado interceptar os telefones do meu genro, os meus acabaram sendo interceptados por tabela.

O que eu jamais poderia imaginar é que um ministro do Superior Tribunal de Justiça estivesse sendo também interceptado, e por conta dessa hierarquia, a competência se transferia para o Supremo Tribunal Federal, e fora este Tribunal que tinha autorizado a interceptação dos meus telefones e os grampos no gabinete da vice-presidência.

A perseguição contra mim é tão direcionada, que o ministro Gilson Dipp chega a dizer que usei jurisprudência de construção sofisticada para amparar minhas decisões, com o que critica a jurisprudência do próprio Superior Tribunal de Justiça, porque foi lá que fui buscar o embasamento, para não me afastar dos precedentes.

Quando diz o ministro que a liberação de caça-níqueis, por mais justificada que fosse, não se subsume na situação de tamanha relevância tanto quanto de exigível emergência ou urgência, pela própria natureza das máquinas, os dois pressupostos necessários para a tutela antecipada; e de novo invoca o fato de haver a denúncia sido recebida pelo Supremo Tribunal Federal, com voto do ministro Cezar Peluso, como se esse recebimento que não significa condenação fosse suficiente para justificar a minha aposentadoria do cargo de desembargador.

Diz o ministro Gilson Dipp também que do magistrado se exige uma conduta irrepreensível, que ele não pode manter amizades suspeitas, condutas equívocas ou discutíveis, frequentar lugares impróprios, fazer negócios escusos ou envolver-se em situações que possam de qualquer modo comprometer a imagem do Poder Judiciário. Na mente do ministro, se ao homem comum do povo a regra é a presunção da inocência[7] com a presunção de não culpabilidade, para o magistrado essa presunção se inverte, pois a ordem constitucional exige, por idêntica e natural presunção inversa, a absoluta retidão e honestidade. E nessa linha, qualquer fato que desabone a conduta gera simetricamente uma presunção de desrespeito ao estatuto respectivo, cabendo ao magistrado, então, ao contrário dos cidadãos comuns, a responsabilidade e iniciativa da prova da lisura e da respeitabilidade de seu procedimento.

Nos meus sessenta e seis anos de idade, nunca li tamanho disparate, que deve ter sido colhido de algum constitucionalista do improviso, porque, se todos são iguais perante a lei, e o juiz é um cidadão como

---

[7] No voto do ministro consta "preservação" da inocência, mas parece que o correto é "presunção" de inocência, tendo havido um erro gráfico.

qualquer outro, não vejo como, em relação ao cidadão comum o normal seja a presunção de inocência, e em relação ao juiz não seja assim, por conta dessa "inversão" imaginada pelo ministro, *cabendo ao magistrado presumir-se culpado até que possa provar a sua inocência.*

Aqui o leitor tem uma noção clara de como funciona a cabeça de um juiz, porque em qualquer país democrático do mundo, a presunção de inocência é para todos, nacionais ou estrangeiros, magistrados ou não, e quem me imputou a pecha de corrupto é que tem o dever de provar o que afirma e não provou; e não eu de provar que não sou corrupto, apesar de ter produzido todas as provas que estavam ao meu alcance.

Ultimamente, tem ocorrido no Brasil, com a tolerância dos juízes e tribunais, uma inversão do ônus probatório na esfera penal que não há em nenhum país do mundo, porque os membros do Ministério Público Federal oferecem denúncias infundadas contra pessoas inocentes, sabendo que ficarão impunes se o seu intento malograr, que em vez de a prova da acusação caber a quem acusa, o que é acusado é que tem de provar que as acusações não têm fundamento.

Se houvesse a Polícia Federal encontrado os "grandes valores" referidos pelo ministro no seu voto, nas minhas contas bancárias ou nas de alguém de minha família, ou sinais de riqueza incompatíveis com os meus ganhos e da minha mulher, eu não estaria me esforçando tanto para demonstrar que estou sendo vítima de um lamentável erro judiciário; erro este que é maior até do que o "erro judiciário de Araguari", porque lá se perdeu uma vida por conta dos equívocos dos desembargadores que julgaram o caso, mas, aqui, no meu caso, o que se perde é a honra e a dignidade, que atinge até o último dos membros da minha família; o que é muito pior do que perder a própria vida. Só quem não passou pelo que passei, e ainda estou passando, não sabe que "viver sob suspeita" é muito pior até do que "não viver".

Como se vê no Capítulo 2 deste livro, no trecho "Decisões sobre o funcionamento de bingos no Tribunal", quem deu decisões para que os bingos funcionassem no Rio de Janeiro e no Espírito Santo foram outros desembargadores que não eu, mas apenas eu tinha um genro advogado, e era o candidato natural à presidência do Tribunal, pelo que precisava de alguma forma ser afastado do caminho do grupo dos quinze, para eleger presidente o desembargador Castro Aguiar. Só que a forma que arrumaram para conseguir isso, com o apoio da Polícia Federal, do Ministério Público e do Supremo Tribunal Federal, foi tão pérfida quanto a atitude dos nazistas, quando mandaram os judeus para os campos de extermínio, porque tem por base armações, mentiras e suposições.

Vejo com tristeza, mais uma vez, que a Polícia Federal montou tantas mentiras e as repetiu tanto no seu relatório; e o Ministério público as repetiu tanto na sua denúncia; e o ministro Cezar Peluso as repetiu tanto no seu voto; e outros ministros, como Ricardo Levandowski, as repetiu tanto no seu voto; e o ministro Gilson Dipp as repetiu tanto no seu voto; que, acredite o leitor, tem hora que chego a duvidar da minha própria higidez mental, achando que estou ficando louco.

No final, conclui o ministro Gilson Dipp que pouco importa que não se tenha comprovado a eventual corrupção do magistrado, porque a seu ver — no que foi seguido por todos os conselheiros — o que basta para o controle da disciplina e da lisura desse agente do Estado é a dúvida quanto à sua honestidade e imparcialidade revelada por fatos públicos que não foram desmentidos, ainda mais com menção expressa a vultosas somas em dinheiro, referência ou destinatários equívocos dúbios ou ambíguos. E de novo invoca o ministro o recebimento da denúncia contra mim pelo Supremo Tribunal Federal, como indícios fortes da minha participação numa organização criminosa, o que confirma o que disse em alto e bom som quando tinha assento no Tribunal, aos meus "colegas", que o simples recebimento da denúncia contra um juiz já importa na sua condenação. Em mais de uma vez, o ministro relator se reportou ao recebimento da denúncia para me considerar culpado, em vez de descer a uma análise séria das provas e buscar a verdade que está escondida por detrás de toda essa maquinação contra mim.

Senti enjoo na alma, quando Gilson Dipp falou em vultosos valores de dinheiro pelas minhas decisões, porque nada, absolutamente nada foi encontrado no meu patrimônio, a não ser os dois mil dólares da minha mulher e os cinco mil reais meus, que seriam usados numa viagem à França, que acabou abortada pelo furacão.

Não se pode desconhecer que aquele que disse que um milhão seria para mim não é pessoa séria, estando inclusive processada pela Justiça, não podendo a sua palavra ser usada como verdade contra mim, sem que se tenha apurado no mínimo quem fez essa afirmação.

Eu nunca neguei o almoço no restaurante Fratelli, e nunca neguei que tivesse dado as decisões que realmente dei, pelo que os fatos em si são verdadeiros, sendo, porém, falsas e inverídicas as versões que os meus algozes tiraram desses fatos. Assim, o almoço de que se fala realmente houve, as pessoas a que se refere o ministro Gilson Dipp podem ter estado lá, porque, pelo que me lembro, lá estavam o Castelar Guimarães, um advogado que viera com ele de Belo Horizonte, o meu genro e depois outras pessoas que lá apareceram e que a Polícia Federal afirma serem Jaime Garcia e José Renato.

A Polícia Federal revelou tanta eficiência nessas fotos, que tirou do grupo que estava almoçando, que sequer conseguiu identificar o principal anfitrião que era o advogado e ex-procurador-geral de Justiça de Minas Gerais Castelar Guimarães, que inclusive deve ter pago a conta, o qual foi qualificado como "Homem Não Identificado" (HNI), embora tivesse sido muito fácil para os policiais se dirigirem ao caixa para obter o nome dele.

Portanto, o fato de ter havido o almoço é verdadeiro, mas a versão do fato de que eu conhecia as pessoas convidadas e sabia que estariam lá e mesmo assim fui a esse almoço é falsa; da mesma forma que o encontro é verdadeiro, mas que tenha tido o propósito de tratar de jogos de bingo é falsa; mesmo porque este almoço foi realizado em 18 de janeiro de 2007, sete meses depois que a minha decisão favorável à Betec já estava cassada, o que ocorreu em 14 de junho de 2006.

Por falar em encontros e almoços, vou terminar este episódio contando uma verdade que está plasmada no meu espírito, e é preciso que a sociedade saiba, para que faça a sua avaliação sobre duas morais, que as pessoas às vezes cultivam, sendo uma para si e outra para os outros.

Quando foi realizado o 69º Curso Internacional de Criminologia, sob a orientação cultural da Sociedade Internacional de Criminologia, com sede em Paris, um órgão da Organização das Nações Unidas (ONU), o Instituto de Pesquisa e Estudos Jurídicos, do qual eu participava como orientador cultural, e o meu genro integrante da diretoria, foi incumbido da sua organização e da obtenção de recursos para custear as passagens e estadas dos participantes que seriam convidados para ilustrar o evento.

Eu me pus em campo para viabilizar este evento, consegui o patrocínio da Universidade Salgado de Oliveira (Universo), em troca de lhe repassar gratuitamente todo o material que fosse produzido nesse encontro para que pudesse ser usado no interesse do corpo discente e da *Revista Consulex*, que se encarregou de parte do patrocínio.

Este encontro tinha o objetivo de homenagear um dos maiores penalistas vivos do mundo, que era Eugênio Raúl Zaffaroni, e o tema era "Os desafios da corrupção".

Vou repetir mais uma vez o que disse em outras passagens deste livro, que se eu fosse um corrupto ou estivesse envolvido com grupos criminosos, eu seria o maior dos ingênuos (e não um corrupto) em organizar um evento cujo objetivo fosse justamente discutir a corrupção, o crime organizado e as formas de combatê-los.

Para participar desse encontro, convidei o ministro Gilson Dipp, como membro do Superior Tribunal de Justiça, para falar sobre a lavagem de dinheiro, tendo eu feito a ele por telefone o convite, comprometendo-me em nome do Instituto que eu coordenava, com o patrocínio da Universidade Universo, para ele comparecer na qualidade de palestrante, com pagamento de passagens e estada no Hotel Panamericano em Buenos Aires, por cinco dias, que era o tempo para a realização do evento.

Para esse encontro, Luiz Fernando Zakarewicz, da *Revista Consulex*, que integrava a coordenação, ficou de convidar um ministro do Supremo Tribunal Federal, tendo sido escolhido por ele o ministro Cezar Peluso, como representante daquela Corte, tendo ele comparecido em companhia da sua esposa, sob o patrocínio dessa revista, tendo permanecido em Buenos Aires também por cinco dias.

O ministro Cezar Peluso autorizara a interceptação dos meus telefones e os grampos no meu gabinete, pouco antes do encontro de Buenos Aires, que foi realizado nos dias 7, 8 e 9 de setembro, tendo os participantes viajado no dia 6 e retornado no dia 10.

Eu não estou dizendo que participar de um Congresso como este, em homenagem a um dos maiores ícones do Direito Penal no mundo, seja um crime, porque eu próprio participei de muitos eventos culturais na área do Direito, patrocinado por empresas privadas, porque, infelizmente o Poder Público não dispõe de verba para gastar com cultura; ou, se as tem, não tem no montante necessário para viabilizá-los.

Todas as conversas que tive com o ministro Gilson Dipp sobre a sua participação nesse encontro de Buenos Aires, bem como as que tive com Luiz Fernando Zakarewicz sobre a ida do ministro Cezar Peluso a Buenos Aires, provavelmente foram gravadas pela Polícia Federal, porque o próprio ministro do Supremo Tribunal Federal já tinha, nessa ocasião, autorizado a interceptação das minhas conversas e os grampos no meu gabinete, mas nenhuma dessas conversas aparecem nos relatórios da Polícia Federal, e teria sido importante que aparecessem, porque a maldita frase "[...] arte em dinheiro, tá?", montada pelos arapongas para me incriminar, foi retirada dessas conversas; e só não foram porque envolvia conversas minhas, Carreira Alvim, investigado como um corrupto, com o ministro Gilson Dipp, e outra conversa com o dono da *Consulex*, sobre a viagem do ministro Cezar Peluso, para participar de um evento que estava sendo coordenado por mim, Carreira Alvim; e por isso não interessava aos propósitos maquiavélicos da Polícia Federal e do Ministério Público Federal.

Como o ministro Gilson Dipp adotou como fundamento para me condenar à aposentadoria o fato de eu ter aceitado almoçar com pessoas que eu não conhecia, e que eu deveria ter me afastado daquele ambiente, achei muito oportuno revelar à sociedade uma verdade que não é fruto de suposição, como foi o argumento usado pelo ministro, de que eu saberia quem eram aquelas pessoas, o que realmente eu não sabia, supondo, sim, que eram amigas de quem me havia convidado, que foi o advogado e ex-procurador de Justiça de Minas Gerais.

Isso porque nenhuma dessas pessoas tinha uma marca registrada na testa, pela qual eu pudesse identificá-las como "bingueiras", pois até o tal Jaime Garcia que também lá aparecera, e que supus ser amigo do advogado Castelar Guimarães, patrono do almoço, eu pensava que era um advogado. Quando vi essa pessoa chamada Jaime Garcia, me dei conta de que já o tinha visto antes, mas supunha que fosse realmente um advogado.

Outro *equívoco*, para não dizer *inverdade*, é ter o ministro Gilson Dipp afirmado que o tal Jaime Garcia foi padrinho de casamento da minha filha, pois se quisesse realmente a verdade, por achar que esse fato me punha sob suspeita de conhecê-lo, bastaria que tivesse determinado que eu juntasse uma certidão de inteiro teor da certidão de casamento de Luciana com Silvério Júnior, com o nome dos padrinhos, para constatar que o nome de Jaime Garcia lá não constava; e isso por uma razão muito simples, ou seja, o tal Jaime Garcia nunca foi padrinho de casamento da minha filha.

Veja o leitor, que quando um juiz, mesmo sendo um ministro de um tribunal superior, parte de um *pressuposto falso* jamais poderia conduzir o Conselho, como realmente não conduziu, a uma conclusão verdadeira.

Com todas essas revelações que faço, não quero dizer que o ministro Gilson Dipp e o ministro Cezar Peluso cometeram algum crime ao aceitarem o convite feito pelo Instituto de Pesquisa e Estudos Jurídicos e pela *Revista Consulex* para participar do evento de Buenos Aires; mas quando chegaram lá e viram que a organização estava sob o meu comando, um desembargador que estava sendo investigado por suspeita de integrar uma organização criminosa, o mínimo que lhes recomendava a ética que o ministro Gilson Dipp apregoou no voto contra mim, no Conselho Nacional de Justiça, era terem tomado imediatamente o rumo de casa.

Lembra-se o leitor do que disse o ministro Gilson Dipp, para me condenar?

Vou repetir: "Se para o homem comum do povo a regra é a presunção[8] de inocência com a presunção de não culpabilidade, para o magistrado essa presunção se inverte, pois dele se exige, por idêntica e natural presunção inversa, a absoluta retidão e honestidade".

Se as coisas são realmente assim, fica claro que, para que o ministro Cezar Peluso aceitasse a denúncia contra mim e convencesse todo o Supremo Tribunal Federal a fazer o mesmo, e para que o ministro Gilson Dipp me condenasse à aposentadoria compulsória por algo que não fiz, convencendo todo o Conselho a fazer o mesmo, então deveriam ambos, por um mínimo ético que se exige também dos ministros de tribunais superiores, *terem pego o caminho de volta* para o Brasil, quando viram que, na

---

[8] No voto do ministro consta "preservação" de inocência, mas parece que quis dizer "presunção" de inocência, tendo havido um erro gráfico que passou despercebido.

coordenação do evento, estava eu, Carreira Alvim, investigado por corrupção, num inquérito supervisionado pelo próprio ministro Cezar Peluso.

Essa, afinal, foi a ética que o ministro Gilson Dipp invocou para justificar a minha aposentadoria, que para mim soou como um afastamento do cargo de desembargador, apesar de o Conselho Nacional de Justiça ser incompetente para isso, porque o juiz pela Constituição só pode ser aposentado por sentença penal condenatória passada em julgado, ou seja, quando se tenha tornado definitiva, e esse Conselho é um órgão administrativo, sem poder para isso, embora presidido pelo mesmo presidente do Supremo Tribunal Federal, que é atualmente o ministro Cezar Peluso.

E por falar em *almoço*, que foi considerado de muita relevância para a minha condenação pelo Conselho Nacional de Justiça, não posso deixar de registrar aqui, por amor à verdade, que depois de encerrado o evento de Buenos Aires, o dono da *Happy Hour Viagens e Turismo* me chamou e me disse que não podíamos deixar de oferecer um *jantar* aos participantes que haviam atuado como palestrantes e participantes dos trabalhos, mas que os recursos financeiros tinham acabado, pelo que seria necessário que eu entrasse com no mínimo quinhentos dólares, porque ele entraria com outros quinhentos, o professor Edmundo com quinhentos também.

O jantar foi realizado e prestigiado pelos ministros Gilson Dipp e Cezar Peluso, que estiveram presentes, estando eu lá na condição de coordenador da cerimônia, e mesmo vendo que eu estava lá, e era um suspeito de integrar uma organização criminosa no Rio de Janeiro, mesmo porque o próprio ministro Cezar Peluso estava no comando das investigações, nenhum deles saiu do jantar em virtude da minha presença. Eu me lembro de que, nesse jantar, o ministro Cezar Peluso deu uma desculpa para não se assentar ao meu lado, e foi se sentar do lado oposto; mas o ministro Gilson Dipp sentou-se e jantou no lugar que lhe estava reservado.

Eu não estou dizendo que comparecer a um jantar seja crime ou que não seja ético, mas estou apenas levantando aqui os mesmíssimos argumentos que o ministro Gilson Dipp usou para me condenar à aposentadoria, quando disse que eu não poderia deixar de compreender e discernir que não se tratava aquele almoço de reunião adequada à presença de um magistrado.

O ministro Gilson Dipp supunha que eu fosse um adivinho para saber que aquelas pessoas que chegaram depois de mim para almoçar também, e que me foram apresentadas naquela oportunidade pelo advogado Castelar Guimarães, como convidados seus, eram suspeitas, e que eu por isso deveria sair do restaurante; embora nenhum deles tivesse escrito na testa o que faziam na vida.

Em outros termos, eu entendi que aquelas pessoas que foram almoçar no restaurante Fratelli eram amigas do anfitrião, que me havia convidado, mas mesmo assim e sem saber eu tinha que "*mandar a educação para o espaço*", saindo do restaurante, onde afinal nada se conversou que não pudesse ser conversado em qualquer lugar público.

Na visão do ministro, e que ele repassou aos demais conselheiros do Conselho Nacional de Justiça, quando o personagem do almoço do Fratelli, no Rio de Janeiro, era eu, deveria eu ter sido "grosso e deselegante", saindo do ambiente, o que para ele significaria estar eu agindo em defesa da ética dos juízes. E isso, mesmo não sabendo, como eu realmente não sabia, o que faziam aquelas pessoas, além de serem amigas do anfitrião, e muito menos qual a sua atividade.

Mas quando o magistrado do *jantar* de Buenos Aires era o ministro Cezar Peluso, do Supremo Tribunal Federal, jantar este que era organizado por um desembargador que ele estava monitorando como suspeito de participar de uma organização criminosa, e que havia sido mandado grampear no Rio de Janeiro, no período que se realizava o curso na capital portenha, poderia ele deixar de compreender e discernir que, mesmo sendo uma reunião onde estava presente um suspeito de corrupção, lá poderia permanecer, como permaneceu com sua esposa, sem se levantar e sair para mostrar que era um magistrado ético.

Eu não estou aqui recriminando o comportamento do ministro Cezar Peluso, mas não posso deixar de invocar esse comportamento para mostrar que não fui apenas eu que estive num almoço onde haviam pessoas suspeitas, do qual devesse me retirar, mas também um ministro do Supremo Tribunal Federal esteve num jantar onde estava um suspeito de ser membro de uma organização criminosa, e fez o mesmo que fiz, lá permanecendo, sem cometer a indelicadeza de se retirar.

Só que entre a situação em que me encontrei, no almoço no restaurante Fratelli, era completamente diferente da situação do ministro, porque eu não sabia que os outros convidados do anfitrião eram ligados ao jogo de bingo, mas o ministro me tinha como suspeito, porque ele próprio tinha autorizado a interceptação dos meus telefones e da minha família e os grampos no meu gabinete.

Vou contar também um fato acontecido em Buenos Aires, por ocasião desse congresso, que me convence de que o ministro Gilson Dipp sabia que eu estava *sob investigação*, porque certo dia o ministro Peçanha Martins, então seu companheiro no Superior Tribunal de Justiça — e que me indicou o ministro Gilson Dipp para falar nesse encontro sobre "lavagem de dinheiro" — me chamou em particular e me perguntou se eu me dava bem com o ministro Cezar Peluso, o que eu respondi que sim, embora eu já tivesse percebido que esse ministro vinha me evitando em Buenos Aires; pois onde eu estava, ele não chegava, e onde ele estava, quando eu chegava, ele saía. E isso por um motivo muito simples, que é o fato de já ter mandado me grampear no Rio de Janeiro, e estava participando de um evento coordenado justamente por mim na capital portenha.

Quando indaguei ao ministro Peçanha Martins por que ele me fizera aquela pergunta, ele desconversou de forma cortês como era do seu feito e concluiu: "Deixa para lá, Carreira Alvim; não é nada".

Naquele momento, ficou-me a impressão de que o meu saudoso amigo ministro Peçanha Martins sabia de alguma coisa sobre o grampeamento no meu gabinete, mas fato é que ele não quis me deixar preocupado e por isso não levou adiante a conversa. Mesmo porque o ministro Peçanha Martins sabia da conspiração que estava em marcha contra mim no meu Tribunal, para não me eleger presidente em razão das minhas posições, com as quais o Ministério Público Federal sempre se mostrava inconformado. Na minha ida a Brasília, quando fui ao Conselho Nacional de Justiça conversar com o então corregedor Pádua Ribeiro, fiz uma visita também ao ministro Peçanha Martins, que na época era o vice-presidente do Superior Tribunal de Justiça, tendo ele me aconselhado a priorizar a minha carreira de escritor e palestrante e deixar para lá as disputas para a direção do Tribunal.

Depois que o ministro Gilson Dipp disse no seu voto que eu deveria ter-me retirado do restaurante Fratelli, porque lá estavam pessoas suspeitas — embora naquela época eu não soubesse o que faziam, pois só fiquei sabendo quando fomos todos presos na mesma operação —, dei-me conta de que o ministro Gilson Dipp havia também participado do jantar que juntamente com outros organizadores oferecemos a todos os que haviam participado do evento, quando do seu encerramento.

E foi aí que concluí que se o ministro Peçanha Martins, pelo que me perguntou em Buenos Aires, embora não me dissesse, sabia do meu grampeamento por determinação do Supremo Tribunal Federal, por certo externou essa sua preocupação ao ministro Gilson Dipp, de quem era amigo, por certo na suposição de que este fosse também meu amigo; o que, porém, não demonstrou quando aceitou, como verdadeiras, todas as aleivosias assacadas contra mim no processo administrativo.

Entre companheiros de um mesmo tribunal, como eram os ministros Peçanha Martins e Gilson Dipp, e além de companheiros, amigos, não poderia haver segredo quando a questão era ligada à ética na magistratura, o que me dá a certeza de que o ministro Gilson Dipp sabia que eu era suspeito de integrar uma organização criminosa, num inquérito supervisionado pelo ministro Cezar Peluso, do Supremo Tribunal Federal.

E, juntando todos esses fatos, dei-me conta de que o ministro Gilson Dipp não seguia a ética que achava que eu deveria seguir, porque também ele aceitara um convite para o jantar, oferecido aos participantes pelos organizadores do evento, e lá chegando, vendo que lá estava um desembargador suspeito de integrar uma organização criminosa, não fez o que achou que eu deveria ter feito, ou seja, não foi deselegante a ponto de se retirar do ambiente, tendo jantado como os demais e lá permanecido até o encerramento.

Eu conto isso, não para sugerir que o ministro Gilson Dipp teria sido aético em estar presente num jantar em que estava alguém, como eu, suspeito de vender decisões, mas para mostrar ao leitor que, não sabendo eu quem eram os convidados do advogado no restaurante Fratelli, no Rio de Janeiro, não poderia o ministro dizer que faltei com a ética quando não me retirei do ambiente. Mesmo porque, a ética não tem nada a ver com a elegância, pelo que se eu não me retirei para não ser deselegante, no almoço no Rio de Janeiro, também o ministro Gilson Dipp não se retirou do jantar em Buenos Aires creio que pelo mesmo motivo.

Conto tudo isso antes que tenha sido julgado pelo Supremo Tribunal Federal, mas o faço porque posso ter todos os defeitos que meus algozes possam me imputar, mas *nunca fui, não sou e nunca serei um juiz covarde*, e foi por isso que estou pagando um preço com o que de mais caro possuo, que é a minha honra e dignidade pessoais; e isso porque sempre que os interessados batiam às portas do Supremo Tribunal Federal ou do Superior Tribunal de Justiça, os seus ministros se recusavam a decidir o pleito, argumentando que a competência era do vice-presidente do Tribunal Regional Federal da 2ª Região, onde devia ser esgotada a jurisdição, e que por desventura minha era eu, o desembargador Carreira Alvim.

Registro de novo o desabafo de Rui Barbosa numa das mais eloquentes frases da sua vida, que bem se enquadra no momento que estou passando:

"Medo, venalidade, paixão partidária, respeito pessoal, subserviência, espírito conservador, interpretação restritiva, razão de Estado, interesse supremo, como quer te chames, prevaricação judiciária, não escaparás ao ferrete de Pilatos! O bom ladrão salvou-se. Mas não há salvação para o juiz covarde."

Alerta aos magistrados brasileiros

O que está acontecendo neste país é algo que não ocorreu nem nos tempos do regime militar, pois temos sabidamente institucionalizado um Estado Policial, em que a Justiça irresponsável e a parte malsã da Polícia Federal vêm fazendo da vida dos juízes um inferno.

Hoje em dia, nenhum juiz exerce tranquilamente a sua função, pois teme que, ao proferir uma decisão contra o Poder Público Federal ou contra as pretensões do Ministério Público Federal, possa ser surpreendido com uma denúncia de estar envolvido com a corrupção.

Tenho conhecimento de denúncias feitas pelo Ministério Público Federal contra juízes e advogados, em razão de demandas ajuizadas há anos, algumas retroativas até 2003, o que faz com que nem pelo presente, nem pelo passado e nem pelo futuro estejam seguros de que não serão alvo de escutas irresponsavelmente autorizadas pela Justiça; ou, mesmo, de arapongagem, porque o que aconteceu comigo confirma o ditado: *"Cesteiro que faz um cesto faz um cento, e se deixar faz duzentos".*

As regras para a escuta telefônica não vêm sendo observadas, nem pela Justiça nem pela polícia, pois esta pede diretamente ou por intermédio do Ministério Público Federal, autorização para interceptar telefones a seu ver suspeitos, e as interceptações são feitas *a torto e a direito,* envolvendo um universo imensurável de pessoas, que têm a sua privacidade violada, pelo simples fato de ter tido uma única conversa telefônica com aqueles que a polícia ou o Ministério Público consideram suspeitos.

E nem as regras legais específicas sobre a grampeagem são observadas, porque a Lei do Grampo só autoriza a interceptação telefônica por quinze dias, prorrogáveis por mais quinze, mas eu fui grampeado por mais de um ano, para que conseguissem contra mim falas de menos de um minuto e que serviram para montar uma frase que nunca partiu da minha boca.

Se a Justiça vem emprestando respaldo do seu poder ao Estado Policial que se instalou no país, vejo com muita preocupação o silêncio das associações de magistrados e da própria Ordem dos Advogados do Brasil em fazer vistas grossas do escancarado descumprimento da Lei do Grampo, que não admite a interceptação telefônica, quando não houver indícios *razoáveis* de autoria ou participação em infração penal ou a prova puder ser feita por outros meios disponíveis; e, mesmo assim, em segredo de justiça e pelo prazo de quinze dias, renovável por igual tempo uma vez comprovada a indispensabilidade do meio de prova.

Em relação a mim, não havia nenhum indício de autoria nem prova de qualquer infração penal, pois o que eu fazia é aquilo que eu tinha o dever constitucional de fazer, que é proferir decisões, e estando na vice-presidência do Tribunal, conceder liminar quando entender estar havendo violação a direito alheio.

Mas mesmo assim, fui grampeado com autorização do Supremo Tribunal Federal, com várias renovações da interceptação telefônica, concedidas por dois de seus ministros, Cezar Peluso e a então presidente Ellen

Gracie, e cujo segredo de justiça jamais foi observado, com a Polícia Federal vazando para a mídia a sua megaoperação, assim que ela teve início.

Durante o seu depoimento à CPI do Grampo o juiz Ali Mazloum, de São Paulo, afirmou em alto e bom som que os juízes se sentem coagidos a autorizar as escutas telefônicas, o que vem confirmado pelo ministro Gilmar Mendes, então presidente do Supremo Tribunal Federal, que também afirmou naquela Corte que a Polícia Federal faz terrorismo contra juízes.

O jornal *on-line Consultor Jurídico* publicou matéria em 19 de maio de 2008, com o título "Farra do grampo — Juiz diz que colegas são coagidos para autorizar escutas"; e divulgou também outra matéria "Estado Policial — Polícia faz terrorismo contra juízes, diz Gilmar Mendes", na sua edição do mesmo dia e ano.

Se os juízes não puderem confiar em que a Suprema Corte faça cumprir o que contém na Lei do Grampo, na medida em que ela própria a descumpre a todo instante, e se associações de magistrados se quedam diante de tal omissão, só resta o recurso às cortes internacionais de justiça e de direitos humanos, para que não fiquem entregues à própria sorte.

Recentemente, recebi pela internet a conhecida frase de Martin Luther King, mandada por um leitor que acompanha o meu calvário: "O que mais preocupa não é nem o grito dos violentos, dos corruptos, dos desonestos, dos sem caráter, dos sem ética. O que mais preocupa é o silêncio dos bons".

Profissão de fé de um juiz

A Justiça é uma instituição que funciona na contramão das nossas expectativas, pois quando queremos que seja rápida, é lenta, e quando queremos que seja lenta, é rápida.

Na esfera penal, mais do que no processo civil, a Justiça tem que ser rápida, a uma, por conta da natureza do seu objeto, mexendo com o que o ser humano tem de mais importante, que é a sua liberdade e o seu patrimônio moral; e, a outra, porque como o que se pune é um comportamento humano, não se estará punindo a mesma pessoa quando a sentença é proferida anos depois, como acontece no Brasil.

A Justiça brasileira é uma *contradição em si mesma*, mantendo presos acusados que não necessitam de prisão, nem temporária e nem preventiva, deixando em liberdade os réus confessos, condenados a penas elevadíssimas, com o direito de recorrer em liberdade.

Quem está respondendo a um processo penal tem como uma espada de Dâmocles sobre a cabeça, eternizada pela demora, tomando como refém a alma do acusado, a pretexto de questionar a sua culpabilidade e o interesse social na sua punição.

Antes de a minha vida ser varrida pelo furacão, eu pensava como era bom viver com a consciência tranquila, como eu vivia, mal sabendo que, mesmo tendo a consciência tranquila, como eu tinha e continuo tendo, seria vítima de uma montagem criminosa, usando as minhas conversas gravadas por quem tinha por missão constitucional justamente o dever de combater o crime e garantir a minha liberdade.

Ao ser preso e encarcerado sem saber a razão, porque mais não fizera do que cumprir a minha função de juiz, no exercício da qual contrariara interesses do Poder Público, inconformado com as minhas decisões, confesso que a minha descrença na Justiça quase me sufocou.

Eu, que ingressara na magistratura *entusiasmado*, ficara *decepcionado* e lutava para não sair dela *indignado*, senti-me estimulado na minha indignação, pois fui das mais injustas vítimas que a Justiça poderia eleger para me apear dos seus sonhos, e mostrar serviço. Senti, nesse momento, que era sustentado numa das pernas pela fé, e na outra, pela indignação pelo que tinha sido vítima.

Eu, que imaginava em tese a revolta que alguém deveria sentir, quando injustamente condenado por crime que não cometeu, sentia na própria alma o que era ser acusado, em tais circunstâncias, e me questionava como era possível alguém conseguir "forjar" uma prova para me incriminar, a ponto de obter a decretação da minha prisão temporária.

Como diz o ditado popular, "o tempo é o senhor da razão", pelo que se encarregará de fazer com que a verdade venha à tona, pois a verdade é como a cortiça, que tende a boiar, sem vocação para ficar no fundo.

Quando vejo juízes sendo grampeados com a autorização da Justiça e o Ministério Público Federal denunciando juízes com base nessas gravações, muitas vezes sem pé nem cabeça, como aconteceu comigo, vem-me à mente a advertência que deveria habitar a alma de cada magistrado deste país:

> "[...]
> Na primeira noite eles se aproximam,/ e
> roubam uma flor/ do nosso jardim.
> E não dizemos nada./ Na segunda noite,
> já não se escondem;/ pisam as flores,/
> matam nosso cão,/ e não dizemos nada./
> Até que um dia,/ o mais frágil deles/
> entra sozinho em nossa casa,/ rouba-nos
> a luz, e,/ conhecendo nosso medo,/
> Arranca-nos a voz da garganta./
> E já não podemos dizer nada.
> [...]"[9]

Faço uma profissão de fé na Justiça, porque tenho a consciência tranquila de que não fiz o que a Polícia Federal supõe que eu tenha feito, e se essa *armação vier a se transformar em verdade*, a minha indignação se encarregará de me convencer de que passei a minha vida toda servindo a uma "miragem", pois para mim a Justiça terá sido uma *miragem*.

Crença na verdadeira justiça

Eu não podia deixar de contar a verdadeira *verdade dos fatos* porque as aleivosias assacadas contra mim se homiziam numa *versão fantasiosa dos fatos*, mentirosa, falsificada e adrede montada para me afastar do Tribunal, e que vem sendo tantas vezes repetidas nos julgamentos, primeiro na peça acusatória, depois no recebimento da denúncia e depois no julgamento pelo Conselho Nacional de Justiça, inclusive sendo

---

[9] Trecho do poema "No caminho com Maiacóvski", de Eduardo Alves da Costa, do livro de mesmo título, publicado pela Geração Editorial. Muitas vezes esse poema é atribuído erroneamente a Maiacóvski, Borges, Jung ou García Márquez.

repetidas por pessoas que me conhecem *por dentro*, que tenho o receio de ser esta mentira convertida em verdade pela sua repetição.

É exatamente o que está acontecendo comigo, quando inventaram mentiras contra a minha honra e dignidade e estão vendendo à opinião pública como se fosse a verdade, sem um exame meticuloso da prova para descobrir nas suas dobras as suposições plantadas pela Polícia Federal, sustentadas pelo Ministério Público e admitidas pelo Supremo Tribunal Federal.

Se eu não pusesse tudo para fora que tenho guardado no meu espírito, com a mesma indignação que se apoderou de mim naquele fatídico dia 13 de abril de 2007, quando fui arrancado pela força dos fuzis da Polícia Federal, do seio da minha família, sem a exibição sequer de um mandado de prisão, e que eu, como um magistrado, professor de Direito na Faculdade Nacional de Direito e autor de uma obra jurídica que me tornou conhecido em todo o país, não tive como evitar, pode o leitor ter certeza de que eu seria sufocado pela mentira que habita em todos os julgamentos de que tenho sido vítima.

O desembargador Ricardo Regueira, que nunca me formulou pedido algum em favor de bingos, foi perseguido pela Polícia Federal e pelo Ministério Público, sob a acusação de estar negociando a jurisdição, não obstante o primeiro processo tenha sido arquivado pelo mesmo ministro Cezar Peluso que veio depois a decretar de novo a sua prisão temporária, e por isso acabou morrendo porque o seu coração não aguentou a pressão da injustiça que o vitimou.

A Justiça em certas circunstâncias é *injusta*, e, além de injusta, *hipócrita*, porque o processo em vez de ser uma solução para a alma daqueles que são injustamente acusados, acaba sendo perverso, e tão perverso, que quando chega a sentença a alma já está tão dilacerada que a condenação não mais se justifica.

Para quem é acusado, a *lerdeza* da Justiça é um fardo muito pesado, porque por mais que se pretenda agilizá-la ela definitivamente não anda; e quando anda, anda a passos de tartaruga, como acontece com o meu processo penal, que completou quatro anos no Supremo Tribunal Federal, praticamente parado, com um único ato praticado, que foi o recebimento da denúncia; pois nada do que requeri ao ministro relator foi decidido, nem para conceder e nem para negar o que eu pedi.

O Supremo Tribunal Federal é daquelas instituições do tipo "faça o que falo e não faça o que faço", porque todos os seus ministros, principalmente o seu presidente, fala que busca uma solução rapida para a Justiça brasileira, mas ele próprio não reza por essa cartilha.

Com todo advogado criminalista que converso, repete ele a mesma oração, de que "no processo penal, o tempo corre em favor do réu", ao que sempre respondo que o tempo corre realmente em favor do *réu*, mas do réu *culpado*, porque, quando é condenado, se beneficia da prescrição que apaga a punibilidade, mas não corre em favor do réu inocente, que quer ver reconhecida a sua inocência; o que fica inviabilizado, se ele vier a falecer antes, porque aí o processo é arquivado; como aconteceu, aliás, com o desembargador Ricardo Regueira e com o advogado Sérgio Luzio.

Se o Supremo Tribunal Federal tivesse sido rápido no julgamento do processo, o desembargador Ricardo Regueira poderia ser absolvido, como foi da primeira vez, porque realmente ele foi a maior vítima dessa perseguição sem fundamento; e eu sou testemunha disso, porque não conversamos sobre nada daquilo que a Polícia Federal, o Ministério Público Federal e o Supremo Tribunal Federal supuseram que tivéssemos conversado.

A Justiça é tão contraditória quanto o tempo, porque quando se quer que ela demore, ela é rápida, e quando se quer que seja rápida, ela demora uma eternidade.

O que eu desejo do fundo da minha alma não é a prescrição da punibilidade, porque não sou culpado de nada, mas que ela seja rápida, tanto quanto possa, para que a verdade transpareça límpida e cristalina como deve ser a verdadeira verdade, para que fique comprovado que a Polícia Federal "montou" as provas e que o Ministério Público "falseou" as transcrições que fez na denúncia, e porque nenhum ministro do Supremo Tribunal Federal ou conselheiro do Conselho Nacional de Justiça pode ter sido induzido ao equívoco.

O interesse em que as responsabilidades sejam apuradas não é meu em particular, como juiz e cidadão brasileiro, mas do país e especialmente das instituições, importantes na salvaguarda dos direitos de todos os que habitam o solo brasileiro, e em quem a sociedade confia cegamente, como a Polícia Federal e o Ministério Público.

Para que se chegue à verdade verdadeira é preciso que a Justiça "tire a venda dos seus olhos", aguce o seu poder de investigação em sede processual e queira realmente descobrir a verdade e punir aqueles que tergiversaram sobre as instituições que deveriam dignificar. É isso que quero, e que quer a minha família, e querem meus amigos e todos os que acreditam que ainda existe justiça neste país.

Fiz do meu injusto afastamento do Tribunal e da minha aposentadoria precoce a maior realização da minha vida, porque escrevi uma coleção inteira de dezesseis volumes intitulada "Comentários ao Código de Processo Civil Brasileiro", que vem sendo regularmente editada, já no oitavo volume, e iniciei outra coleção sobre o "Novo Código de Processo Civil Brasileiro", que está a caminho; além de ter atualizado toda a minha obra jurídica com mais de cinquenta obras já entregues ao mundo jurídico; e o que é mais importante, tenho tido a rara felicidade, que pouco juiz tem, de conviver com a minha família, e, especialmente, com meus netos, que de outra forma eu não conviveria, por estar diuturnamente mergulhado numa pilha de processos, tentando fazer justiça a todo custo. O preço que estou pagando por essa rara felicidade é excessivamente alto, mas de outra forma eu passaria pela vida sem saber o que é brincar com meus netos; e esse será o destino da maioria dos juízes-avós, porque ao caírem na aposentadoria compulsória, aos setenta anos, já não terão forças para fazer o que estou fazendo.

Herança para meus descendentes

Este livro é o que deixo de herança para os meus descendentes, em especial os meus netos, para que, quando adultos, e algum talvez um juiz de Direito, possa encontrar aqui o testemunho de quem foi realmente o seu avô, segundo a *única verdade*, e não as suposições e imaginações que as instituições deste país transformaram em "verdade".

No futuro, sei que poucos se lembrarão da injustiça de que fui vítima, e mesmo quem participou dela, ou quem na verdade deu as decisões para funcionamento de bingos no Rio de Janeiro, porque a história se encarregará de ignorá-los, mas a minha obra e o meu trabalho serão perpétuos e espero que este livro também o seja, como registro perene de como a Justiça às vezes é injusta com seus próprios juízes.

Para quem passou pelo que passei, pelos motivos pelos quais passei, nas circunstâncias em que passei e com base nas suposições por que passei, nada é mais importante do que relatar a verdadeira "versão dos fatos", submetendo-os ao julgamento dos que me derem a honra da leitura.

Assim se espera justiça.

ANEXO COM IMAGENS E PEÇAS IMPORTANTES

Laudo pericial do professor doutor Ricardo Molina sobre as gravações telefônicas feitas pela Polícia Federal

LABORATÓRIO DE PERÍCIAS
Prof. Dr. Ricardo Molina de Figueiredo

SOLICITANTE: SILVÉRIO LUIZ NERY CABRAL JÚNIOR

COMENTÁRIOS QUANTO AO LAUDO DE EXAME DE MATERIAL AUDIOVISUAL, Laudo n. 3472/2007-INC, assinado pelos Peritos JOÃO PAULO BATISTA BOTELHO e PAULO MAX GIL INNOCENCIO REIS.

Observação Preliminar: Todas as referências ao Laudo Pericial aqui discutido serão feitas com base na própria numeração das páginas do supracitado Laudo.

I) QUANTO AO OBJETO PERICIAL

- Dois arquivos de áudio intitulados como abaixo:

    1) 6692013490_20060712230331_1_444240.wav
    2) 2178450942_20060725183825_1_473492.wav

os quais denominaremos, ao longo do presente Parecer Pericial, Arquivo #01 e Arquivo #02, respectivamente. Tal nomenclatura é a mesma usada pelos Peritos do INC.

Observe-se que os arquivos acima já foram objeto de Parecer Pericial anterior, sob a responsabilidade deste mesmo Perito signatário, datado de 02 de Julho de 2007.

II) QUANTO AO ACOMPANHAMENTO POR PARTE DO ASSISTENTE TÉCNICO

Cabe deixar claro, já de antemão, que, embora o Perito signatário tenha tido a oportunidade de conversar com os Peritos do INC, não houve propriamente um acompanhamento dos procedimentos periciais desenvolvidos pelos Peritos do INC. Para ser mais claro, nas duas oportunidades em que houve efetiva interação com os Peritos

LABORATÓRIO DE PERÍCIAS
Prof. Dr. Ricardo Molina de Figueiredo

do INC, foi-nos simplesmente relatada a forma como os exames e testes foram (ou seriam) realizados. Fica evidente, pela leitura do próprio Laudo do INC que algumas conclusões - com efeito, as mais importantes - dependeram de comparações, simulações e acesso a dados, procedimentos estes aos quais o Assistente Técnico da Defesa só teve acesso indireto, ou seja, por meio dos relatórios dos próprios Peritos do INC. Voltaremos a este ponto, no nosso entender central no contexto da discussão, ao comentarmos algumas afirmativas contidas no Laudo Pericial em tela.

III) COMENTÁRIOS AO LAUDO 3472/2007-INC

Fica claro, ao analisarmos o Laudo do INC que todas as conclusões relevantes dependeram de informações derivadas de fontes externas aos arquivos efetivamente juntados aos Autos. Como já exaustivamente discutido em nosso Parecer anterior, a questão central (mais especificamente no que se refere ao Arquivo #02) gira em torno de descontinuidades existentes nos arquivos e para as quais não haveria uma explicação razoável.

Apesar da inegável competência técnica dos Peritos do INC, entendemos que as questões mais importantes não foram respondidas ou, quando o foram, não atenderam completamente aos quesitos colocados.

Assim, por exemplo, com referência à descontinuidade ocorrente no Arquivo #01, entre 48.048s e 48.880s (quesito 2.1, pg. 34) respondem os Peritos do INC que tal interrupção teria ocorrido "possivelmente em decorrência de alguma falha no sistema de interceptação ou da coincidência de uma pausa no diálogo principal com uma pausa no ruído de fundo" [grifo nosso].

Com relação ao Arquivo #02, na resposta ao quesito 3.2 (pg. 35), relatam os Peritos do INC que o truncamento observado logo ao começo do referido arquivo deveu-se ao fato de o telefonema ter sido dividido em dois arquivos diferentes. Concluem eles que um

RICARDO MOLINA SOBRE AS
GRAVAÇÕES TELEFÔNICAS FEITAS PELA POLÍCIA FEDERAL

LABORATÓRIO DE PERÍCIAS
Prof. Dr. Ricardo Molina de Figueiredo

dos arquivos contidos no HD (denominado Arquivo 4 no Laudo ora comentado) conteria o vocativo "J.R.", pronunciado pelo interlocutor Carreira Alvim e que este interlocutor estaria "provavelmente chamando o interlocutor chamado Júnior, que, no início do Arquivo 2, após 04 (quatro) segundos, responde 'pode falar, Doutor' " [grifo nosso]. Quanto aos demais truncamentos ocorrentes no mesmo Arquivo #02, a saber, aos 02.36s, 06.32s e 9.187s, limitam-se os Peritos do INC a constatar sua existência, na resposta ao quesito 3.3 (pgs. 35-36), confirmando assim o já relatado em nosso Parecer anterior.

Para alguns quesitos, embora tenham sido os mesmos elaborados de forma a delimitar claramente o aspecto técnico em foco, não há resposta satisfatória ou, pelo menos, direta. Assim ocorre, por exemplo, no quesito 3.4 da Defesa (pg. 36), o qual reproduzimos abaixo:

3.4) Queiram os Srs. Peritos analisar, espectralmente, todos os intervalos de silêncio entre falas subseqüentes. Apresenta a gravação, nestes trechos de silêncio, alguma informação espectral de fundo que pudesse ser empregada para garantir a continuidade da gravação?

Como resposta, remetem os Peritos do INC ao item "V.3 - Do Arquivo 2". Ora, o quesito, tal como formulado, comportaria uma simples resposta afirmativa ou negativa, não havendo qualquer necessidade de remeter à longa discussão do item V.3. Mas examinemos de perto o relatado no item V.3. Apresenta-se ali uma Tabela 03 na qual são descritos, trecho a trecho, os eventos acústicos observados no Arquivo #02. Em diversos trechos relatam os Peritos do INC "ausência total de ruído de fundo, presença apenas de pequeno nível DC". Existem, pois, trechos sem informação espectral relevante de fundo. Sem tal informação, sabem bem os Peritos do INC, é impossível garantir a integridade desta ou de qualquer outra gravação com as mesmas características. Assim, a resposta ao quesito deveria ser simplesmente "não", ou seja, desdobrando-se a resposta, não existe no Arquivo #02 informação espectral de fundo

RICARDO MOLINA SOBRE AS GRAVAÇÕES TELEFÔNICAS FEITAS PELA POLÍCIA FEDERAL

LABORATÓRIO DE PERÍCIAS
Prof. Dr. Ricardo Molina de Figueiredo

que pudesse ser empregada para garantir a continuidade da gravação. É isto o que se depreende dos dados da Tabela 03, e esta deveria ter sido a resposta técnica ao quesito.

Ainda com relação à falta de informação consistente que pudesse garantir a integridade do Arquivo #02, formulou a Defesa o quesito 3.5 (pg. 36), abaixo reproduzido

> *3.5) Caso não haja informação coerente de ruído de fundo entre as falas, podem os Srs. Peritos apresentar outras evidências <u>técnicas</u>, (ou seja baseadas, unica e exclusivamente, na gravação, e não em aspectos circunstanciais) que pudessem ser eficazes para avaliar, inequivocamente, a integridade da gravação?* [grifado no original]

Embora o quesito tenha sido bastante explícito quanto à exigência de evidências "baseadas, unica e exclusivamente, na gravação" (ou seja, evidências oriundas unica e exclusivamente das informações contidas no Arquivo #02), os Peritos do INC baseiam sua resposta em <u>comparações</u> do Arquivo #02 com "outros arquivos (...) presentes no HD", para concluir afinal, com base nessas "comparações", que as várias interrupções presentes no Arquivo #02, assim como a ausência de ruído de fundo "são características sistêmicas, compatíveis com uso de terminal móvel Nextel operando na modalidade de comunicação por despacho, e com o sistema de interceptação empregado" (pg. 36). Ora, tal resposta não atende ao proposto pelo quesito, visto que os Peritos recorreram a informações <u>externas</u> ao arquivo periciado. O fato de existirem <u>outros</u> arquivos que apresentem, eventualmente, falhas, interrupções, *etc.*, nada esclarece, de definitivo, quanto à integridade do arquivo efetivamente periciado, especialmente se tais "falhas sistêmicas" puderem ser reproduzidas em laboratório sem dificuldades, como é o caso.

O quesito 3.6 da Defesa, considerando já a inexistência de informação de ruído de fundo que pudesse garantir a integridade da gravação, coloca a questão da possibilidade de <u>detecção</u> de uma manipulação, em laboratório, que pudesse, de algum

Ricardo Molina sobre as gravações telefônicas feitas pela Polícia Federal

LABORATÓRIO DE PERÍCIAS
Prof. Dr. Ricardo Molina de Figueiredo

modo, alterar o sinal originalmente registrado. Reproduzimos abaixo, na íntegra o referido quesito (3.6, pg. 36)

> *3.6) Caso inexista informação de ruído de fundo entre as falas, queiram os Srs. Peritos responder se, em tais condições, seria detectável uma manipulação do sinal original, manipulação esta que, eventualmente, viesse a suprimir algum trecho, modificar a ordem cronológica de algumas falas ou mesmo inserir trecho(s) extraído(s) de outro telefonema efetuado nas mesmas condições de captação/gravação.*

Novamente, temos aqui uma questão que comporta uma simples resposta afirmativa ou negativa. Afinal, uma manipulação seria ou não seria detectável? Os Peritos do INC evitam responder ao quesito, remetendo item "V.1 - Da Verificação de Edição de Áudio". Lemos e relemos o referido item sem encontrar a resposta ao quesito, tal como colocada. O item V.1 (pgs. 7-8) limita-se a descrever, genericamente, as abordagens que serão empregadas nos exames, mas nada afirma, especificamente, a respeito dos arquivos periciados. Muito menos encontramos qualquer informação que respondesse à questão colocada no quesito, a qual repetimos agora sumariamente: Diante das características do Arquivo #02 (ausência de ruído de fundo entre falas, descontinuidades durante trechos de fala, *etc.*) seria possível detectar uma eventual manipulação? Certamente não! A ausência de ruído de fundo útil entre falas permitiria que trechos fossem suprimidos e/ou incluídos ou mesmo que a ordem dos eventos de fala fosse alterada sem deixar qualquer vestígio. Este seria um procedimento razoavelmente simples em processamento digital de sinais. As figuras 01 e 02 ilustram como uma montagem indetectável pode ser realizada, sem grandes dificuldades, neste tipo de material de áudio. As figuras são acompanhadas de legendas e sinais explicativos dos procedimentos.

Finalmente, apresentou a Defesa quesito centrado na possibilidade de garantir a integridade da gravação, o qual reproduzimos abaixo, na íntegra (quesito 3.7, pgs. 36-37).

RICARDO MOLINA SOBRE AS GRAVAÇÕES TELEFÔNICAS FEITAS PELA POLÍCIA FEDERAL

LABORATÓRIO DE PERÍCIAS
Prof. Dr. Ricardo Molina de Figueiredo

3.7) Diante das condições da gravação no supracitado arquivo, podem os Srs. Peritos GARANTIR que não houve algum tipo de manipulação, em momento posterior, do arquivo, considerando <u>exclusivamente</u> suas características acústicas e não outros aspectos circunstanciais? Observe-se que o quesito, tal como formulado, admite apenas resposta direta, <u>não havendo terceira opção possível</u>, tanto lingüística como logicamente. Insistimos, pois, em uma resposta que contemple, <u>necessária e exclusivamente</u>, uma das duas opções abaixo:

a) os Peritos não podem garantir se a gravação contida no referido arquivo não tenha sido, de algum modo, alterada de forma a não corresponder, exatamente, à conversação original.

a) os Peritos garantem que a gravação contida no referido arquivo não foi, de modo algum, manipulada. Neste caso queiram os Srs. Peritos apresentar fundamentação técnica consistente que ampare tal conclusão categórica.

Os Peritos do INC consideraram o quesito prejudicado. Justificam sua posição afirmando que "não consideraram exclusivamente as características acústicas do áudio na realização do exame". Ora, se isto é verdadeiro, então a resposta ao quesito é possível, e seria: "considerando exclusivamente as características acústicas e não outros aspectos circunstanciais, <u>não é possível garantir que a gravação [no Arquivo #02] não tenha sido, de algum modo, alterada</u>". Com efeito, essa é a resposta que se depreende da própria argumentação dos Peritos do INC.

Observe-se ainda que o quesito h) do Juízo (pg. 39) retoma a questão do quesito 3.7 da Defesa, novamente perguntando aos Peritos: "sob que condições técnicas pode a perícia GARANTIR que determinada gravação é autêntica" [em destaque no original]. Embora colocada aqui de forma mais genérica, insiste o Juízo em conhecer os elementos que permitam <u>garantir</u> a integridade de uma gravação. A resposta dos Peritos, mais uma vez, escapa da análise do objeto pericial específico, limitando-se estes a afirmar que o arquivo periciado é "idêntico" a um <u>outro</u> arquivo "presente no

LABORATÓRIO DE PERÍCIAS
Prof. Dr. Ricardo Molina de Figueiredo

DVD de backup (cópia de segurança) do sistema de interceptação", como se o vício existente em um justificasse o vício existente no outro! Além disso, cabe ressaltar que a Assistência Técnica, como já comentado, não teve, em nenhum momento, acesso direto aos "outros" arquivos empregados pelos Peritos do INC.

Que fique claro que não se está aqui duvidando da lisura dos Peritos do INC. A questão é técnica e neste âmbito deve ser discutida. O problema que vemos com muita clareza é de ordem metodológica e diz respeito à própria definição de "autenticidade" de uma gravação.

De acordo com a argumentação desenvolvida no Laudo do INC, uma gravação que, embora apresente descontinuidades, truncamentos no meio de falas, duração não coincidente com a presente no relatório, além de outros vícios, pode ser considerada "autêntica" se são eventualmente encontradas outras gravações com os mesmos vícios ou, apenas, se a gravação está "conforme enviada pela operadora Nextel" (afirmação contida na resposta ao quesito h do Juízo, pg. 39). E mais, poderá tal gravação ser considerada ainda autêntica, mesmo que os estranhos efeitos observados possam ser reproduzidos em laboratório de forma não detectável pela perícia. Ora, esta é uma definição bastante liberal do conceito de "autenticidade" e, certamente, não seria aceita pela imensa maioria dos peritos foneticistas forenses, sérios, que atuam na área. Um deles, Harry Hollien, PhD (University of Florida, Gainesville), um dos maiores expoentes da fonética forense no mundo, aconselha:

> "If the examiner is to meet his or her responsibilities properly, the tape recording first must be treated as if it *had* been modified, tampered with or edited in some manner. <u>The reputation or presumed integrity of the individual/agency making the tape recording should have no effect on the thoroughness of this examination</u>" [grifo em itálico no original; grifo sublinhado nosso] *

---

* "se o perito deve assumir suas responsabilidades seriamente, a gravação deve ser , a princípio, tratada como *se tivesse sido* modificada, montada ou editada de algum modo. <u>A reputação ou integridade presumida do indivíduo/agência que fez a gravação não deve afetar a meticulosidade dos exames</u>' (*in* The Acoustics of Crime, pg 164, 1990)

RICARDO MOLINA SOBRE AS GRAVAÇÕES TELEFÔNICAS FEITAS PELA POLÍCIA FEDERAL

LABORATÓRIO DE PERÍCIAS
Prof. Dr. Ricardo Molina de Figueiredo

O conselho do Prof. Hollien é bastante pertinente no caso em tela. O fato é que, de acordo com a abordagem dos Peritos do INC, a verificação da integridade/autenticidade das gravações questionadas, e mais dramaticamente aquela contida no Arquivo # 02, está totalmente vinculada a critérios <u>externos</u> ao objeto pericial em si (a gravação propriamente dita) e depende de fatores como a "confiabilidade" da operadora, a integridade dos procedimentos de coleta, transmissão, manuseio de dados, *etc.*, procedimentos estes, aliás, que o Assistente Técnico não acompanhou. Cabe ressaltar que a certas fases do processo sequer tiveram acesso os próprios peritos do INC. Mas ainda assim, com extraordinária confiança em procedimentos além de seu próprio controle, concluem eles, a respeito do Arquivo #02, que "a conversa está íntegra, ou seja, <u>conforme enviada pela operadora Nextel</u>" [grifo nosso] (v. resposta ao quesito h do Juízo, pg. 39). Entende-se, pois, que, qualquer coisa enviada pela operadora Nextel tem o selo da autenticidade para os Peritos do INC. Mais eficiente (ou ao menos mais rápido) seria então, daqui em diante, recrutar os próprios engenheiros da Nextel para "autenticar" futuras gravações questionadas.

Não é razoável autenticar uma gravação com base na presunção de "idoneidade" de qualquer indivíduo, empresa, agência, *etc.*, tal como recomendado na supracitada colocação do Prof. Hollien. Muito menos, como também o fazem os Peritos do INC, <u>comparando</u> uma gravação questionada com outras, <u>sem que se tenha provado que essas outras são autênticas</u>! Caímos, é claro, em um círculo vicioso: "autenticou-se" uma objeto pericial com base em analogias com outros objetos <u>não periciados</u>.

Há uma gritante falha lógica neste tipo de abordagem. De acordo com a argumentação desenvolvida pelos Peritos do INC, poderíamos construir a seguinte evolução de pensamento:

Ricardo Molina sobre as gravações telefônicas feitas pela Polícia Federal

LABORATÓRIO DE PERÍCIAS
Prof. Dr. Ricardo Molina de Figueiredo

(1) As gravações tipo Nextel geralmente apresentam problemas sistêmicos
(2) A gravação questionada é do tipo Nextel
Logo: **[1]**
(3) Os problemas observados na gravação questionada são sistêmicos.

Ora, **[1]** é um pseudo-silogismo, pois a conclusão (3) não é inferência necessária das premissas (1) e (2). A falha do raciocínio acima fica mais clara se trocarmos alguns termos, mantendo, contudo, a estrutura (pseudo) lógica, tal como em **[2]**:

(1) As aves geralmente voam
(2) O pingüim é uma ave
Logo: **[2]**
(3) O pingüim voa.

Há um outro desenvolvimento (este sim) lógico que levaria a uma conclusão bem diferente:

(1) As gravações Nextel geralmente apresentam descontinuidades sistêmicas
(2) Descontinuidades sistêmicas podem ser reproduzidas em laboratório de modo não detectável na perícia técnica
(3) A gravação questionada é do tipo Nextel **[3]**
Logo:
(4) Não se pode garantir que as descontinuidades observadas são realmente sistêmicas

Observe-se que em **[3]** <u>todas</u> as proposições (premissas e conclusão) são verdadeiras, ao contrário do pseudo-silogismo expresso em **[1]**, o qual, entretanto, serviu de base para as conclusões exaradas no Laudo do INC ora comentado.

LABORATÓRIO DE PERÍCIAS
Prof. Dr. Ricardo Molina de Figueiredo

10/13

IV) CONCLUSÕES

No nosso entendimento, que se orienta por critérios técnicos e não circunstanciais, as gravações em tela (arquivos 6692013490_20060712230331_1_444240.wav e 2178450942_20060725183825_1_473492.wav) contêm vícios cuja origem não foi devidamente esclarecida e não podem ser validadas como prova técnica. O Laudo 3472/2007 do INC não responde às questões centrais e baseia suas conclusões em comparações com outros objetos, objetos estes que sequer foram periciados. Cai-se, portanto, em um círculo vicioso: para "autenticar" um objeto pericial, recorre-se a uma comparação com outros objetos não periciados. Ora, quem garante a integridade destes outros objetos? Perseguindo a tortuosa lógica empregada no Laudo aqui comentado, a "autenticidade" destes outros objetos seria novamente "testada" comparando-os com outros objetos também não periciados, e assim ad infinitum.

E mais: os ilustres Peritos do INC reconhecem não ter controle sobre todas as fases do processo de captação + gravação + codificação + transmissão dos dados para a PF, sendo tais procedimentos executados pela operadora NEXTEL. Assim, como já comentado acima, concluem, a respeito de um dos arquivos, que "a conversa está íntegra, ou seja, conforme enviada pela operadora Nextel" [grifo nosso]. Devemos então, de agora em diante, confiar (cegamente) na operadora NEXTEL? Como já sugerido, melhor seria então, nos casos futuros, consultar diretamente os engenheiros da NEXTEL, dispensando os Peritos do INC da fatigante empreita.

Também não foi devidamente esclarecido, no Laudo do INC, de que forma poder-se-ia distinguir uma descontinuidade "sistêmica" de uma fraudulenta. E não o foi por um único e simples motivo: tecnicamente não é possível fazer tal distinção. O Laudo do INC, ressalte-se, em nenhum momento afirma que uma descontinuidade artificialmente criada poderia ser detectada em gravações semelhantes àquelas originadas de ligações

RICARDO MOLINA SOBRE AS GRAVAÇÕES TELEFÔNICAS FEITAS PELA POLÍCIA FEDERAL

LABORATÓRIO DE PERÍCIAS
Prof. Dr. Ricardo Molina de Figueiredo

NEXTEL. A aferição de "autenticidade", portanto, não pode ser realizada com segurança. Simplesmente afirmar, como o fazem os Peritos do INC, que vícios semelhantes aos observados nas gravações questionadas (truncamentos e descontinuidades em geral) ocorrem "aleatoriamente" por causa de falhas no sistema não pode ser admitido como evidência de autenticidade. *Casum sentit dominus*: se o sistema é falho e gera "ao acaso" descontinuidades na gravação, as quais não podem ser tecnicamente diferenciadas de efeitos semelhantes produzidos em laboratório, então que o proprietário do sistema o ajuste de tal modo a não mais produzir tais gravações imperfeitas. O que não se pode é usar gravações repletas de descontinuidades como prova técnica válida.

Campinas, 26 de Fevereiro de 2008

Prof. Dr. Ricardo Molina de Figueiredo

Ricardo Molina sobre as gravações telefônicas feitas pela Polícia Federal

LABORATÓRIO DE PERÍCIAS
Prof. Dr. Ricardo Molina de Figueiredo

12/13

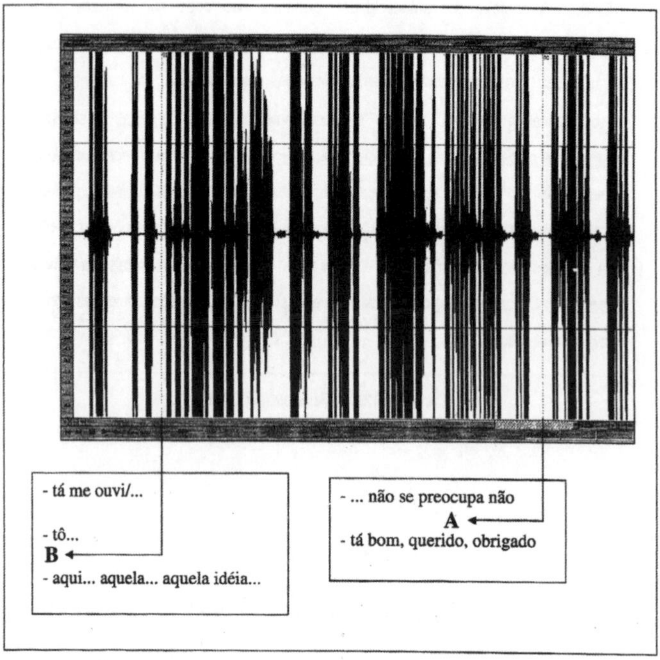

- tá me ouvi/...
- tô...
B
- aqui... aquela... aquela idéia...

- ... não se preocupa não
A
- tá bom, querido, obrigado

Figura 01. Nesta figura é mostrada a forma de onda da totalidade do arquivo 2178450942_20060725183825_1_473492.wav (Arquivo #02), assinalando os pontos a partir dos quais se produziu uma montagem <u>indetectável</u> por qualquer exame objetivo (ou mesmo subjetivos, tais como os de continuidade discursiva). O ponto B foi "transplantado" para a região A, resultando em uma nova seqüência de diálogo (ver figura 02).

Ricardo Molina sobre as gravações telefônicas feitas pela Polícia Federal

LABORATÓRIO DE PERÍCIAS
Prof. Dr. Ricardo Molina de Figueiredo

13/13

- ... não se preocupa não
- aqui... aquela... aquela idéia...

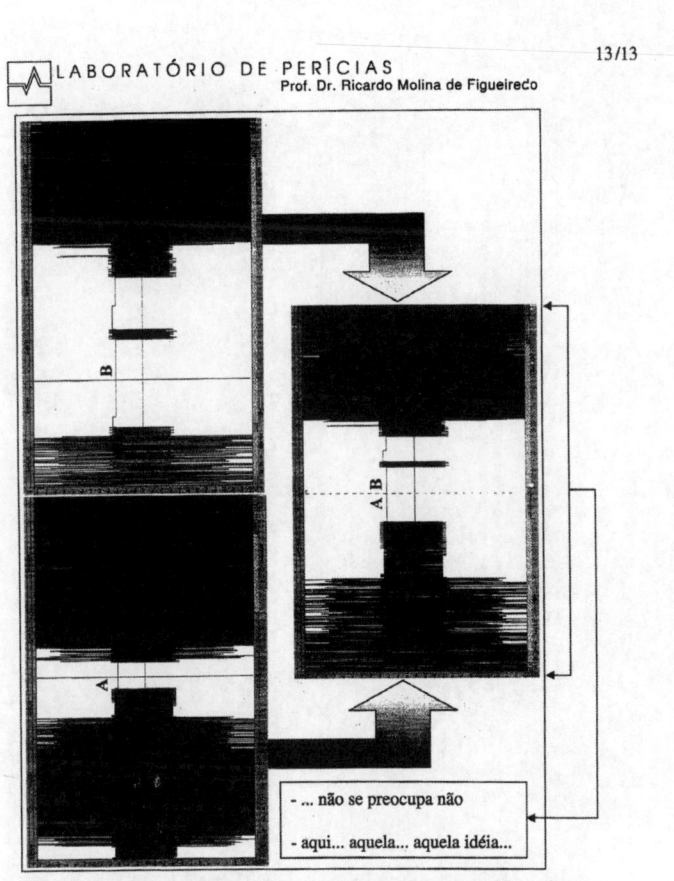

Figura 02. Nesta figura mostra-se em detalhe os pontos A e B (ver figura 01) que foram remontados, gerando-se um trecho de diálogo com seqüência diferente daquela observada no arquivo, tal como apresentado. A seqüência apos a montagem resultará no diálogo mostrado na caixa de texto dentro da figura acima. O procedimento de "transplante" de um trecho de diálogo para uma outra posição é indetectável, visto que a fusão AB se fez em região contendo apenas um baixíssimo nível DC, ou seja, sem informação espectral útil de ruído de fundo. Desta forma, a montagem seria indetectável por qualquer método. Com base exclusivamente nas informações intrínsecas, a gravação, tecnicamente, é imprestável e não pode ser considerada autêntica, visto que eventuais montagens não poderiam ser detectadas.

DECISÃO NA ÍNTEGRA SOBRE A BETEC

Decisão na íntegra
sobre a Betec

> Decisão proferida a pedido da Betec e outras, demonstrando que não se trata de decisão sobre funcionamento de bingo, como afirmado na denúncia, mas de simples liberação de máquinas caça-níqueis, e mesmo assim provisória, onde se vê que a alegação do Ministério Público era que as máquinas continham peças contrabandeadas, nada tendo a ver com a ilegalidade do funcionamento de bingos.

PODER JUDICIÁRIO
TRIBUNAL REGIONAL FEDERAL DA 2ª REGIÃO

XLVII - MEDIDA CAUTELAR INOMINADA   2006.02.01.005969-4
RELATOR   : DESEMBARGADOR FEDERAL CARREIRA ALVIM
REQUERENTE   : **BETEC GAMES COM/ PARTICIPACOES E EMPREENDIMENTOS LTDA E OUTROS**
ADVOGADO   : ALEXIS LEMOS COSTA E OUTROS
REQUERIDO   : **MINISTERIO PUBLICO FEDERAL**
ORIGEM   : QUARTA VARA FEDERAL DE NITERÓI (200651020017285)

DECISÃO

Trata-se de medida cautelar ora proposta por BETEC GAMES COMÉRCIO, PARTICIPAÇÕES E EMPREENDIMENTOS LTDA e outras, devidamente qualificadas nos autos, objetivando (a) imprimir efeito suspensivo a recurso ordinário a ser interposto contra o v. acórdão a ser proferido no agravo interno nos autos do Mandado de Segurança nº 2006.02.01.004144-6, contra a decisão monocrática do relator, que negou seguimento à impetração (fls. 108/123); (b) suprir a omissão do relator em apresentar o agravo retido em mesa para julgamento; (c) a concessão de medida liminar para restituição das máquinas eletrônicas de sua propriedade, ilegalmente retidas, até que o recurso futuro passe pelo crivo da Vice-Presidência, em regular juízo de admissibilidade.

O retrocitado mandado de segurança foi impetrado pelas ora requerentes contra ato do Juiz Federal da 4ª Vara de Niterói, que, nos autos da Medida Cautelar nº 2006.51.02.001728-5, determinou a expedição de mandado de busca e apreensão de todas as máquinas eletrônicas de propriedade das impetrantes, bem como a eventual documentação relativa às mesmas, valores em dinheiro decorrente da sua exploração e outros objetos que possam interessar à investigação do crime de contrabando, com a finalidade de proceder a perícia de componentes e seus acessórios (fls. 79/93 e 103).

Alegam e comprovam as requerentes haver, com base no art. 557, § 1º, do CPC, interposto agravo interno, em **16/5/2006**, contra a decisão monocrática no mandado de segurança, que negou seguimento à impetração (fls. 93/101), estando o precitado agravo interno pendente de julgamento perante a Primeira Turma, eis que os autos foram remetidos em **1/6/2006** ao Ministério Público Federal (fl. 124).

Nesta oportunidade, cuida-se tão-somente de verificar se estão presentes os pressupostos autorizadores da medida cautelar por esta Vice-Presidência, que, sabidamente, age como órgão delegatário do egrégio Superior Tribunal de Justiça,

DECISÃO NA ÍNTEGRA SOBRE A BETEC

PODER JUDICIÁRIO
TRIBUNAL REGIONAL FEDERAL DA 2ª REGIÃO

XLVII - MEDIDA CAUTELAR INOMINADA   2006.02.01.005969-4

até que venha a ser viabilizada a via recursal própria em função do julgamento do agravo interno pelo órgão colegiado do tribunal de origem, conforme decisão na Medida Cautelar n. 11.448-RJ, relator Min. Teori Albino Zavascki, publicada no DJ, Seção I, de 3/5/06, ementada nestes termos:

> *"PROCESSUAL CIVIL. MEDIDA CAUTELAR VISANDO ATRIBUIR EFEITO SUSPENSIVO A RECURSO ESPECIAL. PRESENÇA DOS REQUISITOS DO FUMUS BONI JURIS (PROBABILIDADE DE ÊXITO DO FUTURO RECURSO ESPECIAL) E DO PERICULUM IN MORA (EXISTÊNCIA DE ORDEM JUDICIAL DETERMINANDO A PARALIZAÇÃO DAS ATIVIDADES EMPRESARIAIS DA REQUERENTE). MEDIDA CAUTELAR DEFERIDA."*

Se houvesse o mandado de segurança sido julgado por decisão colegiada, seria o acórdão imediatamente impugnável mediante recurso ordinário (art. 539, II, "a" CPC), pois, para fins recursais, equiparam-se a denegação do *mandamus* e qualquer decisão terminativa que importe em julgamento sem apreciação de mérito.

No entanto, tendo o relator negado seguimento ao mandado de segurança mediante decisão monocrática, não tiveram as requerentes outra alternativa que não a de se valerem do agravo interno para obter o reexame daquela decisão pelo órgão colegiado, sob pena de lhes ser interditado o recurso ordinário cabível, em razão de supressão de instância.

De outro lado, se houvesse o relator do agravo interno cumprido o disposto no § 1º do art. 557 do CPC e no art. 242 do RI desta Corte, que mandam colocar esse recurso em mesa, se não houver retratação, poderiam as requerentes, em face de eventual acórdão, prestigiando a decisão monocrática em questão, valer-se do recurso ordinário para impugná-la.

Se tal tivesse ocorrido, e até que viesse a ser julgado o recurso ordinário, mas havendo uma decisão colegiada e um acórdão passível desse recurso, poderiam as requerentes, em face de entendimento já consolidado no STJ, postular, em medida cautelar, o efeito suspensivo para aquele recurso, com a concessão de eventual liminar até que viesse, o mesmo, a ser interposto e julgado pelo tribunal de destino.

DECISÃO NA ÍNTEGRA
SOBRE A BETEC

PODER JUDICIÁRIO
TRIBUNAL REGIONAL FEDERAL DA 2ª REGIÃO

XLVII - MEDIDA CAUTELAR INOMINADA   2006.02.01.005969-4

Tendo, porém, o relator do agravo interno, remetido os autos do mandado de segurança, e, conseqüentemente, também o agravo, ao Ministério Público Federal, que, inclusive, é parte na Medida Cautelar nº 2006.51.02.001728-5, onde ocorreu a decisão judicial determinante da expedição do mandado de busca e apreensão das máquinas, o direito invocado pelas requerentes acaba por *ficar à deriva*, pois não se pode prever quando o agravo interno virá a ser julgado, na medida em que já não se observou oportunamente o disposto no § 1º do art. 557 do CPC e art. 242 do RI deste Tribunal.

A jurisprudência orienta-se no sentido de ser possível o empréstimo de efeito suspensivo a recurso especial, ainda não interposto na origem, quando presentes o perigo de lesão irreversível e a aparência do bom direito (AgRg na Medida Cautelar n. 11.004/SP); devendo, por analogia, aplicar-se a mesma orientação em se tratando de recurso ordinário em mandado de segurança, quando denegatória a decisão (art. 539, I, "a", CPC), à qual se equipara a decisão que nega seguimento à impetração. É a seguinte a ementa do acórdão:

> *"MEDIDA CAUTELAR – EFEITO SUSPENSIVO A RECURSO ESPECIAL AINDA NÃO-INTERPOSTO – VIRTUAL PROVIMENTO – SITUAÇÃO URGENTE E EXCEPCIONAL – POSSIBILIDADE – PRESENÇA DE PAUSIBILIDADE JURÍDICA E PERIGO NA DEMORA.*
> *- É possível o empréstimo de efeito suspensivo a recurso especial, ainda não interposto na origem, quando presentes o perigo de lesão irreversível e a aparência do bom direito. (g.m.)*
> *- Liminar confirmada."* (AgRg na MC n. 11.004-SP, rel. Min. Humberto Gomes de Barros, STJ, 3ª Turma, unânime, DJ – Seção I de 13/3/06).

No mesmo sentido, o acórdão infra:

> "PROCESSO CIVIL. MEDIDA CAUTELAR. LIMINAR. TERATOLOGIA. CARÁTER ABUSIVO. LIMINAR CONCEDIDA. AGRAVO INTERNO DESPROVIDO.

DECISÃO NA ÍNTEGRA
SOBRE A BETEC

PODER JUDICIÁRIO
TRIBUNAL REGIONAL FEDERAL DA 2ª REGIÃO

XLVII - MEDIDA CAUTELAR INOMINADA   2006.02.01.005969-4

I - Na linha da jurisprudência desta Corte, é cabível a medida cautelar, **antes de interposto o recurso especial**, em caráter absolutamente excepcional, para coibir abuso manifesto e teratologia. (g.m.)

II - O uso adequado e correto da tutela antecipada não prescinde da postura sensata do juiz defronte do caso concreto sob sua apreciação.

III - Na esfera da tutela antecipada, **o contrapeso de ampliar os poderes do juiz na direção da causa, como a conferir-lhe a possibilidade de deferir liminares em procedimentos nos quais a lei expressamente não as contemple, para evitar danos de impossível ou de difícil reparação** (g.m.) e coibir o abuso de defesa, reside na prudência e cautela na aplicação desse poder, sob pena de transverter esse instituto tão importante para a efetividade do processo em prejuízo para as partes e, afinal, para a prestação jurisdicional.

IV - Revela-se desarrazoada, em sede de tutela antecipada, a determinação de publicar-se a íntegra da petição inicial de quarenta e uma laudas de ação indenizatória, dada a desproporção da medida em relação à matéria publicada, que tomou o espaço de uma página da revista, e em face do direito fundamental "de resposta, proporcional ao agravo" (art. 5º, V, da Constituição)." AgRg na MC 6417-DF, rel. Min. Sálvio de Figueiredo Teixeira, STJ, 4ª Turma, unânime, DJ – Seção I de 25/8/03).

O risco de dano grave e de difícil reparação é óbvio, uma vez que a negativa de seguimento à impetração, mediante decisão monocrática, e a remessa dos autos respectivos, com o agravo interno interposto dessa decisão, ao Ministério Público Federal, causa, incontestavelmente, prejuízos à atividade das requerentes, por não disporem estas de meio mais eficiente do que a presente medida cautelar, para fazer com que o processo cautelar em curso na 4ª Vara Federal de Niterói tenha uma *razoável duração*, como previsto na recente Emenda Constitucional nº 45/04.

Sem descer ao exame profundo do mérito da presente impugnação, o que será objeto de decisão pelo STJ, no momento oportuno, é de se registrar, por ora, que a

Decisão na Íntegra
sobre a Betec

PODER JUDICIÁRIO
TRIBUNAL REGIONAL FEDERAL DA 2ª REGIÃO

XLVII - MEDIDA CAUTELAR INOMINADA   2006.02.01.005969-4

decisão impugnada, objeto do agravo interno, se apóia em precedentes jurisprudenciais, para negar seguimento ao mandado de segurança, em função da matéria discutida no *writ*, quando, no âmbito deste próprio Tribunal, existe precedente análogo ao caso *sub judice*, a favorecer a pretensão das requerentes, nestes termos:

"PROCESSO PENAL – BUSCA E APREENSÃO – MANDADO DE SEGURANÇA.
I – Hipótese em que a determinação de busca e apreensão visa assegurar a realização de perícia em máquinas de propriedade da impetrante, com o objetivo de comprovar a procedência dos componentes eletrônicos das mesmas, um dos elementos indispensáveis à eventual configuração do crime de descaminho.
II – É suficiente para a efetivação da diligência em questão a apreensão de apenas uma unidade de cada modelo de máquina, uma vez que a diligência determinada deve ser realizada da maneira menos onerosa para a parte, que tem em seu favor a presunção constitucional de inocência. (g.m.)
III – Ordem parcialmente concedida". (MS nº 7.286, rel. Des. Fed. Ney Fonseca, TRF-2ª Região, 1ª Turma, unân., DJ – Seção II de 28/8/01).

A medida cautelar de busca e apreensão das máquinas tem seu fundamento na Portaria nº 07/00 e na Instrução Normativa 309/03, que, no entanto, não podem se sobrepor aos princípios constitucionais que disciplinam a atividade econômica (art. 170, CF), tendo, já, o STJ, decidido contrariamente à pretensão da União Federal como se vê abaixo:

"MEDIDA CAUTELAR. AGRAVO REGIMENTAL. EFEITO SUSPENSIVO A RECURSO ESPECIAL. SISCOMEX. INSTRUÇÃO NORMATIVA N. 286/03 DA SECRETARIA DA RECEITA FEDERAL. FUMUS BONI IURIS E PERICULUM IN MORA CARACTERIZADOS. LIMINAR DEFERIDA.
1. Por mais nobres que sejam os propósitos do Fisco na defesa dos interesses arrecadatórios do Estado, **deve ser**

OPERAÇÃO HURRICANE

DECISÃO NA ÍNTEGRA
SOBRE A BETEC

311   16

PODER JUDICIÁRIO
TRIBUNAL REGIONAL FEDERAL DA 2ª REGIÃO

XLVII - MEDIDA CAUTELAR INOMINADA   2006.02.01.005969-4

recebida com redobrada cautela e espírito crítico a adoção de mecanismos de controle que possam inviabilizar o normal desenvolvimento das atividades econômicas dos agentes privados. (g.m.)

2. Em tais circunstâncias, sobressai nítida a excepcionalidade que autoriza a admissão de medida cautelar ajuizada com o propósito de atribuir efeito suspensivo a recurso especial.

3. Agravo regimental a que se nega provimento." (AgRg na MC n. 7.542-RJ, rel. Min. João Otávio de Noronha, STJ, 2ª Turma, unân., DJ – Seção I de 5/5/04, p. 122).

Aliás, na sua grande sabedoria, já dizia o saudoso jurista e político mineiro Pedro Aleixo que: "Portaria deveria ser coisa de porteiro". Realmente, todas as vezes que a Administração Pública se mete a expedir portarias, a conseqüência é quase sempre o atropelamento das leis e de atos de superior hierarquia.

No caso, não existe apenas um perigo de dano, consubstanciado na possível destruição das máquinas apreendidas antes da conclusão do processo penal, mas um dano efetivo, porquanto a atividade das requerentes foi embaraçada pela apreensão de todas as máquinas –, quando apenas a de algumas seria suficiente para a realização de eventual exame pericial –, forçando a sua inadimplência no cumprimento de suas obrigações fiscais, comerciais, e, sobretudo, trabalhistas, pondo em risco o emprego de inúmeros (segundo elas, mais de seiscentos) de seus empregados; ademais, não precisa ser adivinho para concluir que, sem a medida judicial ora postulada, provavelmente virão as máquinas a ser prematuramente destruídas.

A busca e apreensão determinada pelo juízo federal, objeto da impugnação pela via mandamental, e, depois, impugnada por meio do agravo interno, alcançará o seu objetivo se, conforme o precedente retrocitado, deste Tribunal, for retida para efeito de perícia apenas uma unidade de máquina de cada fabricante, o que estimulará, inclusive, a conclusão da mesma no menor espaço de tempo possível, e sem prejudicar as atividades das impetrantes, que não podem ficar à espera de uma decisão na esfera criminal, *sine die*. Aliás, não se tem notícia que a perícia a que alude o Mandado de Segurança nº 7.286, ainda da relatoria do Des. Fed. Ney Fonseca, hoje aposentado, tenha até agora sido realizada.

Decisão na íntegra sobre a BETEC

PODER JUDICIÁRIO
TRIBUNAL REGIONAL FEDERAL DA 2ª REGIÃO

XLVII - MEDIDA CAUTELAR INOMINADA   2006.02.01.005969-4

Pelo exposto, concedo a medida liminar, para atribuir efeito suspensivo ao recurso ordinário a ser interposto contra o eventual acórdão no agravo interno, já interposto, e, em conseqüência, suprindo a omissão do relator do agravo interno em apresentá-lo em mesa para julgamento, conceder a medida liminar pleiteada pelas requerentes, para, suspender, em parte, a eficácia da decisão proferida pelo juiz da 4ª Vara Federal de Niterói, na Medida Cautelar nº 2006.51.02.001728-5, determinando a imediata restituição das máquinas apreendidas às requerentes, ficando retida apenas uma unidade de cada modelo, de cada fabricante, para fins de eventual perícia, devendo as mesmas, no ato da restituição, ser nomeadas fiéis depositárias; tudo sob pena da multa diária de R$ 10.000,00 (dez mil reais), sem prejuízo de incorrer, quem se oponha ao cumprimento desta decisão, em crime de desobediência e responsabilidade.

Consoante a orientação traçada pelo STF, a cautelar deferida para o fim de ser concedido efeito suspensivo a recurso extraordinário – e, conseqüentemente, também, a recurso especial, presente ou futuro – constitui mero incidente processual concernente a esse recurso, não havendo citação nem contestação (Precedentes: AC 203/MT; AC 64/MS; Pet. 2.597-QO/PR, *inter plures* DJ de 12/5/2004, 3/9/2003, 22/3/2002, respectivamente).

A presente medida cautelar perderá sua eficácia apenas se não vier a ser interposto o recurso futuro a que se refere.

Cumpra-se com urgência.

Publique-se; intimem-se; oficiem-se, inclusive por fax, especialmente ao Juiz *a quo* para que zele pelo cumprimento imediato desta decisão.

Rio de Janeiro, 9 de junho de 2006.

J. E. CARREIRA ALVIM
Vice-Presidente

OPERAÇÃO HURRICANE

Decisão na Íntegra sobre a Betec

PODER JUDICIÁRIO
TRIBUNAL REGIONAL FEDERAL DA 2ª REGIÃO

DECISÃO

Vistos, etc.

O órgão hierarquicamente competente para reexaminar as decisões do Vice-Presidente do Tribunal de origem, na Medida Cautelar nº 2003.02.01.005969-4 é, unicamente, o SUPERIOR TRIBUNAL DE JUSTIÇA, o Tribunal de destino, conforme precedente na Medida Cautelar n. 11.448, em decisão monocrática do Ministro Teori Zavascki, pelo que as decisões proferidas pelos ilustres Des. Fed. Benedito Gonçalves e Messod Azulay Neto, desta Corte, em regime de plantão, não têm sustentáculo legal, mesmo tendo a suspensão da ordem sido emitida *rebus sic stantibus*, ou seja, "até reapreciação para quem for dirigida a Medida Cautela n. 2006.02.01.005969-4, que deliberará, inclusive, sobre eventual concessão de prazo para cumprimento da ordem".

Sucede que, enquanto pendente de julgamento a MEDIDA CAUTELAR N. 2006.02.01.005969-4, o único órgão competente para qualquer decisão sobre a matéria *sub judice* é da Vice-Presidência, ou, então, do egrégio SUPERIOR TRIBUNAL DE JUSTIÇA, mediante reclamação, já que se impõe a observância do *devido processo legal*.

Neste sentido, decidiu recentemente o egrégio STJ:

"PROCESSO CIVIL – RECLAMAÇÃO – CASSAÇÃO DE LIMINAR POR DESEMBARGADOR – SUSPENSÃO DE SEGURANÇA NEGADA PELO PRESIDENTE DO STJ.

1. Não pode um desembargador, a título de revisão, em reclamação, suspender liminar concedida por outro desembargador, em mandado de segurança de competência originária, porque essa suspensão está inserida nas atribuições dos tribunais superiores, nos termos do art. 4º da Lei 4.348/64, com as alterações da MP 2.180-35/2001.
2. Hipótese de maior gravidade porque a suspensão obtida de forma ilegal fora antecedentemente negada pelo Presidente do STJ.
3. Reclamação julgada procedente. (Reclamação n. 1.709-TO, rel. Min. Eliana Calmon, STJ, 1ª Seção, unân., DJ 7/11/05, p. 73).

Assim, sendo em liminar em mandado de segurança, assim também deve ser, por compreensão analógica, quando se trate de liminar em medida cautelar, concedida por delegação do Tribunal de destino.

Considerando que o Des. Fed. Benedito Gonçalves suspendeu o cumprimento da ordem apenas pelo período do Plantão, a fim de que o caso fosse melhor analisado pelo Des. Fed. Messod Azulay Neto, que também a suspendeu até que esta Vice-Presidência – a

Decisão na Íntegra
sobre a Betec

PODER JUDICIÁRIO
TRIBUNAL REGIONAL FEDERAL DA 2ª REGIÃO

quem foi dirigida a medida cautelar – deliberasse sobre a eventual concessão de prazo para o cumprimento da ordem, não vejo motivo para a concessão de novo prazo de cumprimento, mesmo porque as medidas judiciais e policiais são sempre rápidas quando são para apreender, mas exaustivamente protelatórias quando para restituir.

Pelo exposto, reitero a decisão anteriormente por mim proferida, determinando o seu imediato cumprimento, nos termos e parâmetros nela expostos, elevando, desta feita, a multa de R$50.000,00 (cinqüenta mil reais) por dia de atraso, e determinando ao juízo a "quo", a quem cabe zelar pelo cumprimento da ordem, que informe a esta Vice-Presidência, dentro de, no máximo, 48 horas, a ultimação da diligência.

Publique-se; intimem-se; oficie-se por fax.
Rio de Janeiro, 12 de junho de 2006.

J. E. Carreira Alvim
Vice-Presidente